Михаил
Шишкин

Михаил
Шишкин

Письмовник

Роман

Издательство
АСТ
Москва

УДК 821.161.1-31
ББК 84(2Рос=Рус)6-44
Ш65

Художник – *Андрей Рыбаков*

Шишкин, Михаил Павлович.

Ш65 Письмовник : роман / Михаил Шишкин. – Москва : Издательство АСТ : Редакция Елены Шубиной, 2016. – 414, [2] с. – (Новая русская классика).

ISBN 978-5-17-095364-6

В романе «Письмовник», на первый взгляд, всё просто: он, она. Письма. Дача. Первая любовь. Но судьба не любит простых сюжетов. Листок в конверте взрывает мир, рвется связь времен. Прошедшее становится настоящим: Шекспир и Марко Поло, приключения полярного летчика и взятие русскими войсками Пекина. Влюбленные идут навстречу друг другу, чтобы связать собою разорванное время. Это роман о тайне. О том, что смерть – такой же дар, как и любовь.

Роман удостоен премии «Большая книга».

УДК 821.161.1-31
ББК 84(2Рос=Рус)6-44

ISBN 978-5-17-095364-6

* * *

Открываю вчерашнюю «Вечерку», а там про нас с тобой.

Пишут, что в начале снова будет слово. А пока в школах еще по старинке талдычат, что сперва был большой взрыв и все сущее разлетелось.

Причем все якобы существовало уже до взрыва – и все еще не сказанные слова, и все видимые и невидимые галактики. Так в песке уже живет будущее стекло, и песчинки – семена вот этого окна, за которым как раз пробежал мальчишка с мячом, засунутым под футболку.

Это был такой сгусток тепла и света.

А размером эта ни окон ни дверей полна горница людей была, сообщают ученые, с футбольный мяч. Или арбуз. А мы в нем были семечками. И вот там все созрело и, напыжившись, поддало изнутри.

Первоарбуз треснул.

Семена разлетелись и дали ростки.

Одно семечко пустило росток и стало нашим деревом, вот тень его ветки елозит по подоконнику.

Другое стало воспоминанием одной девочки, которая хотела быть мальчиком, – в детстве ее одели на маскарад Котом в сапогах, и все кругом норовили дернуть за хвост и в конце концов оторвали, так и пришлось ходить с хвостом в руке.

Третье семечко проклюнулось много лет назад и стало юношей, который любил, когда я чесала ему спинку, и ненавидел ложь, особенно когда начинали уверять со всех трибун, что смерти нет, что записанные слова – это что-то вроде трамвая, увозящего в бессмертие.

По гороскопу друидов он был Морковка.

Перед тем как сжечь дневник и все свои рукописи, он написал последнюю фразу, ужасно смешную: «Дар оставил меня», – я успела прочитать до того, как ты вырвал из моих рук ту тетрадку.

Стояли у костра и поднимали от жара ладони к лицу, глядя на кости пальцев, которые проступали сквозь прозрачную красную плоть. Сверху падали хлопья пепла – теплые сгоревшие страницы.

Да, чуть не забыла, а потом все сущее снова соберется в точку.

Вовка-морковка, где ты сейчас?

И что же это получается? Юлия-дурочка старается, шлет ему письма, а жестокосердный Сен-Пре отделывается короткими шутливыми посланиями, иногда в стихах, рифмуя селедок и шведок, амуницию и сублимацию, засранное очко и улыбку Джоконды (кстати, ты понял, чему она улыбается? – я, кажется, поняла), пупок и Бог.

Любимый мой!

Зачем ты это сделал?

* * *

Оставалось только выбрать себе войну. Но за этим, понятно, дело не стало. Уж чего-чего, а этого добра у непобитого отечества хлебом не корми, и дружественные царства, не успеешь толком и газету развернуть, уже ловят на штыки младенцев да насилуют старух. Почему-то особенно бывает жалко невинно убиенного царевича в матроске. Женщины, старики и дети как-то привычно проскальзывают мимо ушей, а тут матроска.

Отставной козы барабанщик соло, над колокольней хмарь, родина-мать зовет.

На призывном пункте призывали: каждому нужен свой Аустерлиц!

Действительно нужен.

На медкомиссии военврач – огромный череп лыс, шишковат – внимательно посмотрел в глаза. Сказал:

– Ты всех презираешь. Знаешь, я ведь тоже был таким. Мне было столько же, сколько тебе, когда я проходил первую практику в больнице. И вот нам однажды привезли бомжа, которого сбила машина. Еще жил, но уж очень сильно его изувечило. Особенно и не старались. Видно, что никому старик не нужен и никто за ним не придет. Вонь, грязь, вши, гной. В общем, положили в сторонку, чтобы ничего не испачкал. Сам дойдет. А я должен был потом убрать, помыть и отправить тело в морг. Все ушли, оставили меня одного. Я вышел покурить и думаю – зачем мне все это надо? Кто мне этот старик? Зачем он нужен? Пока курил, тот дошел. И вот вытираю кровь, гной – кое-как, чтобы поскорее его отправить в морозилку. И тут подумал, что, может, он кому-то отец. Принес тазик с горячей водой, стал его обмывать. Тело старое, заброшенное, жалкое. Никто его годами не гладил. И вот я мою его ноги, страшные скрюченные пальцы, а ногтей почти и нет – все съел грибок. Протираю губкой все его раны, шрамы – и тихо с ним разговариваю: ну что, отец, тяжелая у тебя получилась жизнь? Нелегко, когда тебя никто не любит. Да и как это в твоем-то возрасте жить на улице бездомной собакой? Но теперь-то все закончилось. Отдохни! Теперь все хорошо. Ничего не болит, никто не гонит. И вот так мыл его и разговаривал. Не знаю, помогло ли это ему в смерти, но мне это очень помогло жить.

Сашенька моя!

* * *

Володенька!

Смотрю на закат. И думаю: вдруг ты сейчас, в этот самый миг, тоже смотришь на этот закат? И значит, мы вместе.

Такая тишина кругом.

А небо какое!

Вон бузина – и та мироощущает.

В такие минуты кажется, что деревья все понимают, только сказать не могут – совсем как мы.

И вдруг очень остро чувствуешь, что на самом деле мысли и слова сделаны из той же сути, что и это зарево, или то же зарево, но отраженное вон в той луже, или моя рука с перебинтованным пальцем. Так хочется, чтобы ты все это сейчас увидел!

Представляешь, взяла хлебный нож и умудрилась резануть себе палец по самый ноготь. Забинтовала кое-как, а потом нарисовала на бинте два глаза, нос. Получился мальчик с пальчик. Вот с ним весь вечер и разговариваю о тебе.

Перечитала твою первую открытку. Да! Да! Да! Именно так! Все рифмуется! Посмотри кругом! Это же рифмы! Вот мир видимый, а вот – если закрыть глаза – невидимый. Вот часовые стрелки, а вот к ним рифма – стромбус, в миру ставший пепельницей. Вот сосна штопает веткой небо – а вот на полке аптечная травка, полезная тем, что гонит ветры. Это мой забинтованный палец, теперь, наверно, шрам останется навсегда, а рифма к нему – тот же мой палец, но еще до моего рождения и когда меня уже не будет, что, наверно, одно и то же. Все на свете зарифмовано со всем на свете. Эти рифмы связывают мир, сбивают его, как гвозди, загнанные по шляпки, чтобы он не рассыпался.

И самое удивительное, что эти рифмы уже всегда были – изначально, – их нельзя придумать, как невозможно придумать самого простого комара или вот это облако из класса долголетающих. Понимаешь, не хватит никакого воображения, чтобы придумать самые простые вещи!

У кого это было написано про людей, жадных счастья? Как хорошо сказано! Это ведь я – жадная счастья.

А еще стала замечать, что повторяю твои жесты. Говорю твоими словами. Смотрю твоими глазами. Думаю как ты. Пишу как ты.

Все время вспоминаю наше лето.

Наши утренние этюды маслом на поджаренных хлебцах.

Помнишь наш стол под сиренью, покрытый клеенкой с бурым треугольником – следом горячего утюга?

А вот это ты не можешь помнить, это только мое: ты прошел утром по траве и на солнце будто оставил сверкающую лыжню.

И запахи из сада! Такие густые, плотные, прямо взвесью стоят в воздухе. Хоть наливай в чашку вместо заварки.

И у всего кругом только одно на уме – просто идешь по полю или лесу, а всяк норовит опылить, осеменить. Все носки в семенах травы.

А помнишь, мы нашли в поле зайца с перерезанными ногами – косилкой.

Кареглазые коровы.

На тропинке – козьи орешки.

Наша запруда – муть на дне, цветущая жижа, полная лягушачьей икры. Толстолобики бодаются с небом. Вылезаешь из воды и ощипываешь с себя водоросли.

Я легла загорать, закрыла лицо майкой, ветер шуршит, как накрахмаленное белье. И вдруг что-то в пупке щекотное – открываю глаза, а это ты тонкой струйкой сыплешь из кулака песок мне на живот.

Идем домой, а ветер испытывает деревья и нас на парусность.

Собираем опавшие яблоки – первые, кислые, на компот – и кидаемся этими паданцами.

Лес на закате зубчатый.

А среди ночи будит подпрыгнувшая мышеловка.

* * *

Сашенька моя хорошая!

Что ж, буду нумеровать письма, чтобы знать, какое пропало.

Извини, что получаются короткие писульки, – совершенно нет времени на себя. И не высыпаюсь ужасно, хочется закрыть глаза и уснуть хоть стоя. Декарта убила необходимость вставать затемно в пять часов утра, чтобы читать шведской королеве Кристине лекции по философии. А я еще держусь.

Сегодня был в штабе и вдруг увидел свое отражение в зеркале в полном обмундировании.

Странно стало, что за маскарад? Сам себе удивился: как это я – солдат?

Ты знаешь, в этом все-таки что-то есть – жить, равняясь на скулу четвертого.

Расскажу тебе историю о пилотке. Она короткая. У меня ее сперли. В смысле, пилотку. А встать в строй без пилотки – это нарушение устава, короче, преступление.

Наш начальников начальник и командиров командир затопал ногами и пообещал, что я буду мыть сортир до скончания веков.

– Языком вылижешь, падла!

Так и сказал.

Что ж, в военной речи есть что-то вдохновляющее. Где-то читал, что Стендаль научился писать просто и ясно, изучая боевые приказы Наполеона.

А сортир здешний, далекая моя Сашка, это нужно объяснить. Представь себе дырки в загаженном полу. Нет, лучше не представляй! И каждый норовит наделать кучу не в дырку, а с краю. И залито все. Вообще работа желудка у твоего покорного и иже с ним – особая тема. В здешней отдаленности почему-то всегда болит живот. Непонятно, как можно посвятить себя науке побеждать, если сидишь все время над бездной и из тебя льется?

Короче, я ему:

– Да где ж я возьму вам пилотку?

А он:

– У тебя сперли, пойди и ты сопри!

И вот я пошел переть пилотку. А это непросто. Вернее, даже очень сложно, поскольку каждый норовит.

И вот ходил-бродил.

И вдруг подумал: кто я? Где я?

И пошел мыть сортир. И во всем мире появилась какая-то легкость.

Нужно было здесь оказаться, чтобы научиться понимать простые вещи.

Понимаешь, в говне нет ничего грязного.

* * *

Ну вот, пишу тебе ночью. Сейчас сгрызла горбушку в постели, теперь крошки не дают заснуть, разбежались по простыне и кусаются.

В окне над головой звездно-презвездно.

И Млечный путь делит небо наискосок. Ты знаешь, это похоже на какую-то гигантскую дробь. В числителе — половина Вселенной, и в знаменателе — другая половина. Всегда ненавидела эти дроби, числа в каком-то квадрате, в кубе, какие-то корни. Все это такое бестелесное, непредставимое, совершенно не за что ухватиться. Корень он и есть корень — у дерева. Крепкий, лезет, хватается, жрет землю, цепкий, сосущий, неудержимый, жадный, живой. А тут ерунда какая-то закорючкой, а туда же — корень!

И как можно понять минус? Минус окно — это как? Оно же никуда не денется. И то, что за окном.

Или минус я?

Такого же не бывает.

Я вообще человек всего, что можно потрогать.

И понюхать.

Понюхать даже больше. Как в книжке, которую папа читал мне в детстве перед сном. Есть разные люди. Есть люди, которые все время сражаются с журавлями. Есть люди с одной ногой, на которой они передвигаются стремительно, и у них настолько большая ступня, что они укрываются в ее обширной тени от солнечного зноя и отдыхают, словно внутри дома. А еще существуют иные люди, которые живут только запахами плодов. Когда им надо отправиться в дальний путь, то они берут с собой эти плоды, а если почувствуют дурной запах, умирают. Вот это про меня.

Понимаешь, все живое, чтобы существовать, должно пахнуть. Хоть как-нибудь. А все эти дроби и вообще все, чему учили, – не пахнет.

За окном какой-то полуночник сейчас бредет, футболя пустую бутылку. Звонкий звук стекла по асфальту на пустынной улице.

Разбилась.

Ночью в такие минуты так одиноко и так хочется быть хоть чему-то причиной.

И нестерпимо хочется быть с тобой! Обнять тебя, приласкаться.

А знаешь, что получится, если вот этот звездный числитель за окном поделить на знаменатель? Одну половину Вселенной на другую? Получусь я. И ты со мной.

Сегодня увидела, как девочка упала с велосипеда – ободрала коленку, сидит и горько плачет, и белый гольф заляпан. Это было на набережной, где львы – пасть забита мусором, обертками, палочками от мороженого. И вот я потом шла домой и почему-то подумала, что все великие книги, картины не о любви вовсе. Только делают вид, что о любви, чтобы читать было интересно. А на самом деле о смерти. В книгах любовь – это такой щит, а вернее, просто повязка на глаза. Чтобы не видеть. Чтобы не так страшно было.

Не знаю, какая связь была с той девочкой, упавшей с велосипеда.

Она поплакала и уже, может, давно об этом забыла, а в книге ее ободранная коленка осталась бы до самой ее смерти и после.

Наверно, все книги не о смерти, а о вечности, но только вечность у них ненастоящая – какой-то обрывок, миг – как цокотуха в янтаре. Присела на минутку задние лапки почесать, а вышло, что навсегда. Конечно, они выбирают разные прекрасные мгновения, но разве не страшно остаться вот так, вечным, фарфоровым – как пастушок все тянется поцеловать пастушку.

А мне ничего фарфорового не нужно. Нужно все живое, здесь и сейчас. Ты, твое тепло, твой голос, твое тело, твой запах.

Ты сейчас так далеко, что совсем не страшно сказать тебе одну вещь. Ты знаешь, я ведь тогда на даче приходила к тебе в комнату, пока тебя не было. И все нюхала. Твое мыло. Твой одеколон.

Кисточку для бритья. Ботинки понюхала изнутри. Открыла твой шкаф. Нюхала свитер. Рукав рубашки. Воротник. Поцеловала пуговицу. Наклонилась над твоей кроватью, поднесла нос к подушке. Я была так счастлива! Но этого было мало! Для счастья нужны свидетели. По-настоящему можно чувствовать себя счастливым, только получив какое-то подтверждение, и если не взглядом, не прикосновением, если не присутствием, то хотя бы отсутствием. Подушкой, рукавом, пуговицей. Один раз ты меня чуть не застиг – еле успела выбежать на крыльцо. А ты увидел меня и стал швырять мне в волосы репейник. Я на тебя тогда злилась, а сейчас чего бы только не отдала вот за это – чтобы ты швырнул мне в волосы репейник!

Вспоминаю тебя, и мир разделился – до первого раза и после.

Наши свидания у памятника.

Чистила апельсин – ладонь прилипла к твоей ладони.

Ты только что из поликлиники, со свежей пломбой в зубе – запах зубного кабинета изо рта. Разрешил мне потрогать пломбу пальцем.

А вот мы на даче белим потолок, прикрыв мебель и пол старыми газетами. Ходили босиком, и газеты все время прилипали к ногам. Все перемазались. Соскребаем друг у друга белила из волос. А язык и зубы у нас от черемухи черные.

Потом вешали тюлевые занавески и оказались по разные стороны, и так захотелось, чтобы ты меня через этот тюль поцеловал!

А вот ты пьешь чай, обжигая себе язык, дуешь, чтобы остыло, делаешь маленькие глотки и так громко хлюпаешь, совсем не боясь, что это неприлично, как мне внушили в детстве. И я тоже начинаю хлюпать. Потому что больше не детство. И все можно.

Потом было озеро.

Спускаемся по крутому склону и подходим к заболоченному берегу, чувствуя под босыми ногами тропинку, влажную, пружинистую.

Полезли в плес, свободный от ряски. Вода мутная, солнечная. Холодная от родников – бьют снизу.

Тогда, в воде, наши тела соприкоснулись в первый раз. На берегу дотронуться до тебя боялась, а тут набросилась, обхватила твои бедра ногами, попыталась утопить. Я в детстве так играла на море с папой. Ты вырываешься, хочешь разорвать мои руки, я не даюсь. Все норовила окунуть с головой. Ресницы у тебя слиплись, наглотался воды, хохочешь, плюешься, рычишь, фыркаешь.

Потом сидим на солнце.

У тебя облупленный нос, кожа сходит лепестками от загара.

Смотрим, как колокольня на том берегу мочалит свое отражение в воде.

Сижу перед тобой почти голая, но почему-то застеснялась именно ног, пальцев. Зарыла их в песок.

Прижгла сигаретой муравья, а ты заступился.

Домой идем напрямик, через поле. В высокой сухой траве прыгают кузнечики – пристают к юбке.

На веранде ты посадил меня в плетеное кресло и стал отряхивать песок с моих ног. Как папа. Когда мы приходили с пляжа, он вот так же вытирал мне ноги, чтобы между пальцами не оставалось песка.

И все вдруг стало так ясно. Так просто. Так неизбежно. Так долгожданно.

Я встала перед тобой – в мокром купальнике. Руки опустила вниз. Смотрю тебе в глаза. Ты взялся за бретельки и стянул купальник.

Я была готова к этому уже давно и ждала, но боялась, а ты боялся еще больше, и уже все давно бы произошло, но тогда, еще весной, помнишь, я взяла твою руку и потянула туда, а ты выдернул. Теперь ты был совсем другим.

Знаешь, чего я боялась? Боли? Нет. И больно-то не было. И крови никакой не было. Подумала: вдруг ты подумаешь, что ты у меня не первый.

Вечером только вспомнила, что забыла повесить купальник сушиться. Он валялся забытый, мокрый, слежавшийся, холодный. Пах тиной.

Я прижималась к тебе и целовала твой облупленный нос. В доме никого не было, а мы почему-то шептались. И впервые можно было рассмотреть глаза – ничего не боясь и не смущаясь – карие с ореховыми и зелеными крапинками на радужке.

Вообще все вдруг изменилось – можно было все трогать, что еще только что было недоступным, не моим. Только что было чужое – а теперь свое, будто мое тело увеличилось, срослось с твоим. Я и себя-то теперь чувствовала только через тебя. Моя кожа существовала только там, где ты ее касался.

Ночью ты спал, а я не могла. Так хотелось поплакать, но боялась тебя разбудить. Встала и пошла в ванную. Наплакалась всласть.

И утром перед умывальником вдруг волна глупого счастья – от вида двух наших зубных щеток в одном стаканчике. Стоят, скрестив ножки, и смотрят друг на друга.

Самые простые вещи могут заставить умирать от счастья. Помнишь, уже в городе – ты заперся в туалете, а я проходила мимо на кухню, не удержалась, присела у двери и стала шептать в замочную скважину:

– Я тебя люблю!

Тихо совсем шепнула. Потом громче. А ты не понял, что я тебе шепчу, и бурчишь в ответ:

– Я скоро, скоро.

Будто мне нужна ванная.

Ты мне нужен, ты!

Вот сидишь перед духовкой с ложкой в одной руке и раскрытой поваренной книгой в другой. Что-то на тебя нашло. Сказал, что все приготовишь сам и чтобы я не мешала. А я специально заходила на кухню, будто мне что-то нужно, а на самом деле только чтобы на тебя посмотреть. Помнишь? Ты мял фарш, и я не удержалась, тоже засунула в кастрюлю руки – как чудесно было мять с тобой эту пахучую говяжью мякоть, и фарш вылезал между пальцами!

Вообще с поварешками, прихватками и сковородками ты был не в ладах – все у тебя в руках оживало и норовило вывернуться, выскочить, улизнуть.

Я все-все помню.

Лежали и не могли друг от друга отцепиться – а потом полукруг от моих зубов на твоем плече.

Наши ноги переплетаются, ступни льнут, ластятся, и скользкие после крема пальцы входят друг в друга.

В трамвае на нас оборачиваются – твой кулак у моего носа, а я целую ту косточку, которая июль.

Поднимаемся к тебе, и кажется, что лифт ползет невыносимо медленно.

Под стулом твои ботинки, в которые засунуты носки.

Ты тогда в первый раз целовал меня там, а я никак не могла расслабиться. Вырастаешь и знаешь, что там нельзя трогать. Это ведь только мальчикам кажется, что у девочек между ног тайна, а там мокроты, миазмы, бактерии.

Утром не могла найти трусики, куда-то пропали, все обыскала, не нашла. Я и сейчас думаю, что это ты их стащил и куда-то спрятал. Так и пошла. Иду по улице, ветер лезет под юбку, и такое удивительное ощущение, что это ты везде кругом.

Я знаю, что я есть, но мне нужны все время доказательства, прикосновения. Без тебя я – пустая пижама, брошенная на стул.

Только из-за тебя мне стали дороги мои собственные руки, ноги, мое тело – ведь ты его целовал, ведь ты его любишь.

Посмотрю в зеркало и ловлю себя на мысли: а ведь это та, которую любит он. И нравлюсь себе. А раньше никогда себе не нравилась.

Закрываю глаза и представляю себе, что ты здесь.

Тебя можно потрогать, обнять.

Целую твои глаза – и губы становятся зрячими.

И так хочется провести кончиком языка, как тогда, по твоему шовчику, который тянется у тебя там, внизу, от и до, будто у малыша-голыша, и тебя слепили из двух половинок.

Где-то прочитала, что самые пахучие части тела ближе всего к душе.

Сейчас выключила свет, чтобы, наконец, свернуться клубочком и заснуть, а на небо, пока писала тебе, набежали облака. Будто кто-то стер все грязной тряпкой со школьной доски и остались одни белесые разводы.

Я чувствую, что все будет хорошо. Судьба – лишь пугает, но сохранит, защитит от настоящей беды.

* * *

Сашка, родная!

Я хорохорюсь, а на самом деле без тебя, без твоих писем я бы давно уже если не сдох, то перестал быть самим собой – не знаю, что хуже.

Я тебе писал про нашего мучителя, которого прозвал Коммодом, и кличка эта к нему прицепилась — как ты догадываешься, вовсе без связи с сыном Марка Аврелия. Сегодня он особенно постарался объяснить мне, что есть жизнь. Не хочу тебе про это писать. Хочется забыться, подумать о чем-то нездешнем, о том же Марке Аврелии.

Не понимаю, какая может быть связь между Марком Аврелием, который умер миллион лет назад и о котором все знают, и мной, который тут сидит в казенных колючих подштанниках и о котором никто не знает.

А, с другой стороны, вот он написал: ни один человек не счастлив, пока он не считает себя счастливым.

Вот это нас, наверно, с ним и объединяет — два счастливых человека. И какая разница, что он когда-то умер, а я еще здесь. По сравнению с нашим счастьем смерть кажется пустяком. Он перешагнул ко мне через нее, как через порог.

Это ощущение счастья идет оттого, что понимаю: все это кругом — ненастоящее. А настоящее — это как я тогда оказался у тебя впервые и зашел помыть руки в ванную, а там увидел твою губку и так остро почувствовал, что она касалась твоей груди.

Сашенька моя! Вот мы были вместе, а я ведь это по-настоящему стал понимать только здесь.

А сейчас вспоминаю и удивляюсь, что я всего этого тогда не ценил.

Помнишь, у вас на даче выбило пробки, ты

мне светила свечкой, а я стоял на стуле и ковырялся с жучком. Взглянул на тебя, а ты такая была необыкновенная в полумраке, и свет от пламени переливался по твоему лицу! И в глазах отражался огонек свечи.

Или вот, мы идем по нашему парку, а ты сбегаешь все время с асфальтовой дорожки, рвешь пучки травы и приносишь мне показать то одну метелку, то другую:

– А это что? А это как называется?

Идешь с перепачканными землей каблуками.

У тебя бедный палец на ноге синий-синий – в трамвае кто-то отдавил, а ты в босоножках.

И озеро вижу.

Вода загустела, заросла ряской, облаками.

Ты подошла к самой кромке, вступила, подобрав юбку, в воду по щиколотки – попробовать. Крикнула:

– Холодная!

Вытянула ногу и поводила по поверхности, словно разглаживая складки.

Все вижу, будто это не тогда было, а прямо сейчас происходит.

Разделась, завязала волосы, чтобы не рассыпались, входишь в воду, несколько раз проверяя узел на голове.

Перевернулась на спину и молотишь озеро ногами, в снопе пены мелькают розовые пятки.

Потом ложишься звездочкой, разбросав руки и ноги, узел на голове развязался, и твои длинные волосы расплываются во все стороны.

Позже, на берегу, я украдкой, чтобы ты не заметила, бросаю взгляд туда, где у тебя между ног из-под резинки купальника выбились мокрые завитки.

А теперь вижу твою комнату.

Снимаешь туфли – наклоняешься одним плечом, потом другим.

Целую твои ладони, а ты говоришь:

– Не надо, грязные!

Обхватила мою шею руками и целуешь, кусая губы.

Вдруг вскрикнула.

Я даже испугался:

– Что случилось?

– Ты мне локтем волосы прижал.

Наклонилась надо мной, касаешься соском моих век, ресниц. Надвинула волосы шатром на нас обоих.

Стаскиваю с тебя трусики, какие-то детские, кремовые, с бантиками, ты помогаешь, поднимаешь коленки.

Целую тебя там, где кожа мягче и нежнее всего, – в бедра изнутри.

Зарываю нос в густую теплую поросль.

Кровать так отчаянно скрипит, что перебираемся на пол.

Застонала подо мной, прогнулась мостиком.

Лежим, и сквозняк – приятно по потным ногам.

У тебя на спине нежный пушок и узоры от жестких рубцов китайской циновки. Вожу пальцем по твоим острым позвонкам.

Беру ручку на столе, начинаю соединять чернильной линией твои родинки на спине. Тебе щекотно. Потом выкручиваешься у зеркала, смотришь через плечо, что получилось. Я хочу смыть, а ты говоришь:

– Оставь!

– Так и будешь ходить?

– Да.

Забросила ноги на стенку и вдруг побежала мелкими шажками по обоям, выгнулась, уперлась локтями в циновку, замерла вверх ногами. Не удержался, захотелось поцеловать тебя там – сразу сложилась, рухнула.

Я ухожу, а ты вышла проводить меня к двери – в одной маечке, под ней ничего нет, застеснялась и тянешь спереди вниз рукой за край.

В последнюю нашу ночь проснулся и слушал, как ты сопишь.

Ты привыкла спать «куколкой», закутала голову в одеяло и оставила только лунку для дыхания. Лежу и смотрю в эту лунку. А ты смешная такая – заснула с шоколадной конфетой за щекой. И у тебя изо рта шоколадная струйка.

Лежу и сторожу твое дыхание.

Прислушиваюсь к твоему ритму. И пытаюсь дышать с тобой вместе. Вдох-выдох, вдох-выдох. Вдох-выдох.

Медленно-медленно. Вот так.

Вдох.

Выдох.

Ты знаешь, мне никогда раньше не было так хорошо и уютно, как в ту минуту. Смотрел на тебя, такую красивую, такую безмятежную, сонную, трогал волосы, выбившиеся из твоего одеяльного кокона, и так захотелось защитить тебя от этой ночи, от каких-то пьяных ночных криков за окном, от всего мира.

Сашенька моя! Спи! Спи спокойно! Я здесь, дышу вместе с тобой.

Вдох.

Выдох.

Вдох.

Выдох.

Вдох.

Выдох.

* * *

Заглянула в почтовый ящик – от тебя опять ничего.

Надо готовиться к семинару завтра, а в голове пусто. Наплевать. Сварю кофе, залезу с ногами в кресло и буду сейчас говорить с тобой. Слушай.

Помнишь, было так здорово рассказывать друг другу что-нибудь про детство. Я ведь тебе про себя так много еще не рассказала.

А теперь грызу ручку и не знаю, с чего начать.

Знаешь, почему меня так назвали?

Я в детстве обожала всякие красивые коробочки, шкатулки в нижних ящиках нашего серванта, подолгу разбирала хранившиеся там у мамы браслеты, брошки, игральные карты, открытки – все на свете. И вот в одной коробке я нашла детские сандалики – крохотные, ссохшиеся, кукольные.

Оказалось, что у меня был старший брат. В три года он заболел, его отвезли в больницу. О нем говорили страшное слово – залечили.

Родители сразу решили родить еще ребенка. Взамен.

Родилась девочка. Я.

Мама не смогла принять ребенка, не стала кормить, не хотела меня видеть. Мне все это потом рассказывали.

Меня выходил отец. И меня, и маму.

У моей детской кроватки в деревянной решетке были выпилены три прута, чтобы я могла вылезать. Но это была его кроватка, того ребенка. Я ведь тогда не могла понять, что это для него была лазейка. Это он пролезал. Мне нравилось туда юркнуть, но на самом деле я просто повторяла его движения.

Для меня тот мальчик оставался в какой-то непредставимой жизни до моего рождения, которая если и существовала, то сливалась с какими-то доисторическими временами, но для мамы он был здесь, рядом со мной, – присутствуя, не отлучаясь. Однажды мы ехали на дачу на электричке, и напротив сидел ребенок с бабушкой. Ребенок как ребенок, писклявый, капризный, сопливый, картавый. Все чего-то от своей бабки хотел. Та его без конца шпыняла:

– Да угомонись ты!

И помню, как мама дрогнула, сжалась, когда старуха сказала:

– Саша! Выходим!

Когда мы вышли из поезда, мама на платформе отвернулась и стала отчаянно рыться в сумочке, а я видела, что у нее хлынули слезы. Я захныкала, и тогда она обернулась, стала целовать меня мокрыми губами, успокаивать, что все хорошо, что просто ей мушка залетела в глаз.

– А теперь все хорошо!

Она высморкалась, подкрасила ресницы, хлопнула звонко пудреницей. И мы зашагали на дачу.

Помню, что я именно тогда подумала: хорошо, что тот ребенок умер. Иначе где бы тогда была я? Шла и повторяла про себя мамины слова: «А теперь все хорошо!»

Я ведь не могла не родиться. И все кругом, и все, что было, что есть и будет, – тому простое и достаточное доказательство, даже вот эта горластая форточка, и эти лепешки солнца на полу, и створоженные лепестки от свернувшегося молока вот в этой кружке с кофе, и вот это полинявшее зеркало, что играет с окном в гляделки – кто кого переглядит.

Девочкой я часами вглядывалась в зеркало. Глаза в глаза. Почему эти глаза? Почему это лицо? Почему это тело?

А вдруг это не я? И это не мои глаза, не мое лицо, не мое тело.

А вдруг я – с этими глазами, лицом и промелькнувшим телом – это только воспоминание какой-то старухи, которой я когда-нибудь стану?

Часто я играла, что на самом деле есть две меня. Будто сестрички-близняшки. Я и она. Как в сказках: одна плохая, другая хорошая. Я – послушная, она – оторва.

Я ходила с длинными волосами, и мама всегда ругалась, чтобы я их расчесывала. А она схватила ножницы и назло отхватила косу.

Мы устраивали на даче театр, и все главные роли, разумеется, играла она, а я занавес раздвигала и сдвигала. И вот по ходу действия она должна была покончить с собой. Представляешь, она говорит свои последние слова с ножом в руке, потом со всего размаха бьет себя по голове и заливается настоящей кровью. Все в ужасе вскочили, а она лежит и умирает – и по пьесе, и от восторга. Только я знала, что она натерла свеклу, взяла куриное яйцо, сквозь дырочку высосала, а с помощью шприца, взятого у мамы, ввела этот сок в яйцо и спрятала в парике. Она вскочила вся в свекольной крови и визжит от радости, что смогла всех провести:

– Поверили! Поверили!

Ты просто не представляешь себе, что значит все время зависеть от нее! Ты не представляешь себе, что значит всю жизнь донашивать за ней обноски. Ей, этой принцессе без горошины, всегда покупали новые красивые вещи, а мне доставались они же, но уже старые, противные – донашивать. Наряжают в школу после летних каникул – у нее новые туфельки, а я должна влезать в ее старый плащик с дырявыми карманами, с пятном на лацкане.

Все детство она тиранила меня как хотела. Помню, я провела по полу белую границу мелом, поделила нашу комнату пополам. Так она ее стерла и провела линию так, что я могла только ходить по краю от своей кровати к столу и к двери. Маме жаловаться было бесполезно, потому что с мамой она была сущим ангелом, а когда мы оставались одни, начинала меня щипать и дергать больно за волосы, чтобы я не ябедничала.

Никогда не забуду – мне подарили чудесную куклу, огромную, говорящую, которая закрывала и открывала глаза и даже умела ходить. Стоило мне отвернуться на мгновение, а моя мучительница уже оголила ее, увидела, что чего-то нет, – и пририсовала. Я зарыдала, побежала к родителям – те только рассмеялись.

С ней невозможно было договориться! Я что-то предлагаю, а она топает ножкой и заявляет:

– Здесь будет так, как говорю я, иначе здесь вообще ничего не будет!

Глаза сузились, мечут молнии, и еще верхняя губа дергается, обнажая острые зубки. Сейчас прямо вцепится.

Помню, как я испугалась, когда мама спросила меня, с кем это я разговариваю. Я соврала:

– С собой.

Я понимаю, это происходило, когда мне нужно было, чтобы меня любили. Она появлялась, когда мне нужно было бороться за любовь других. То есть почти всегда – даже когда я была сама с собой. И никогда – с папой. С папой все было по-другому.

И маму, и меня он называл одинаково – зайками. Наверно, ему приятно было крикнуть:

– Зайка! – и обе откликались, одна из кухни, другая из детской.

Когда он приходил домой, то я, прежде чем открыть дверь, должна была, чтобы не впустить чужих, спрашивать:

– Кто там?

Он отвечал:

– Швец, жнец и на дуде игрец.

У него даже вытереть ноги на коврике в прихожей получалось как станцевать.

Он любил приносить странные подарки. Говорил:

– Угадай!

Но угадать было совершенно невозможно. То это был веер, то пиала, или лорнет, чайница, пустой флакон, сломанный фотоаппарат. Один раз принес маску японского театра но. Даже притащил откуда-то настоящую слоновью ногу, пустую внутри, для зонтов и тросточек. Мама ругалась на него, а я от его подарков чувствовала себя совершенно счастливой.

Ни с того ни с сего он мог сказать:

– Брось ты свои уроки!

И мы устраивали концерт. Любили зудеть на гребешках, обернутых папиросной бумагой, от этого ужасно чесались губы. Коробка из-под торта становилась бубном. Отвернув угол ковра на полу, он принимался отбивать чечетку, пока снизу соседи не начинали стучать. Или хватал коробку с шахматами, начинал трясти в ритм, и все внутри грохотало.

Он заставлял меня играть с ним в шахматы, всегда выигрывал и, поставив мне мат, радовался, как ребенок.

Он знал все танцы на свете и учил меня танцевать. Почему-то очень любила гавайский, мы танцевали, не вынимая рук из карманов.

Один раз за столом он сказал, чтобы я не кочевряжилась, а то он мне стакан кефира выльет на голову.

Я сказала:

– Не выльешь!

И вдруг оказалась вся в кефирной жиже. Мама в ужасе, а я в восторге.

Мне никогда не нужно было бороться за его любовь.

Но без папы та, другая я, преследовала меня беспрестанно.

У меня всегда были мучения с кожей, а у нее – гладенькая, чистая. Кожа – это ведь не мешок для внутренностей, это то, чем мир до нас дотрагивается. Его щупальце. И заболевание кожи – это просто способ оградить себя от прикосновений. Сидишь себе, спрятавшись, будто в кокон. Она – та, другая я, ничего этого не понимала. Не понимала, что я всего боюсь – и больше всего быть с другими. Не понимала, как можно в гостях, когда все веселятся, запереться в туалете и сидеть просто так, не снимая трусов. Не понимала, как можно выучить наизусть доказательство теоремы Пифагора, а у доски открыть рот и остолбенеть, оставить свое тело, витать кругом и смотреть, будто со стороны, на себя беспомощную, жалкую, опустевшую. Про Пифагора у меня в голове осталось только, что, когда родители ему, ребенку, показали на столике основные формы, через которые невидимое являет себя людям: шар, пирамиду, куб, шерстяные лоскутки, яблоки, медовые лепешки и кувшинчик с вином, – и назвали их имена, то Пифагор, выслушав объяснения, опрокинул столик.

А сочинения за нее я всегда писала. И получала двойки. При этом учительница зачитывала их перед классом, вздыхая:

– Сашенька, тебе тяжело будет в жизни.

И ставила двойку, потому что я всегда писала не о том. Дают на выбор три темы, нужно писать про первое, про второе или про третье – а я пишу про пятое-десятое. Мне пятое-десятое важнее.

Я была уродка из семейства плеченогих, крыложаберных и мшанок. А она – хоровод Манаимский с глазами как озера Есевонские, что у ворот Батраббима. Я же помню, как меня поразило, каким взглядом смотрит на нее физрук на уроке.

Однажды переодевалась после школы и заметила, что в окне дома напротив кто-то из-за шторы за мной подглядывает в бинокль. Я от ужаса присела под подоконник, а она, наоборот, начала устраивать целое представление.

Когда я была маленькой, она мне говорила ночью, чтобы напугать, что она – ведьма и обладает властью над людьми. А в доказательство приводила свои глаза – левый голубой, а правый – карий. И рассказывала, что у нее были бородавки, а когда мы ночевали в гостях, то она помылась мочалкой в том доме, после чего у нее бородавки исчезли, а у другого ребенка, который там жил, появились. Но главным аргументом были, конечно, глаза. Она говорила, что может кого угодно сглазить. Девчонки ее не то чтобы боялись, но мало ли что. Она действительно умела заговаривать кровь – полижет ранку, прошепчет что-то, и кровь останавливалась.

Она и сейчас не дает мне жить. И никогда не знаешь, когда она снова появится. То исчезнет и нет ее месяцами, то вдруг – вот она я, не ждали?

Издевается надо мной, что я в библиотеке – из жалости к умершим и никому не нужным авторам – беру самые забытые книги, потому что иначе об этих писателях никто и не вспомнит. Мол, сама неряха и растрепа, а понравившиеся мысли подчеркиваю аккуратно, по расческе. Встанет в позу и учит, как старшая сестра: нельзя прожить жизнь такой размазней, нужно научиться быть выше травы и громче воды! Запомни, сестренка, семнадцатое правило Фалеса Милетского: лучше вызывай зависть, чем жалость!

А как она над тобой издевалась!

Помнишь, как сидели на веранде и ели клубнику – кислую, невкусную. Обмакивали ее в сахарный песок. А она придумала обмакивать в мед. Налила себе из банки мед в блюдце и облизывает ложку. И смотрит на тебя. И проверяет свой взгляд в зеркале. А я этот ее взгляд хорошо знаю, когда веселое разноглазое зло уже ее распирает.

Облизнула ложку, взяла двумя пальцами за кончик и вдруг швырнула ее за спину в открытое окно веранды.

И смотрит на тебя.

– Принеси!

Я хотела крикнуть тебе: «Стой! Не смей этого делать!» И не смогла из себя ни слова выдавить.

Ты встал, пошел искать ложку – а там заросли ежевики и одичавшей малины. Вернулся весь исцарапанный, на руках бусинки крови. Молча положил на стол ложку, всю в приставшей земле, сухих травинках, повернулся и ушел.

Она только скривилась на грязную ложку. И дальше как ни в чем не бывало макает клубнику в мед и кусает своими зубками.

Я не выдержала, бросилась за тобой, схватила за руку, хотела, как она, лизнуть царапину, заговорить кровь, а ты отпихнул меня.

– Да пошла ты! – и с таким презрением на меня посмотрел.

Сел на свой велосипед и поехал.

Как же я тебя тогда ненавидела!

Вернее, ее.

Вас обоих!

И как хотела, чтобы с тобой что-то случилось, прямо сейчас, что-то плохое, ужасное, злое.

Я сказала себе, что к тебе не пойду.

И побежала на следующий же день.

Как сейчас все это снова вижу и чувствую кожей: с утра накрапывает, туман залез на забор, все дорожки в лужах. Иду к тебе под зонтом, и на мосту через овраг дождь сыплет сильнее.

Между нашими дачами – кусок леса, там все тропинки развезло, и зелень прет безымянная, это только ты давал растениям имена.

Прохожу мимо ваших соседей на углу, заглядываюсь через забор на розы, огромные, тяжелые, кочанами. Под дождем еще пахучее.

Побоялась подняться по ступенькам на крыльцо, сложила зонт и подкралась к самым окнам веранды. Поднялась на цыпочки и увидела за дождливыми стеклами тебя. Ты лежишь на диване, закинув забинтованную ногу на спинку, и читаешь какой-то толстый том.

Вот, пожелала тебе зла, и ты упал с велосипеда в канаву.

Теперь знаешь, почему ты в тот вечер подвернул ногу и валялся потом в кровати.

Стояла под дождем и смотрела на тебя. Ты почувствовал, поднял голову, увидел меня, улыбнулся.

* * *

Да, Сашенька моя дачная, как давно это было и в какой-то совсем другой и далекой жизни.

Так хорошо было лежать и писать всякую чушь в дневнике, прислушиваясь к шороху дождя по крыше и зудению комаров на веранде. Выглянешь в окно – там яблони от тумана безногие. На бельевой веревке прищепки мокнут, с них каплет.

Из-за дождя читать темно – включаешь среди дня свет.

Положил томище Шекспира на колени – на нем в тетрадке писать удобно.

А длинные сосновые сдвоенные иглы были закладкой.

Знаешь, о чем я тогда писал? О Гамлете. Вернее, о себе, что вот и у меня умер, а может, и не умер отец, а мать вышла замуж за другого, да еще и слепого, но совершенно непонятно, почему все должны травить друг друга и пронзать острыми предметами, не заливая при этом сцену кровью. А если все умрут без всяких надуманных злодейств и интриг, просто так, сами по себе, прожив жизнь – это что, уже не будет Гамлет? Да еще страшнее! Подумаешь, призрак отца! Детские страшилки.

И чего стоит яд, налитый в ухо!

И почему все начинается только с его возвращения в отчий замок, а что же, до этого он не был Гамлетом? Ведь еще ничего не случилось, занавес еще не открылся, Бернардо с Франциско еще не начали пререкаться, хотя в уставе все четко оговорено, – но он уже Гамлет.

А ведь это и есть самое интересное – что было с ним до всех этих встреч с призраками, отравлений, глупых театральных трюков, вроде прятаний за ковер.

Жил себе — вот как я живу. Без всяких предсмертных монологов в стихах.

И нужно написать его жизнь до. Например, как в детстве играл в почтальона — брал охапку старых газет и рассовывал в почтовые ящики. И как в школе на переменках прятался с книжкой в раздевалке и в библиотеке — над ним издевались и самые трусливые, и самые слабые — вымещали то, что терпели от других. Знаешь, кстати, какое у меня было первое разочарование в литературе? Прочитал, как средневековые шуты задают своим сеньорам каверзные вопросы, а те старательно на них отвечают и каждый раз попадают впросак, и вот на перемене тоже попробовал спросить что-то простодушно-едкое у своих мучителей, а те, не дослушав, — хлоп меня по ушам!

А про Гамлета еще нужно рассказать, как однажды он купался в озере, к нему подплыл один дядечка и сказал: «Мальчик, ты неплохо плаваешь, но твой стиль нечистый. Давай я тебе покажу!» И вот этот учитель плавания поддерживал снизу, и рука все время соскальзывала с живота все ниже и ниже, будто случайно.

И про голубятню. В детстве, когда мы еще жили на старой квартире, во дворе сосед держал голубятню, и когда он ждал возвращения своих голубей из полета, то смотрел не в высоту, а в таз с водой, объяснял, что так видней небо.

Еще я писал, что хочу стать самим собой. Я еще не я. Не может быть, чтобы вот это было мной. Хотелось вырваться из календаря.

Вот, вырвался.

Хорошо, что ты не видишь, где я сейчас и что вокруг. Не описываю это, и оно вроде не существует вовсе.

Помнишь, у тебя на полке были красивые камушки, которые ты когда-то привезла с моря? Ты однажды взяла круглую гальку и вставила ее себе в глаз, будто монокль. Я эту гальку забрал, и она лежала на подоконнике. И все время на меня смотрела. И вдруг я понял, что это и есть чей-то зрачок. И он меня видит. И не меня только, а вообще – все. Потому что перед этой галькой – она даже не успеет моргнуть – все промелькнет, исчезнет, и я, и эта комната, и этот город за окном. В ту секунду я почувствовал всю ничтожность и всех прочитанных книг, и всех исписанных мной тетрадок, и стало так не по себе. Такая охватила тревога. Вдруг осознал, что, наоборот, на самом деле этот зрачок ни моей комнаты, ни меня не только не видит, но и вообще не может увидеть даже при всем желании, потому что я для него промелькну так быстро, что он и не успеет ничего заметить. Он – настоящий, существует, а я для него разве существую?

А для самого себя я существую?

Существовать – это что? Знать, что ты был? Доказывать себя воспоминаниями?

Что ему мои руки, ноги, родинки, урчащие от перловки кишки, обкусанные ногти, мошонка? Таламус? Мои детские воспоминания? Однажды на Новый год я проснулся рано утром и побежал босиком к елке смотреть подарки. В комнате везде спали гости, а под елкой ничего не было — подарки купили, но просто — после шампанского с водкой — забыли положить. Пошел на кухню и проплакал там, пока мама не встала. Глупость?

Наверно, чтобы стать настоящим, необходимо существовать в сознании не своем, которое так ненадежно, подвержено, например, сну, когда сам не знаешь, жив ты или нет, но в сознании другого человека. И не просто человека, а того, кому важно знать, что ты есть. Вот я знаю, Сашенька моя, что ты существуешь. А ты знаешь, что я есть. И это делает меня здесь, где все шиворот-навыворот, настоящим.

А еще я в детстве чудом избежал смерти — встал ночью в туалет, а на кроватку рухнули полки с книгами.

Но по-настоящему я задумался о своей смерти в первый раз в школе на уроке зоологии. У нас был старый учитель, больной, и он предупредил, чтобы мы положили ему в рот таблетку из его кармашка, если упадет без сознания. Таблетку положили, но она не помогла.

Он всегда протирал очки галстуком.

Сначала он преподавал ботанику, и я его так любил, что собирал без конца гербарии, а потом решил стать, как он, орнитологом.

Он очень смешно сокрушался, что исчезают разные растения и птицы.

Стоит у доски и кричит на нас, будто мы в чем-то виноваты:

– Где теневой безвременник? Где рыхлая осока? Где кальдезия? А летний белоцветник? А василек Дубянского? Что молчите? А птицы! Где птицы? Где черный орлан? Где ястреб-бородач? Где каравайка? Я вас спрашиваю! А красноногий ибис! А мраморный чирок! А тювик! Где тювик?

При этом он сам становился похож на какую-то взъерошенную птицу. У всех учителей были прозвища, его звали Тювиком.

Знаешь, о чем я мечтал? О том, что вот я когда-нибудь встречусь рано или поздно с моим отцом, и он скажет:

– Покажи-ка мне твои мускулы!

Я согну руку и напрягу мышцы. Папа обхватит мой бицепс и удивленно покачает головой, мол, ну ты даешь! Молодец!

А про невидимый мир я все понял, когда бабушка устроилась летом работать на дачу для слепых детей и меня взяла с собой.

Я уже с детства привык, что у нее дома есть разные слепые вещи. Например, она раскладывала пасьянс особыми картами с наколками в верхнем правом уголке. На день рождения она подарила мне шахматы – специальный набор, в котором фигуры разных размеров – белые больше черных. И шепнула маме, а я услышал:

– Они там все равно не играют.

На той даче было сначала странно, но потом даже понравилось – вдруг почувствовал, что стал невидимкой.

Вот идет какой-нибудь мальчик с лейкой в руке, слегка касаясь ногой бордюра дорожки, а я прохожу мимо, и он меня не видит. Но это мне только так казалось. Часто меня окликали:

– Кто здесь?

На самом деле спрятаться от слепого очень трудно.

Утром у них была зарядка, а потом целый день занятия, игры. Сначала непривычно было смотреть, как они выбегают на зарядку цепочкой, держась одной рукой за плечо переднего.

Во дворе в клетках жили кролики, за которыми они ухаживали. Была целая трагедия, когда однажды утром клетки оказались пустыми – украли.

С ними много пели. Почему-то считается, будто слепые обладают исключительными музыкальными способностями, особо тонким слухом и будто все они прирожденные музыканты. Ерунда, конечно.

Каждый день занимались лепкой. Одна девочка слепила птичку, которая сидела на ветке, как человек на стуле.

Вообще, уроки у них проходили совсем не как у нас в обычной школе. Помню, меня поразило, что на занятиях они должны были окунать руку в аквариум и трогать рыбок. Показалось, так здорово! Я потом, когда в комнате никого не было, подошел к аквариуму и закрыл глаза. Закатал рукав и опустил руку в воду. Прекрасная золотая рыбка на ощупь оказалась какой-то склизкой гадостью. И вот именно в ту минуту мне стало страшно – по-настоящему страшно, что и я могу когда-нибудь ослепнуть.

А для них быть слепым – нестрашно. Незрячий боится оглохнуть. Он боится тьмы в ушах.

И вообще, слепоту придумали зрячие.

Для слепого что есть – то есть, он с этим и живет, из этого и исходит, а не из того, чего нет. Страдать из-за того, чего нет, еще надо научиться. Мы же не видим цвета справа от фиолетового, и ничего. Если чувствуем себя несчастными, то не от этого.

Бабка их всех жалела, и они к ней льнули. Иногда мне казалось, что она их больше любит, чем меня. Ерунда, конечно, но тоже хотелось, чтобы она вот так же погладила меня по затылку, прижала к своей необъятной груди и вздохнула ласково:

– Ах ты мой воробышек!

Их она никогда не стегала хворостиной, а мне доставалось.

Я все хотел расспросить ее про отца, но почему-то боялся.

Вообще она мало рассказывала. Одну семейную историю я узнал от нее, когда подрос. Ее бабка родила ребенка совсем еще юной девицей. Уверяла, что зачала непорочно, но никто ей не верил. О партеногенезе тогда и не слыхали. Как раз начался ледоход. Она пришла ночью на реку и положила свой кулек на льдину.

Помню, что долго не мог избавиться от той картины – ночь, льдина плывет, и кулек визжит.

А через много лет я прочитал Марка Аврелия и утешился. Там он сформулировал так: вот поросенка несут, чтобы принести его в жертву, поросенок вырывается и визжит. А чего он визжит?

Ведь всякое живое существо и всякая вещь каждое мгновение вот так вырывается и визжит. Просто нужно во всем услышать этот визг жизни – в каждом дереве, в каждом прохожем, в каждой луже, в каждом шорохе.

* * *

Так хочется прижаться к тебе и рассказывать что-нибудь глупое-глупое, дорогое-дорогое.

Помню, как родители меня привезли впервые на море – может, и не впервые, но именно тогда я в первый раз запомнила, как сначала меня вобрал в себя рокот прибоя, взял в кулак и так и носил все лето – в кулаке.

Так отчетливо помню, как мы стали спускаться по кривым улочкам, и море поднималось все выше и выше, раздвигало горизонт, как локтями, все в солнечных уколах, и как дохнуло мне в нос солью, водорослями, нефтью, гнилью, простором.

Выбежала на мостик, а он взорвался от прибоя – и я сразу получила от моря мокрую пощечину.

Настил набережной – дощат, от брызг прозрачен, будто дыры в небо, и в досках отражение чаек.

Мол бел. Помет.

Водоросли – рвань.

Коряга ошкурена морем.

Парус ложится вровень с волной.

Каждый день пляж, где проветривают подмышки.

Такое счастье бегать по мелководью, поднимая тучи брызг, сверкающих на солнце!

Галька раскалена, в прибое шипуча. Волны бьют по лодыжкам и тянут за собой в глубину, хватают за ноги, хотят повалить, утащить.

Проворные черные мухи прыгают по комкам морской травы, выброшенным недавним штормом. Волны подкрадываются искоса, и испуганные мушки то и дело взлетают.

Бутылочные стеклышки – морские леденцы – море пососало и выплюнуло. Я их собираю и угощаю родителей.

Папа начинает строить со мной замок из камушков, из песка, мы роем водяной ров, строим стены, башни, он увлекается, входит в раж. Я украшаю башни осколками раковин, флагами из конфетных оберток, а он кричит на меня, чтобы я не мешала. Я на него обижаюсь – ведь это мой замок он строит, для меня! Потом вдруг приходит волна и все рушит. Я в слезы, папа тоже расстроился. Тогда он с отчаяния начинает доламывать то, что осталось. И я с ним. Мы скачем по остаткам нашего замка и опять счастливо хохочем. Он сгребает меня в охапку и тащит в море, мы падаем в прибой. Он дурачится, ныряет, складывает перед нырком ладони, будто для молитвы.

Вода такая прозрачная, что видны алые ногти на пальцах ног – я их покрасила маминым лаком. Зажимаю нос, лезу с головой под воду, папа держит меня, я плыву, уши заложены, а подо мной бирюзовая бездна, и там, на дне, камни поросли шерсткой, и она шевелится. Вынырнешь – и кругом опять грохот.

Доплываем до деревянных мостков. Столб за долгие морские годы отрастил себе бороду из водорослей – пугает ею мальков.

Мимо проплывает широкая волосатая спина.

Я хочу все время забраться подальше от берега, на глубину – папа не пускает, я принимаюсь его топить, хватаю за плечи, тяну за уши, за волосы – он отбивается, хватается за скользкий столб, выныривает, фыркает, капли блестят на ресницах, он хохочет. Вылезаем на деревянные мостки, идем по настилу, стараясь не занозить ноги о доски, шершавые, изъеденные солью. Бежим к маме, оба трясемся, кутаемся в полотенца, стучим зубами.

Папа все время спрашивает меня:

– Который час?

Он подарил мне часики – детские, ненастоящие, с нарисованными стрелками. Я смотрю на них с гордостью и отвечаю:

– Без десяти два.

На них всегда без десяти два.

На солнце пощипывает кожу от соли.

Мама загорает на широком полотенце, сбрасывает бретельки, чтобы плечи загорали ровно, и просит отца расстегнуть застежку на лифчике. Рядом лежит прямо на гальке мужчина с крепкими футбольными ляжками, смотрит на нее.

Мама делает вид, что ничего кругом не замечает.

Мужчина приподнимается на локтях, чтобы заглядывать туда, где примяли полотенце ее груди, круглые, тяжелые, широко расставленные.

Я тогда еще ничего не понимала.

Вернее, я тогда уже все понимала.

Отец ловит эти взгляды. В его глазах удовольствие хозяина. Ему приятно, что у него есть то, о чем другие мечтают.

Несколько раз мы видели на пляже очень странную пару. Молодые, красивые, влюбленные. У нее не было ноги по колено. Я запомнила, как она загорала, раздвинув ноги – без десяти два. На них смотрел весь пляж, когда он брал ее на руки и нес в море. Там они брызгались, визжали, уплывали далеко, до самых буйков. Когда они возвращались и вылезали из воды, она смеялась, вырывалась из его рук, скакала на одной ноге к своему полотенцу. Люди замирали, глядя на них, то ли ужасаясь, то ли завидуя.

Я, только что из воды, набрасываюсь на маму, ледяная, облепленная мокрым песком, залезаю на нее верхом, ерзаю мерзлыми трусиками по жаркой спине. Мама визжит, сбрасывает меня и отправляется купаться – обстоятельно, как все, что она делает. Не спеша застегивает лифчик, заломив руки за спину. Поправляет бретельки, надевает белую резиновую шапочку, подолгу пряча в нее волосы. Медленно, будто проверяя каждый шаг, спускается к воде. Я прыгаю вокруг нее, осыпая брызгами, она взвизгивает и кричит, чтобы я прекратила, норовит шлепнуть меня по попе. В купальной шапочке у нее голова вдруг становится совсем маленькой.

Помню, как она присела в воде, подгребая бескостными руками – под водой казалось, что руки и ноги без костей, – и вдруг в прозрачной воде я увидела, что она писает. Мне тогда почему-то показалось это очень странным, но сказать что-то я испугалась.

Она заплывала очень далеко, и ее резиновая шапочка качалась на волнах, как шарик от пинг-понга.

Мы с папой сидели в прибое и смотрели на маму. Так все было чудесно! Сижу, шевелю пальцами воду, волны раздвигают ноги. Кругом только счастливые люди, счастливые крики, счастливые волны, счастливые ноги.

Я потом только поняла, что отец вовсе не умел плавать. А мама плавала подолгу, и я каждый раз начинала переживать за нее, но папа только смеялся:

– Куда наша зайчиха-пловчиха денется! Ее топи – не утопишь!

Вот мама вылезает, вытирается – и снова мужчина с футбольными ляжками смотрит на нее, как она промакивает себе полотенцем купальник на груди, на животе, под мышками, между ног.

Мама ложится на живот и снова сдвигает бретельки лифчика, читает книжку. Я сажусь рядом, начинаю заплетать ей косички.

Морская вода, высыхая, оставляет на ее коже кристаллики соли.

Над нами носятся чайки, и мне кажется, что они заплетают косы ветру.

Потом ложусь у мамы под боком и закрываю глаза. Шелест волн – будто кто-то без конца переворачивает страницы.

И засыпаю счастливая.

Просыпаюсь от грома. Вокруг темно, резкие холодные порывы ветра. Вот-вот начнется гроза. Все бегут с пляжа. Первые капли бьют по голому телу, как брошенные гальки.

Мы хватаем наши вещи, бежим. Ветер дует так сильно, что опрокидывает шезлонги, по пляжу мечутся полуголые люди и ловят свои улетевшие зонты, полотенца, юбки. Море уже серое, неприкаянное, гонит беспорядочные волны. Еле успеваем добежать до нашего дома – начинается ливень. Лезу с мамой под душ – она распускает мне косички, чтобы вымыть соль из волос. Прижимаюсь к ее холодной коже, собравшейся мелкими пупырышками.

Потом сижу на диване, завернувшись в одеяло, и жду папу, обещавшего мне почитать книжку, а он моется в душе и поет какую-то арию.

Папа был тогда дирижером.

Я не находила в этом ничего особенного.

Он мне рассказывал, как его отец, мой дед, скрипач, репетировал дома, и папа-мальчик брал две палочки и, пока тот играл на скрипке, повторял движения.

Помню, как папа, когда я была совсем маленькая и ужасно любила вертеться на винтовом табурете, играл со мной на фортепьяно: кластеры в басах на педальных поддержках изображали тучи. Высокие отрывистые звуки, схваченные педалью, таяли редкими снежинками в воздухе. А летний дождик получался так: только указательные пальцы – одна рука по черным, другая по белым клавишам – быстро-быстро перескакивали со звука на звук. У него была широкая рука – брала полторы октавы.

Еще мне запомнилось, как он открыл крышку, показал мне инструмент внутри и сказал:

– Видишь, как странно все устроено – в каждом сложном, необъяснимом есть что-то простое – мы всего-навсего стучим войлочными молоточками.

Он заставлял меня заниматься на фортепьяно, и я в конце концов возненавидела наш «Рениш».

Упражняюсь дома, играю бесконечные гаммы и арпеджио, а он мне говорит:

– Не хмурься!

У меня от напряжения намечалась морщина между бровей – совсем как у него.

Когда отца не было, я жульничала: ставила на пюпитр поверх нот книгу и читала ее, играя бесконечные упражнения вслепую. Однажды он застал меня за этим занятием и ужасно ругался.

Стал бегать по квартире и кричать, что мне слон на ухо наступил, и за что ему такое наказание. Сказал, что природа отдыхает на детях гениев. Я от этого начинала давиться слезами и играла еще хуже. Раньше он никогда на меня не кричал. Мне казалось, что моего папу подменили, что это не он. Не могла этого тогда понять. А он просто вошел в роль и никак не мог из нее выйти.

Во время моей игры он садился на корточки, чтобы посмотреть, не провисает ли у меня ладонь, от фальшивой ноты дергался и стонал, будто прикусил язык, а один раз, когда я вместо указанных пальцев четвертого и пятого, думая, что он не заметит, играла трель вторым и третьим, он так вышел из себя, что чуть не прибил меня растрепанным Черни.

В конце концов в комнату заглядывала мама с мокрым полотенцем на лбу и требовала тишины. Не знаю, действительно ли ее мучила мигрень или это она просто так спасала меня.

Помню, как он возвращается поздно вечером – злой, сморкается и жалуется, что весь концерт боролся с насморком. И переживает, что на бис исполнили что-то не то. И даже фрак его, который мама повесила проветриться на балкон, все никак не мог успокоиться, все дирижировал.

Еще помню, как он репетировал дома, в трусах, поставив пластинку с какой-то симфонией. Я наблюдала за ним сквозь щель в двери, как он дирижировал нашими стульями, столом, книжными полками, окном. Сервант был ударными.

Ковер на стене – духовыми. Чашки с неубранным завтраком на столе – скрипками. Он тыкал палочкой в диван, и тот сразу отзывался басами. Взметнул пальцы к настольной лампе – заиграл далекий рожок. Он так размахивал руками и весь ходил ходуном, что лил градом пот и с носа слетали капли.

Мама заглянула и сказала, чтобы он лучше поменял перегоревшую лампочку в люстре, но папа закатил глаза, не переставая мотать головой, и захлопнул перед ее носом дверь.

В финале он схватил все звуки в кулак под самой люстрой и задушил.

Когда его не было дома, я брала без спроса футляр, в котором хранилась его дирижерская палочка, ставила пластинку на полную громкость и тоже принималась дирижировать. Выходила на балкон и дирижировала нашим двором, и соседними домами, и деревьями, и лужами, и собакой с поднятой ногой у дерева, и облаками. Но больше всего мне нравилось в финале душить музыку в кулаке.

Затем садилась за пианино и снова долбила мендельсоновскую «Песню без слов», неизменно сбиваясь в одних и тех же местах.

Потом папа стал полярным летчиком, и мне это нравилось больше.

Как восхитительно пах кожей его долгополый черный реглан!

Меховой комбинезон, унты, шлемофон делали его каким-то совсем другим. Я брала унты, залезала двумя ногами в один и скакала так по квартире – как те люди с одной ногой, о которых он мне читал.

Он привозил фигурки, вырезанные из моржовых бивней, украшения из нанизанных на шнурок зубов, банки морошки, оленью шкуру.

Укладывал меня спать и рассказывал, как в детстве мечтал стать летчиком – однажды он увидел, как рядом с их деревней на поле совершил вынужденную посадку самолет.

Ему, обыкновенному деревенскому пареньку, было непросто добиться своего – нужно было много учиться. И вообще жизнь в летном училище – он называл его учебкой – была несладкой. Там было еще пехотное училище, и в городке во время увольнительных между ними всегда происходили жестокие драки. Дрались ремнями, и папе чуть не выбили глаз пряжкой – он показывал шрам на лбу, а я жалела его и гладила пальцем этот белесый бугорок.

Однажды его в учебке посадили под арест, он говорил – на губу. Вот за что. Он должен был зимой стоять на посту с боевым оружием и охранять самолеты. Ходил вокруг ангара, и ему показалось, что кто-то мелькнул в темноте. А кругом никого, тьма, и оттепель, все кругом капает, дышит. Он положил палец на спусковой крючок, осторожно выглянул из-за угла и тут же получил тяжелый удар по голове. Спусковой крючок сам и нажался. Выстрел, грохот. Все кругом переполошились, разбуженное начальство прибежало – а оказалось, это мокрый снег на крыше ангара подтаял, и в тот самый момент, когда папа выставил голову, снежная глыба сорвалась.

Он учил меня летать – мы играли, но мне казалось, что все было по-настоящему. Мы не на диване, а в кабине. Техник берется за винт и с силой крутит его за лопасть.

– Контакт! – кричит он и отскакивает от мотора.

Я бодро кричу в ответ:

– Есть контакт!

Мотор, несколько раз чихнув, выпускает сизый клуб дыма и набирает обороты. Из-под колес убраны колодки. Мы рулим на старт. Отмашка белого флажка стартера. Папа дает полный газ. От взбитых винтом вихрей самолет трепещет, трогается с места. Стремительный разбег, все быстрее и быстрее. На неровном поле машина размахивает крыльями на небольших кочках, как канатоходец руками для равновесия.

Папа плавно берет ручку управления на себя, и хвост отрывается от земли, выравнивается. Тянет ручку на себя еще сильней – и вот машина уже висит в воздухе, и я всем телом чувствую, как мы набираем высоту. Земля уплывает из-под ног, в груди холодеет.

Внизу видно, как тень самолета несется за нами вдогонку. Гул мотора становится мягче, ангары и гаражи внизу на летном поле уменьшаются, становятся похожи на разбросанные по полу кубики, на домики из моего конструктора.

Папа нажимает на педаль, уводит ручку управления то вправо, то влево, и самолет тут же начинает вращаться, уходит то в правую, то в левую бочку. Кажется, что не самолет вращается, а земля и небо вращаются вокруг самолета.

Мы поднимаемся выше облаков и летим под сверкающим солнцем, а тень еле поспевает за нами, ныряя в облачные провалы.

Я смотрю на папу, как он сосредоточенно переводит взгляд с циферблата на циферблат, как он уверенно ведет наш самолет в разрывы между бесформенными громадами облаков, и понимаю, что люблю его больше всего на свете, больше мамы, больше себя.

Папа рассказывал о своих погибших товарищах.

Он говорил:

– Жить хотят все, а возвращаются из полета не все.

У его друзей отказал на вираже мотор. Наступила та тишина, которой так боятся летчики. Сверкающий перед глазами диск пропеллера исчез. Его три лопасти торчали, как палки. До аэродрома было не дотянуть, и летчики стали высматривать подходящую посадочную площадку. Пилот спросил штурмана:

– Как думаешь, старина, дойдем?

А тот ответил:

– Должны! Иначе у меня пропадут билеты в театр.

Садиться было некуда, нужно было прыгать с парашютом. Но кругом были деревни, а в них жили люди. Летчики могли спастись, но куда упадет и что натворит брошенная машина?

Пилот приказал штурману прыгать, но тот не оставил своего друга. Они не выпрыгнули и пытались увести самолет подальше от жилья.

Разбитую машину с мертвым экипажем нашли лишь на следующий день. Разбросанные обломки, искореженные крылья, согнутые лопасти винта, поднятый к небу хвост. У них, видимо, что-то случилось с рулем высоты. Оба вцепились в штурвал, напрасно пытаясь выправить самолет.

Папа водил меня на кладбище, там было много могил, увенчанных пропеллерами вместо крестов. С фотографий, вставленных в их втулки, смотрели молодые красивые лица.

Однажды папа получил особое задание – срочный санрейс. Нужно было забрать на отдаленной метеостанции женщину, которой предстояли сложные роды, и доставить ее в больницу. Начался буран, и пришлось идти на вынужденную посадку на льду замерзшей реки. Да еще у самолета сломалась лыжная стойка. Папа показывал мне рукой, как он садился на одну лыжу. Самолет катился по льду, будто делал ласточку. Теряя скорость, машина все хуже слушалась, и крыло без опоры нырнуло вниз, чиркнуло по льду, самолет резко развернулся, как вокруг ножки циркуля, и замер. Буран стал заносить их снегом, папа сделал под крылом что-то вроде пещеры, и они двое суток там просидели, пока их не нашли. Женщина все время кричала, а потом стала рожать, и папе пришлось принимать у нее роды.

Каждый раз, когда папа улетал, он засовывал в карман мою старую варежку, это был его талисман. Он сказал, что тогда, в том рейсе, когда они ждали помощи на реке и не знали, придет кто-нибудь или нет, его спасла моя варежка.

Он улетал, а я, если видела в небе самолет, всегда думала — вдруг это он? И махала ему. А самолет висел в небе высоко, как паучок на невидимой паутине.

Я никогда за него не боялась — чего бояться, если с ним моя варежка? Она спасет и сохранит.

Он очень интересно рассказывал про жизнь эвенков. Они себя называют «чавчыв» — оленьи люди. Ему несколько раз приходилось останавливаться в настоящих ярангах, и он удивлялся, как эти оленьи люди могут за несколько минут построить себе в любом месте удобный теплый дом из китовых ребер и оленьих шкур.

Помню, когда отец рассказывал, как ему пришлось заночевать в тундре в такой яранге и в качестве особого лакомства ему предложили грызть оленью кость с мозгом, мама выглянула из кухни и спросила, правда ли, что у этих оленьих людей по закону гостеприимства хозяин предлагает гостю на ночь свою жену. В ее голосе мне почудилась какая-то странная интонация, будто она сомневается в его рассказах, и мне стало ужасно обидно. А папа рассмеялся и сказал, что хозяин, разумеется, предлагал ему свою жену, но она была старая, вся в язвах, а волосы сбились в войлок и кишели паразитами, что неудивительно, поскольку оленьи люди ни разу в жизни не моются от колыбели до могилы.

Иногда папа улетал надолго, но зато, когда оставался дома, он мне каждый вечер перед сном что-нибудь читал. У меня были любимые книжки – про разные удивительные страны, а самая любимая была про царство попа Ивана. Я могла слушать ее по многу раз.

Когда он читал, он сам преображался, будто читал не напечатанную книжку, а письмена на пальмовых черенках и бараньих лопатках. Он завязывал мою кофту на голове, как тюрбан, садился по-турецки и говорил каким-то чужим голосом:

– Это я, поп Иван, господин господствующих, царь нагомудрых, повелитель всех повелителей. Живу я в столице всех столиц, главном граде всех земель обитаемых и необитаемых, и дворец мой – высочайшая башня, на которую по ночам взбираются звездочеты, чтобы узнать будущее. А путешествую я по моим землям в теремце на слонихе. И реки здесь текут днем в одну сторону, а ночью в другую.

Ему и книжка не нужна была, он уже все знал наизусть, а еще больше придумывал – и я каждый раз слушала такие удивительные нездешние слова затаив дыхание.

– В стране моей родятся и обитают верблюды двугорбые и одногорбые, гиппопотамы, крокодилы, метагалинарии, жирафы, пантеры, дикие ослы, львы белые и червонные, немые цикады, грифоны и ламии. Еще здесь родятся нетленные люди, зверь единорог, птица попугай, дерево эбен, корица, перец и благоуханный камыш. И есть у меня дочь, царица цариц, повелительница жизни, и царство мое – ее царство.

И когда он произносил эти слова, то все кругом – и наша комната, и люстра с вечной перегоревшей лампочкой, и стопка газет на подоконнике, и шумный город за окном – все это становилось ненастоящим, а страна попа Ивана была настоящая, и сам поп Иван был настоящим, и сидел он уже не на краю моей кроватки, а в теремце на слонихе и обводил царским взором свои владения.

И кругом действительно простиралось, сколько хватало глаз, царство попа Ивана, и жили там нетленные люди и немые цикады.

* * *

Сашенька моя!

Не сердись – совсем некогда было писать.

Вот, наконец, никому ничего от меня не нужно. Есть минутка побыть с тобой.

Ну почему поцелуи всегда приберегают на конец письма?

Целую тебя сразу и везде, везде!

Ладно, беру себя в руки.

Вчера были стрельбы, и ты даже не можешь представить себе, как вытянулось лицо у нашего

Коммода от изумления, когда из пяти выпущенных мной пуль махальщики показали три попадания в головную мишень с четырехсот шагов!

Как тут не поразмышлять о случайности!

Ведь все на свете состоит из случая. Почему мы родились в этом веке, а не, скажем, в тридцать четвертом? Почему в лучшем из миров, а не, скажем, в худшем? И, может быть, именно сейчас, в это самое мгновение сидит где-нибудь человек и читает книгу о звонарном деле? Почему пули улетели не в прошлое или будущее, а в дырявую голову несчастной мишени? Ведь если

Вот, Сашка моя дорогая, не дали дописать, а сейчас спешу тебе сообщить, что теперь я не кто-нибудь! Знай наших! Буду теперь в штабе штаны протирать да строчить приказы и похоронки. Батька меня огорошил. Вызывает к себе и назначает, раз я грамоте обучен, в штабные писари. Я в струнку, локоть – в наш с тобой закат в пыльном окошке, кончики пальцев к букле:

– Ваше командирство!

– Ну, чего тебе?

– Я не справлюсь. Почерк у меня недоступный.

А он:

– Писать, сынок, нужно не доступно, а искренне! Все понял?

И наливает.

Протягивает.

– С назначеньицем!

Выпиваю.

Он мне селедочки на черном хлебе с лучком.

– Вот и я, сынок, был в твоем возрасте – и вдруг все понял. А потом всю жизнь пытался понять, что я тогда понял. Ты сальца возьми, знатное сальце! И запомни: любое слово умнее пера. А про похоронки – не переживай. Вон предыдущий писарь до тебя все переживал. Как сильно выпьет, навалится мне на плечо и плачет, как мальчишка: «Коль, прости меня, что не погиб, ведь я за всю войну ни разу не был на передовой...» Просил прощения у меня, а сам как будто говорил со всеми теми, на кого довелось ему писать извещения.

* * *

Угадай, где я сейчас?

В ванной.

Помнишь, царь Давид пришел в купальню и вдруг увидел, что он гол и нет ничего.

Вот и я голая, и нет ничего.

Лежу и наблюдаю за собственным пупом.

Какое чудесное занятие!

У тебя пупок узелком, я помню.

А у меня колечком.

У мамы тоже колечком.

Колечко в бесконечной цепочке. И получается, что я за него подвешена в этой цепи людей. Вернее, цепочка эта идет ведь дальше. И в обе стороны. И за нее все подвешено.

Так странно: вот это колечко у меня в животе и есть пуп земли. И та цепь, которая проходит через него, – это и есть ось Вселенной, вокруг которой движется мироздание – вот сейчас со скоростью миллионов световых зим.

Нет, это он – гол и нет ничего. А у меня в одном только пупке все мироздание от начала до конца!

Еще вспомнила, как у меня в детстве была ветрянка, все тело в прыщиках – и папа сказал:

– Смотри-ка, как вызвездило!

И я играла, что сыпь на животе – это созвездия, а пупок – луна. Через много лет увидела, что так изображали древние египтяне богиню неба Нут, заболевшую моей звездной ветрянкой.

А теперь вдруг так захотелось, чтобы под этот небосвод забрался наш с тобой ребенок. Глупо? Рано?

Так приятно думать, что мы с тобой сидели в этой ванне – помнишь, лицом друг к другу, еле поместились. Я мыла моими волосами тебе ноги, как мочалкой. А потом ты взял мою ногу и укусил за пальцы, совсем как папа, он когда-то так делал мне маленькой, рычал и грозился:

– Я тебя сейчас съем!

И кусал мои пальцы на ногах. И мне было щекотно и страшно – вдруг и правда откусит!

А потом я забралась тебе за спину и просунула ноги у тебя под мышками вперед, и ты их мылил губкой и тер пятки и между пальцами, и мне это все ужасно нравилось.

Мне так нравилось, как ты меня намыливал везде-везде!

Любимый мой, ну почему ты сейчас не здесь и не видишь, как переливается и блестит в воде у меня золотистая шерстка там...

Прости! Я дура.

Представляешь, между шестым и восьмым месяцем ребенок покрыт шерстью, которая потом выпадает. В больнице нам показали такого ребенка после ранних родов – ужас!

А знаешь, почему люди потеряли шерсть и стали голыми? На лекции вчера рассказывали. Ведь шерсть – это такая полезная вещь! Посмотри на кошку! Мягко, удобно, красиво, ласково! Представляешь голую кошку? Это же несчастье! Так вот, дело в том, что был потоп. И про Ноя все это сказки – никто на самом деле из людей не спасся. А какие-то обезьяны выжили, потому что стали жить в воде. Сколько-то тысяч поколений мы были водяными обезьянами. Поэтому и ноздри у нас – вниз, а не вверх. И у дельфинов, тюленей тоже пропала шерсть.

Вот и я – водяная обезьяна. Сижу тут и мечтаю, как ты вернешься и мы залезем в ванну вместе.

Смотрю на себя и переживаю, что у меня много волос там, где не надо. Ты сказал, что тебе нравится, а мне и сейчас кажется, что ты просто не хотел меня огорчать. Ну, скажи, как может нравиться, если волосы вот здесь, и здесь, и тут, и даже вот где!

Сижу и выдергиваю пинцетом. Больно!

Так и представляю себе какую-нибудь пещерную девушку, которая выдергивает себе волоски, используя две морские раковины вместо щипцов. И выскабливает волосы под мышками и на ногах лезвиями, сделанными из кремня или рогов животных.

Везет Янке, у нее волосы везде светлые и маленькие.

Любимый мой, о чем я? Зачем? Несу какую-то чушь, а ты терпишь.

Янка шлет тебе привет, она заходила вчера.

Очень смешно рассказывала про своего нового ухажера. Представляешь, в нее влюбился старик и сделал ей предложение!

Он ей говорит:

– Деточка, я влюблялся в женщин, когда твои родители еще не родились.

Янка изобразила, как он встал перед ней на колени и стал звать замуж, обхватил ее за ноги, прижимается, а она смотрит на лысый затылок, и, с одной стороны, жалко его до слез, а с другой стороны, так захотелось дать ему щелбан, еле удержалась!

Она, разумеется, отказала, но сияет, будто медаль получила.

Он всю жизнь проработал гравером и развлекал ее рассказами о том, какие надписи ему приходилось делать на часах и портсигарах.

Представляешь, что он ей подарил? Протягивает красивый футляр, как от кольца. Она открывает, а там – рисинка! Он на этой рисинке что-то ей написал. Сказал:

– Яночка моя! Вот тебе самое дорогое, что у меня есть!

А она потом дома приготовила лупу, открыла коробочку, чтобы разглядеть, что там написано, а рисинка выскочила из пальцев и куда-то ускакала. Искала-искала и не нашла. Так и не знает, что он там нацарапал.

Что они все в Янке находят? У нее заячий прикус. Лопоухая. Скрывает уши волосами.

Это я тебе пишу уже в комнате, закуталась в одеяло, устроилась на диване.

Ты первый сказал мне, что я красивая. Ну, конечно, кроме папы. Но я ему не верила. А маме верила. Она говорила:

– Страшилка моя.

Она была в своем шелковом китайском халатике с голубыми драконами, переливающемся, струящемся. Мы залезали с ногами на широкую старую софу, устраивались поуютнее и шептались. Говорили обо всем на свете, она мне все рассказывала. Например, как я родилась – не хотела вылезать, и пришлось делать кесарево. Я трогала пальцами твердый рубец у нее на животе, и было странно думать, что я оттуда взялась. Да мне и сейчас странно.

И про первый раз мы с ней говорили.

– Это должно произойти красиво, – сказала она. – И только с тем, кто будет этого достоин. Главное, чтобы ты не пожалела о том, что это произошло. Пусть ты не выйдешь за него замуж, пусть вы расстанетесь потом – все бывает, лишь бы ты не жалела о той ночи.

Про страшилку я ей больше верила, чем отцу, хотя она меня постоянно ругала, твердила, что у меня нет вкуса, что не так одеваюсь, не так разговариваю, не так смеюсь. Я с ней всегда чувствовала себя виноватой. Мне и в голову не могло прийти, что она слишком строга или несправедлива ко мне. Он видел во мне достоинства, а она – недостатки.

Папа меня никогда даже не шлепнул, а от нее я все детство получала и ремнем, и пощечины. Однажды они ругались, и я подошла к ней сзади, чтобы обнять, а она запивала таблетку, и я случайно ее толкнула под локоть. Она облилась и набросилась на меня, стала бить и не могла остановиться. Папа меня выхватил.

Они ругались из-за меня.

Папа кричал:

– Зачем ты ее постоянно тюкаешь?

Она отвечала:

– Иначе кто из нее тогда вырастет?

Куда-то она уехала на несколько дней и, вернувшись, устроила скандал, что дома все неубрано. А в следующий раз я все к ее приезду убрала, навела такой глянец, а она все равно была недовольна, даже еще больше. Может, почувствовала, что мы с папой прекрасно можем жить без нее, что жизнь дома в ее отсутствие протекала совершенно нормально.

Она все время повторяла где-то вычитанное, что жизнь – это не роман, что она не усыпана розами, что в ней надо делать не только то, что хочешь, и вообще мы явились на землю не для того, чтобы развлекаться.

Не любила, когда я уходила из дому, ей не нравились мои подруги, она ненавидела Янку. Считала, что все плохое во мне – от нее.

Папа всегда за меня заступался:

– Но ей же нужны подруги!

Все кончалось мамиными слезами:

– Ты всегда на ее стороне!

И она чувствовала, что между мною и папой существует больше, чем между ними. Наверно, мы обе ощущали, что для отца я значу больше, чем она.

Однажды я поняла, что именно я в ней не люблю. Она – женщина, у которой все правильно в жизни – все именно так, как она и хотела, – и никак иначе быть не может. Она всегда знала, чего хочет и как этого добиться. И с мебелью так, и с людьми. Она и в школе была пятерочницей. И подруги у нее были какие-то несчастные, которых она учила всегда, как надо жить. И внутри презирала их за то, что они так не могут, что у них все не по-людски. И всегда наклеивала фотографии всех наших отпусков в фотоальбомы, где счастье было запротоколировано. Она хотела и меня, и отца подогнать под свои фотоальбомы. А ничего не получалось.

Отца приглашали сниматься все реже и реже. Он переживал, срывался. Дома он не пил, но приходил все чаще пьяным. Я его спрашиваю:

– Папа, ты пьяный?

А он отвечает:

– Нет, зайка, я притворяюсь.

Они скандалили, будто не знали, что злые слова нельзя взять назад и забыть. Не знали, что люди ругаются на полную, а мирятся наполовину, и так каждый раз от любви отрезается, и ее становится все меньше и меньше. Или знали, но не могли ничего поделать.

А я запиралась от них и умирала от нелюбви.

Хуже всего было зеркало. Вот неглаза, вот нелицо, вот неруки. Вот негрудь – нетронутая даже загаром – обещает быть, но все не приходит.

И не понимала, как такое могло получиться, что мама – красавица, а я – вот.

Думала, как странно, что это называется мной.

И какое несчастье – быть этим.

У Янки давно уже была и первая любовь, и вторая, и третья, а я уже поверила, что у меня вообще никогда ничего не будет. И выла беззвучно, уставившись на обои.

И вот тогда у нас в доме появился он. Они были с папой дружны в молодости. А теперь он стал режиссером и взял папу сниматься в свой фильм.

Он был рыжим, а ресницы жгуче-красные, длинные, густые. Как рыжая хвоя. Вообще волосы какой-то зверской густоты. За столом было жарко, он расстегнул рубашку, закатал рукава, и были видны бицепсы, мощные, усыпанные веснушками. И сквозь ворот рубашки на груди пробивались рыжие клочья.

Помню, он говорил, что только что с моря, но кожа светлая, не загорает, только розовеет.

Он стал приходить часто.

Папа показал мне фотографию, на которой они вдвоем дурачатся, висят на перекладине вниз головой. Я смотрела на тех мальчишек и подумала еще тогда — до того, как стать отцом, мой папа уже был моим папой? А этот рыжий уже тогда был им? Кем им?

Он был старым холостяком, и папа с мамой все шутили, что его нужно женить. Один раз сказал:

— Если видел раз женскую грудь — все равно что видел ее у всех.

А мама возразила, что ничего подобного, женские груди — как снежинки, нет ни одной похожей, и они засмеялись. Мне все это было странно и неприятно.

Он называл меня Сашкой-промокашкой. А я в его присутствии совершенно терялась. Вернее сказать, я с ним снова раздваивалась, но та, которая боялась, была здесь, а другая, которая ничего не боялась, куда-то исчезала в самый неподходящий момент.

Он зайдет ко мне, взглянет на обложку и спрашивает:

— Как там Троя? Еще держится? Или уже взяли?

Я набралась храбрости и спросила, про что он хочет снять кино. Он ответил:

— Вот ты, к примеру, пила кефир, и у тебя после этого остались белые кефирные усики, а на улице — написали во вчерашней «Вечерке» — автобус наехал на остановку, где ждало этого автобуса много людей, и они погибли. И между кефирными усиками и этой смертью есть прямая связь. Да и между всем остальным на свете.

Я влюбилась в него без памяти.

Когда он был в гостях, я незаметно выскальзывала в прихожую, чтобы понюхать его долгополое пальто, белое кашне, шляпу. Он пользовался каким-то незнакомым одеколоном — и запах был восхитительный, терпкий, мужской.

Я не могла спать. Теперь я умирала от любви. Ночи напролет рыдала в подушку. В дневнике каждый день выводила страницами: «Я люблю тебя, я люблю тебя, я люблю тебя».

Мне было так больно. Я не понимала, что с этим со всем делать.

Мама все видела и переживала вместе со мной. Не знала, как помочь. Обнимала меня и утешала, гладила, как маленькую, по голове. Пыталась образумить:

— Ты еще совсем ребенок. У тебя острая потребность не только быть любимой, но и отдать свою любовь. Все это прекрасно. Но кого любить-то? Твои женихи еще только в солдатики перестали играть. И вот отсюда все эти слезы в подушку, зависть, фантазии, грезы, обида на судьбу, злоба на весь мир, на самых близких. Будто самые близкие именно во всем виноваты. И тогда ты начинаешь себе все придумывать.

Она убеждала меня, что для любви еще рано, что все это еще ненастоящее. Я ревела:

– А что настоящее?

Она сказала:

– Ну, вот как у нас с папой.

И папа заходил ко мне в комнату, садился на край постели и почему-то виновато улыбался. Будто это его вина. Будто это какая-то тяжелая болезнь, и он ничем не может мне помочь. Вздыхал:

– Зайка, я тебя очень люблю. Ну почему этого мало?

И так их становилось жалко!

Я стала писать ему письма. Отправляла каждый день. Не знала, что писать, и просто посылала ему в конверте то, что было в тот день частью меня, – билет на трамвай, перышко, список покупок, нитку, травинку, жука-пожарника.

Он несколько раз ответил. Написал что-то шутливое, вежливое. А потом тоже стал посылать какие-то глупости: оборванный шнурок, обрезки кинопленки. Один раз я достала из конверта салфетку, в которую был завернут его зуб, выдернутый накануне. На салфетке было написано, что посылается это с надеждой, что если с моей стороны и была любовь, то теперь уже точно пройдет. Зуб, правда, был страшный. А я взяла и засунула его за щеку.

Один раз он пришел, долго говорил о чем-то с папой и мамой за закрытой дверью, потом зашел ко мне. Я стояла у окна как в параличе. Он хотел подойти, а я задернула занавеску, спряталась.

Он сказал:

– Сашка-промокашка! Бедная моя влюбленная девочка! Разве можно влюбляться в такое чудовище? Послушай, я должен тебе объяснить одну важную вещь, хотя убежден, что ты сама за этой занавеской все понимаешь. Ты любишь вовсе не меня, а просто любишь. Это совсем разные вещи.

И ушел.

Больше у нас при мне он не появлялся. И на мои письма не отвечал.

Однажды я прогуляла школу. Просто решила – не пойду – и не пошла. Бродила под дождем, не замечая, что с неба течет, как не замечают дождя коровы.

Его зуб держала в кармане в кулаке.

Запомнилось только, что в носу застрял запах горелой урны. Да в забрызганной витрине фотографа – подсахаренные молодожены.

Продрогла, промокла. Поплелась домой.

Открываю дверь в квартиру – на полу у входа чей-то огромный зонт врастопырку.

Чувствую – знакомый запах в прихожей. На вешалке – долгополое пальто, белое кашне, шляпа.

Из ванной – шум воды.

Дверь в спальню открыта. Мама выглядывает – растрепанная, затягивает на голом теле свой китайский халатик с драконами. Спросила испуганно:

– Саша? Что случилось? Что ты здесь делаешь?

* * *

Нынче вызывает начальников начальник и командиров командир, говорит:

– Садись, пиши приказ.

Сажусь. Пишу.

– Братья и сестры! Солдатушки! Контрактники, миротворцы и ассасины! Отечество расползается, как промокашка под дождем! Отступать некуда! Ни шагу назад! Ух ты, смотри-ка! Видел, какая у нее попка? Да нет, не у той! Уже за угол завернула. Про попку зачеркни. Так, на чем мы остановились? Ах, да! Так вот. У волосов с темя на средине завивать волосяную косу, которую ввязывать спустя в лентошную косу. Тупеев не иметь. Виски оправлять всем одинако, как и ныне в полку учреждено, в длинную одну буклю, но расчесанную и зачесанную порядочно, чтоб на сосульку не походила, в мороз делать оную шире, чтоб закрыла ухо. Сие упражнение сохранит от праздности, которая есть всех солдатских шалостей источником. Довольно кажется сей причины, чтобы в оной солдата упражнять непрестанно. Башмакам быть по размеру каждого, не широким и не узким, чтоб можно было в морозы в них соломки или охлопочков положить, а паче не коротким, дабы в ходьбе ног и пальцев не обтирали, отчего солдат в походе часто не может за прыткими следовать, но прямо бы на ноге сидели. Всегда им быть исправно вычиненным, вычищенным и намазанным, ежедневно переменять их с одной ноги на другую, чтоб не сносились и в походе и ходьбе ног бы не портили. Бриться не забывать. Немогузнайкам объясняю: ношение бороды может означать проигрыш в поединке, потому что за нее удобно ухватиться и победить противника. Завтра выступаем. Путь далек. Ночь коротка. Спят облака. Сперва пойдем по дружественному нам царству попа Ивана, о чьем великом могуществе говорит весь свет. Вот в «Вечерке» пишут, что взял измором самого Чингисхана. Место это труднопроходимое и свирепостью свирепо. Строжайше рекомендую всем господам полковым и баталионным начальникам внушить и толковать нижним чинам и рядовым, чтобы нигде при переходе местечек, деревень и корчм ни малейшего разорения не делать. Пребывающих спокойно щадить и нимало не обидеть, дабы не ожесточить сердца народа и притом не заслужить порочного названия грабителей. В дома не забегать, неприятеля, просящего пощады, щадить, безоружных не убивать, с бабами не воевать, малолетков не трогать. Для сбережения пули на каждом выстреле всякий своего противника должен целить, чтобы его убить. Кого из нас убьют – царство небесное, живым – слава! Паникеры и трусы должны истребляться на месте. За мной, в атаку, ура! Ступай, ступай! Атакуй! В штыки! Стрелки, вперед! Докалывай! Дostреливай! Вали на месте! Всех побьем, повалим, в полон возьмем! Гони, коли! Режь, бей! Хрой, прикак, афох, вайркак рок, ад!

Он прервался, чтобы отдышаться, расстегнул пуговицу на воротнике, подошел к окну. Промокнул занавеской пот на лбу. Достал из кармана портсигар. Постучал папиросой по крышке. Сломал спичку о размокший коробок. Вторую. С третьей закурил. Сделал глубокую затяжку. Выпустил дым густой струей в форточку.

На какое-то мгновение ему показалось, что все это уже когда-то было: точно так же сидел в этой комнате этот перемазанный чернилами мальчишка, который так напоминал его погибшего сына. Молоко на губах не обсохло, и женщины еще кажутся таинственными. Уже был вот этот давно остывший заварочный чайник с отбитым носиком. Все точно такое же, как тогда: вот эти обои в мелкий красный цветочек – как сыпь – будто заразились от сквозняка ветрянкой. Вот эта связка вяленой рыбы, что висит на шпингалете, продетая сквозь глаза. Вот этот прохожий, прошаркавший за окном, – оба кармана пиджака оттопырены бутылками. Вот эта вывеска напротив, на которой кто-то залепил грязью букву Б, и получилась ГАРНИЗОННАЯ АНЯ. Откуда-то из-за угла донесся детский треск прутиком по штакетнику.

Вот провел рукой по подбородку, и слышно, как шуршит щетина. И точно так уже было – проводил, шуршала.

Подумал, что секрет дежавю, наверно, заключается в том, что в книге бытия все это написано, конечно, только один раз. Но оживает опять, когда кто-то снова читает ту страницу, которая уже была когда-то прочитана. И тогда снова оказываются живы и эти обои, и прутик по штакетнику, и пахнущая вблизи рыба, повешенная на шпингалете, и шуршание этой щетины, и чайник с холодной заваркой, и женщины еще таинственны.

Значит, просто кто-то читает сейчас эти строчки – вот и весь секрет дежавю.

Выстрелил щелчком окурок в окно, тот полетел кувырком.

Пососал из отбитого носика чайника горькую холодную заварку. Вытер губы рукавом.

Стал диктовать дальше:

– В-третьих, и, может быть, самое главное – без нужды не убивать. Помните, они – такие же люди. Ребята, будет трудно. И идти придется далеко, на край света. Туда даже Александр Македонский не добрался, дошел только до границы и приказал поставить мраморную колонну и написать на ней стих: «Я, Александр, дошел до этих мест». Не верите? Я вам покажу. У кактусов там ушки на макушке и народ нагомудрый. Когда Александр Македонский увидел их, то весьма удивился и сказал: «Просите что хотите, и я дам это вам!» Они ответили ему: «Дай нам бессмертие, которого мы больше всего желаем, а других богатств нам и не надо». Александр же сказал им: «Я смертный, как же могу дать вам бессмертие?» А они ему: «Если ты считаешь себя смертным, то зачем, совершая столько зла, скитаешься и блуждаешь по всему миру?» Вишь, им палец в рот не клади. А чуть отвернешься, получишь пулю в затылок. Поедем сначала по железной дороге, а потом морем. А то, что прибыли на место, поймем, как только увидим людей с песьими головами. И еще мы пойдем с веслами, а они нас спросят, что это за лопаты мы несем. Еще там существуют публичные лупанары женоподобных мужчин и другие бесчисленные мерзости, так что будьте всегда начеку! Для нас мир – процесс, для них – результат. Они считают знание воспоминанием. Каждый знает свое будущее – и все равно живет свою жизнь. То есть получается, что любящие любят друг друга еще прежде того, как узнают друг о друге, познакомятся и разговорятся. А еще они не молятся о себе, потому что в чем наша польза – мы не знаем. Божества у них нехитрые, но их столько же, сколько птиц, деревьев, облаков, луж, закатов и нас. Относительно существования иных миров они находятся в сомнении, но считают безумием утверждать, что вне видимого ничего не существует, ибо, говорят они, небытия нет ни в мире, ни за его пределами. Они признают два физических начала всех земных вещей: солнце-отца и землю-мать. Воздух считают они нечастою долею неба, а весь огонь – исходящим от солнца. Море – это пот земли и такое же связующее звено между воздухом и землею, как кровь между телом и духом у живых существ. Мир – это огромное живое существо, а мы живем в его чреве, подобно червям, живущим в нашем чреве. Но только счастлив ли червь – неизвестно, а человек рождается, живет и умирает счастливым, только все время забывает об этом. И вот эти нагомудрецы поотвинчивали все гайки с рельсов.

И ладно бы на грузила! Тоже мне, злоумышленники гребаные! Нет, им, видите ли, железные дороги фэн-шуй портят! Надо уничтожать всю эту мразь безжалостно. Как бешеных собак! Стереть с лица земли всю эту поганую псину! Помните, кто-то должен делать и грязную работу. Мужики! Будем мстить за наших товарищей и боевых друзей, которые пока еще живы, вот они, среди нас, улыбаются, но уже скоро. Главное, знайте, что правда на нашей стороне, а на их – неправда! Но может, и наоборот. Ведь свет – это левая рука тьмы, а тьма – это правая рука света. Ведь и Солнце стремится спалить Землю, а вовсе не производить растения, людей. В этой жизни победителей не бывает, все – побежденные. Тем более что ты их штыком, а они все равно подумают так: «Беспокоиться о том, что будет с тобой после смерти, – все равно что спрашивать себя, что будет с кулаком, когда ты его разожмешь, или с согнутой в колене ногой, когда ты встанешь». И главное, ребятки, берегите себя! Пока не прозвучит наказ – не стрелять! Пифагоровы штаны помните? Эх вы, ветерок в голове! В школе ведь проходили! В одно ухо влетело, в другое вылетело. Учи вас, дураков! Одни юбки на уме. Чему учил Пифагор? Пифагор учил, что когда суждено будет умереть, то, лишь душа твоя покинет мир подлунный и свет солнца, ступай налево по священным лугам и рощам Фарсефонеи. А когда тебя спросят, кто ты и откуда, надо ответить: «Я – козленок – упал в молоко». Ну вот, теперь все, кажется. Да, вот еще что, не плюйте, пожалуйста, в миску с кашей штабному писарю. И вообще, оставьте этого юродивого в покое! Ну, подумаешь, скребет себе перышком свои похоронки. Кому он мешает? Не хочет молиться за царя-ирода? А кто хочет?

* * *

Вернулась из клиники и все в себя прийти не могу.

Пошла ведь учиться, потому что хотела помогать давать жизнь, а учат выскабливанию.

Я вообще сначала хотела быть ветеринаром, но, когда увидела, как собак стерилизуют только для того, чтобы людям было удобно, — возмутилась и ушла.

Сейчас напишу тебе и сяду дальше готовиться. Если бы ты только знал, что приходится принимать на веру!

Вот ты думал, откуда взялась одежда? Представь себе, не от холода и не от стыда. От прямохождения! Встали на задние лапки, и появилась необходимость прикрывать половые органы. Но не от стыда совсем — у животных стыда не бывает. У обезьян, чтобы показать половые органы и готовность к спариванию, нужно принять специальную позу. А люди, получается, все время в этой позе! Им, наоборот, нужно прикрыться, чтобы сигнализировать свою неготовность!

Как на самом деле неприятно знать, что у всего есть объяснение. Например, у материнской любви. Знаешь, почему у людей она сильнее? Потому что по сравнению с обезьянкой ребенок рождается совершенно недоношенным. Чтобы появиться на свет таким же зрелым, он должен провести в животе двадцать месяцев! То есть родиться таким, каким становится только в год. И вот женщина продолжает ребенка донашивать – только не внутри, а снаружи. И потом никак не может отпустить. Ребенок вырастает, а мать за него все цепляется, не может расстаться.

В детстве не могла бы просто себе представить, что когда-то придет время и мне захочется мою мать вытошнить из себя, как рвоту.

Когда никого дома не было, я взяла ее парадный фотоальбом и стала выдирать оттуда фотографии, рвать на кусочки и спускать в унитаз.

Начала курить – только потому, что мать не разрешала.

Приду с улицы, и она устраивает проверку. Знает, где нужно нюхать. Не говорит: «Подыши!» – нет, понимает, что после конфетки никакого запаха уже нет. Нюхает руки. Одежда, волосы пропитаются табаком, если кто-то рядом курит. А вот руки – только если самой держать сигарету.

Я и не пряталась – курила открыто, ей назло.

Папа мне говорил потихоньку:

– Доча, ну чего ты лезешь на рожон? Спрячь сигареты, вон как нагло из куртки торчат!

Мать ругается, а я ей:

– Я плохая? Хорошо, я буду худшей!

И так заводим друг друга, до слез, до истерики. Наверно, мне это зачем-то было нужно – слезы, крики, топанье ногами, разрывание наволочек. Один раз заперлась и стала обрывать занавески так, что карниз с треском обвалился. Она стучится ко мне в дверь и кричит, что она моя мать и уже поэтому достойна моего уважения, а я кричу в ответ, что я себя в ту яйцеклетку не запихивала и вообще рожать себя не просила и потому ничем ей не обязана.

В другой раз ругает за то, что я взяла ее маникюрный набор и не положила на место, а я думаю, что будет, когда она узнает, что я стала у нее воровать деньги. Они мне и не нужны были – отец всегда давал на сигареты или на что-то еще. Но я должна была перейти какую-то черту.

Отвратительно было смотреть на нее, как она одевается, прихорашивается. Я всегда могла догадаться, куда она собирается, – по ее глазам, растрепанным, скользким.

Представляла себе, как она раздевается перед своим любовником – аккуратно снимает одну одежку за другой, расправляет, тщательно складывает.

Мне было тогда шестнадцать, и я, без всякого перехода, почувствовала в себе перемену – еще только что была ребенком и вдруг – очень одинокой женщиной.

Я ушла тогда из дома. Крикнула, что больше к ним не вернусь, и хлопнула дверью. А пойти некуда. Пошла ночевать к Янке. Она упросила родителей оставить меня на одну ночь. У нее только мама и бабушка, и она называла их родителями.

Отец бегал везде, искал меня до поздней ночи, хотя мог бы сразу догадаться, где я. Пришел, стал требовать, чтобы я немедленно шла домой. Перед Янкиными родителями было неудобно. Я сказала ему:

– Хорошо, вернусь. Но что делать с тем, что я и ее, и тебя больше не люблю? Я вас презираю – с этим что делать?

Думала, он меня ударит. Не ударил. И всю дорогу обратно шел молча, только шмыгал носом.

Не знаю, зачем сейчас это вспомнила.

Единственный мой, как же мне тебя не хватает!

Каждое твое письмо перечитываю по многу раз и там, где точки, ставлю поцелуи.

И вообще я живу только от письма до письма.

Прохожу мимо памятника, он на месте, а где наше свидание?

И еще все время пытаюсь найти какое-то оправдание тому, что ты сейчас не здесь, не рядом со мной. Не объяснение, а оправдание. Ведь зачем-то это надо, если это так есть. И вот что я подумала. Это как в детстве – если у тебя что-то есть, то этим надо делиться. Вот тебе дали конфеты, а у других нет. И нужно делиться. А то ведь могут и просто все отнять. И вот нужно в этой жизни делиться самым дорогим. И чем дороже, тем больше нужно отдать. Делиться самым любимым – а то совсем отнимут.

Целую тебя, любимый! Будь здоров, будь осторожен, счастье мое! Я засыпаю и просыпаюсь с мыслью о тебе.

Если бы тебя не было, я утонула бы в самой себе, барахталась в своей пустоте, не находя точки опоры.

И так страшно, что с тобой что-то случится.

Почему-то вспомнила, как ты рассказывал про каких-то птиц, которые любят в полете. Не могу вспомнить, как они называются?

Знаешь, чего я хочу сейчас больше всего на свете? Забеременеть от тебя всем – ртом, глазами, пупком, ладонями, всеми отверстиями, кожей, волосами, всем!

* * *

Подали вагоны. Сорок человек, восемь лошадей, один хомячок. Так странно все устроено в этой жизни! Люди быстро звереют по отношению к людям, делаются мерзлыми, жестокими – и оттаивают, становятся человечными по отношению к живущей в кармане зверушке. Жалеют. Преображаются вдруг, когда гладят ее пальцем по спинке.

Длинный вагонный день.

Проезжаем, наверно, царство попа Ивана.

Телеграфные столбы, мосты, деревянные бараки, кирпичные фабрики, свалки, запасные пути, склады, элеваторы, поля, леса, снова запасные пути, пакгаузы, водокачки.

Эшелон тащится еле-еле. У закрытого шлагбаума на переезде телега. Беременная стрелочница чешет в затылке свернутым зеленым флажком. Коза, привязанная к колышку, смотрит внимательно.

На открытых местах дым паровоза стелется по земле, цепляется за жухлую траву.

На какой-то станции вчера был несчастный случай – видел сцепщика, раздавленного буферами.

Вот снова набираем скорость – внизу, где рельсы, – заструилось.

Искали доказательство, что земля на оси вращается, – да вот оно, за окном.

Проехали какую-то деревню в дюжину дымов и душ.

Думаю много о матери. На прощание приехала со своим слепым, хотя я просил ее этого не делать.

Вдруг пришло в голову, что по-настоящему смогу ее любить, только когда она умрет. Кто это сказал, что кровное родство – самое далекое? Как жестоко и верно!

Вспомнил, как они уходили – на каждый его шаг приходилось два ее коротких шажка.

Странное слово – пасынок.

Мама познакомилась с моим отчимом через бабушку. Сколько мне было, восемь? Он приходил к нам несколько раз, мама угощала его чаем и молча делала мне за столом угрожающие знаки, чтобы я сидел тихо и вел себя прилично. Этот человек был мне отвратителен с самого начала.

Ко мне он обращался бодрым насмешливым тоном, каким принято говорить с детьми, глядя на меня при этом своим мохнатым ухом. Я отмалчивался на его глупые вопросы, а мама ласково говорила:

– Сыночек, ну отвечай, тебя же спрашивают!

В этом ласковом голосе была ложь, очевидная нам обоим и очень меня ранившая.

Назло ему я бубнил что-то еще более глупое, и у него на лице расплывалась гримаса – это он так улыбался, к этой улыбке сложно было привыкнуть.

Сашка, хорошая моя, ничего, что пишу тебе об этом? Никогда мы с тобой о нем не говорили.

Ты знаешь, когда я пытался представить себе его мир, мне становилось не по себе. Жизнь слепого казалась мне жизнью землеройки, которая прорывает во тьме, плотной и тяжелой, как сырая глина, норки-туннели и бегает по ним. И все его черное пространство исчеркано такими ходами. И в одном из этих ходов – мы с мамой. Особенно по ночам он со своей слепотой забирался в мои мозги, и я не мог выскоблить его из своей головы, как ни пытался.

Помню, как мама сказала, совершенно меня огорошив, что собирается выйти за него замуж и что очень любит этого человека и просит, чтобы я полюбил его тоже. Меня поразило это слово – «полюбил». Полюбить его? В моем сознании просто не укладывалось, как она могла привести в наш дом этого непонятного чужого мужчину со страшными запавшими глазами и зеленоватыми зубами торчком.

Мама попросила, чтобы я дал слепому потрогать мое лицо. И сейчас, через столько лет, вспоминаю это с содроганием.

Представляешь, я даже строил какие-то безумные детские планы, как устроить так, чтобы испортить им свадьбу, – изрезать ножницами мамино свадебное платье, напичкать слабительным торт, еще что-то в том же роде, но свадьбы, как я представлял ее себе, не было вовсе. Он просто переехал к нам и стал жить.

Я никак не мог понять, зачем маме нужен этот инвалид. И запах! Ты бы меня поняла. От него шел тяжелый густой дух большого потеющего тела, я недоумевал, почему мама это терпит, неужели она не чувствовала? Я просто не мог поверить, что она не замечает запаха.

Иногда он делал мне подарки. Помню, как он принес маленькую коробку из кондитерской, а там были пирожные, мои любимые – картошка. Две картошины с дурманящим шоколадным ароматом. Мне так их хотелось съесть! А я пошел в уборную, незаметно прихватив пирожные с собой, и спустил их в унитаз.

Он обрадовался, узнав, что у нас есть специальные шахматы для слепых, которые подарила мне бабушка, но я наотрез отказался сыграть с ним, хотя до этого готов был играть хоть с зеркалом.

Когда мы шли втроем по улице, на нас оборачивались, и я ужасно стыдился. Помню, что при первой возможности, например когда они останавливались перед витриной или заходили в магазин, я старался делать вид, что я сам по себе, просто гуляю в одиночку. Придумывал самые невозможные предлоги, чтобы только не оказаться с ним вместе на людях.

Когда они брали меня в кино, мама шептала ему на ухо, что происходит на экране, и на нее все время шикали, а мне приходилось водить его в туалет. У него что-то было с мочевым пузырем, и в туалет он ходил чуть ли не каждый час.

Больше всего раздражали мелочи. Нельзя было бросать вещи просто так – у каждого предмета теперь появилось свое обязательное место. Нельзя было оставлять дверь полуоткрытой – нужно было или закрыть ее совсем или открыть. Когда он ложился отдохнуть, все в доме должно было замереть. В уборной он положил коробок, и каждый раз после себя сжигал спичку и требовал от всех того же.

Я не мог смотреть, как его руки шарили по столу в поисках сахарницы или масленки.

Задумавшись, он часто запрокидывал голову и давил себе большим пальцем под глазное яблоко.

И сейчас вижу, как он шаркает по нашему коридору, выпялив пальцы.

Мне было неприятно, как вечером мама снимала с него носки и растирала белые корявые ноги. И еще неприятнее – не знаю почему, – что называла его Павликом, как ребенка.

Иногда мне казалось, что никакой он не слепой и все видит. Один раз я случайно заглянул в открытую дверь – отчим, придя домой с улицы, переодевался, снимал ботинки, наступая им на пятки, и вдруг резко крикнул мне:

– Закрой дверь!

Когда мама не могла его куда-то отвести, то просила меня. Отчим держал меня за предплечье. Меня поразило, как он в первый раз сказал:

– Не бойся, это не заразно!

Все смотрели на нас, и я не мог выносить эти сочувствующие взгляды, эти придыхания в сторону: «Какой ужас!» или «Не приведи Господь!». И вести его нужно было плавно, без резких движений и рывков, иначе он начинал сердито выговаривать мне и больно сжимал руку. Помогать ему нужно было уметь. Он бесился, когда сердобольные люди хотели помочь ему и хватали за руку с тростью. А попробуй провести его мимо всех луж, если дождь!

Отчим все время носил с собой железную дощечку с крышкой, в которой были квадратные окошечки. По дороге ему вдруг приходило в голову записать что-то, мы останавливались, и я ждал, пока он тупым шилом продавливал дырочки в плотной бумаге. Прохожие заглядывались, а мне хотелось провалиться от стыда.

При этом по своим известным ходам-туннелям он уверенно ходил один, резво постукивая по тротуару белой тростью.

На антресолях у нас хранились чемоданы со старыми вещами, мама иногда их перебирала, и однажды она достала большой свитер, приложила ко мне и сказала, что вот я вырасту и буду его носить. Я понял, что это осталось от моего отца. И вдруг я увидел мой отцовский свитер на отчиме. Почему-то именно это меня задело больше всего.

В парке на прудах они брали лодку, и отчим садился на весла, а мама управляла. Они не понимали, почему всем нравится кататься на лодке, а мне нет. Им было весело – он принимался черпать воду за бортом и брызгать на нас, мама визжала и заливалась смехом, а я сидел мокрый и злой. А когда я зачерпнул пригоршню черной зацветшей воды и плеснул ему в лицо, мама закричала на меня и ударила по щеке. До этого я никогда не получал от нее пощечины.

Она хотела, чтобы я попросил у него прощения, а я уперся:

– За что? Что я такого сделал? Он сам брызгался!

Мама расплакалась, а отчим утирал ряску с лица и улыбался своей гримасой:

– Ничего, Ниночка! Ничего.

Но я знал, что он меня тоже ненавидит.

Мимо проплывали в лодке какие-то студенты, один из них присвистнул:

– Смотрите-ка, Харон!

Их лодка чуть не перевернулась от хохота.

Я уже знал тогда, кто такой Харон. Я тоже засмеялся.

Мама мне потом сказала, когда мы были одни:

– Сыночек, пожалуйста, прости меня! И постарайся понять. И пожалеть.

Мне тогда показалось это таким странным, что не мама должна меня за что-то пожалеть, а я ее.

Ту пощечину я ей так и не смог простить.

Как-то раз он ушел один и упал, вернулся весь в крови, грязный, с разорванной рубашкой. Мама расплакалась, рылась в коробках, ища пластырь и йод, а отчим капал кровью на паркет. Помню, что мне было его совершенно не жалко.

По воскресеньям мама строго запрещала мне будить их рано и выходила из спальни довольная, напевая что-то, с красными пятнами на шее – раздражение от его щетины. Она у него так быстро отрастала, что отчим брился иногда два раза в день, если вечером они еще куда-нибудь шли. Свет ему был не нужен, и он часто сидел в темноте, и даже брился в темноте – на ощупь и на слух – где еще шаркала бритва.

Однажды была очень душная ночь, и я лежал под открытым окном и не мог заснуть. Было очень тихо, и с улицы долетал каждый шорох. У них в комнате тоже окно было открыто, и до меня доносилось, как они переговаривались в уверенности, что через две закрытые двери я ничего не слышу. Он мурлыкал, что у нее груди густые, а соски как наперстки. И еще что у нее под мышками тропики. И ей все это нравилось, она хихикала.

Как же я в те минуты его ненавидел, а ее презирал!

Потом начала скрипеть кровать. Хотелось вскочить и что-то сделать им назло! Разбить о стену вазу, или заорать, или не знаю что. Но я только лежал и слушал, как они сопели и как звонко хлюпал пот между их животами. И еще она начинала сдавленно кричать:

– Да! Да! Да!

Потом стремглав помчалась, шлепая босыми ногами, в ванную.

Какой-то полустанок. Застряли. Взялся снова записать пару строчек.

Сашенька, зачем я стал рассказывать тебе об отчиме? Сам не знаю. Черт с ним!

Лучше о чем-нибудь интересном.

Забавно, что у Демокрита тело делимо только до души – душа последнее неделимое, как атом. Между атомами всегда есть промежуток. «Если бы атомы соприкасались, то они были бы делимы, а по определению они неделимы: ведь соприкасаться можно лишь какими-то частями». То есть тела могут соприкасаться, а между душами всегда будет зазор, пустота.

Есть хочется.

Грачи – черные, маслянистые, будто паровозные семена.

Просто, наверно, люди делятся на тех, кто понимает, как это возможно, что вот я иду чайку попить и в те же без десяти два Земля вертится, причем не находят в этом никакого противоречия, и на тех, кто не может этого понять вообще и никогда.

Стоим у водокачки – паровоз собрался напиться воды.

Сижу у окна и глазею на маневровую «овечку». Когда пыхтит мимо, обдает жаром и липким горячим паром.

Стемнело, а мы все ни с места.

Вообще-то ночью здесь холодно, приходится кутаться в шинель, чтобы не замерзнуть.

По путям ходит вдоль всего состава человечек с молотком на длинной ручке и ударяет по каждой буксе. Он слышит какой-то особый звук, которого, кроме него и буксы, больше никто не слышит.

Ржавеют рельсы на запасных путях.

И вдруг понимаю очень простую вещь, что вот этот полустанок, этот фонарь, удары молотка по буксе, стрекотание кузнечиков из окна телеграфной, запах дыма и горячего паровоза, дышащего паром и смазкой, и вот этот его паровозий вскрик, сиплый, усталый, – это я. И никакого меня другого нигде больше нет и не будет. И все уверения про вечное возвращение – все это сказки. Все только однократно и сейчас. И если мы сейчас тронемся – полустанок скроется, и я исчезну.

Паровозы что-то разревелись. Может, скоро поедем дальше.

А может, это они просто призывают друг друга – как самки и самцы – своими грудными голосами. Ищут друг друга в ночи. Паровозья любовь.

А вот сейчас кто-то одиноко зовет и никто не откликается. Для них, может, это очень нежный голос.

У Грушеньки Достоевского был особенный «изгиб» тела. Думаю все время – что это за изгиб такой?

* * *

Любимый мой, мне тревожно.

Забудусь – и лезут мысли, что с тобой что-то может случиться. Возьму себя в руки – и знаю, что все у нас будет хорошо.

Чем дольше тебя нет со мной рядом, тем большей частью меня ты становишься. Иногда даже сама не понимаю, где кончаешься ты и начинаюсь я.

Все, что со мной происходит, реально только потому, что думаю, как тебе про это написать. И без этого я, даже когда мне хорошо, не могу пережить радости. Я должна поделиться ею с тобой, чтобы она состоялась.

Ну вот, например, вчера договорились, что я зайду за Янкой, но пришла раньше, у них занятия еще не кончились, и я решила подождать внутри, чтобы не торчать на улице, лето какое-то нелетнее, холод, ветер. Там ремонт, у подъезда в люльку как раз залезали маляры – один, с огромной незрелой клубникой вместо носа, подмигнул мне, сделал в шутку вид, что сейчас обольет краской из ведра. Я рассмеялась. Как мало действительно нужно, чтобы почувствовать себя вдруг счастливой, – если все это можно потом тебе рассказать. Иначе, понимаешь, всего этого и нет. Ни маляра с его клубникой, ни побитого ведра с охрой.

Походила по коридорам, везде неуютно, дует из окон, отовсюду запах краски, вонь из уборных. Нашла по расписанию комнату. Заглянула. Они там рисуют натуру. Проскользнула, села. Никто на меня даже не посмотрел, все заняты, сосредоточены. Стараются. На помосте стоит женщина, голая, а кругом столько молодых мужчин и не видят. Вернее, видят что-то не то.

В тишине скрип карандашных грифелей, уголь шуршит по бумаге. Один все время выставлял карандаш в вытянутой руке, щурясь, что-то в женщине отмерял.

Профессор прохаживался от одного к другому и большим дверным ключом постукивал по рисунку, мол, тут не так и там не то. Сказал кому-то важно:

– Разберите полутона!

На меня и не взглянул.

Янка говорила про него – «наш Чартков».

Перед натурщицей стоял на полу калорифер, но было видно, что ей холодно, – все время простуженно шмыгала носом.

И стояла как-то не по-женски – расставив ноги и руки. Пустая, как ваза, – тело здесь, а сама где-то далеко.

В этом во всем было что-то ненастоящее – и в этой неженщине, и в этих немужчинах.

И вот тогда в окне вдруг появился тот маляр. Увидел ее и замер с валиком в руке.

А она заметила его и сразу прикрылась. Таким женским жестом – одна рука сюда, другая туда. И стала вдруг настоящая.

И так захотелось ее нарисовать!

Тут все стали собираться, она накинула халатик и шмыгнула за ширму.

А я еще подумала, что все это тебе расскажу.

Вот, рассказала.

А сегодня проснулась и лежала, не открывая глаз, только слушала все звуки кругом, такие живые, такие простые, такие домашние – вот где-то строчит с утра пораньше швейная машинка, гудит лифт, хлопает дверь подъезда, трамвай дребезжит в конце улицы, какая-то птица верещит в форточку. Ты бы взглянул на нее и сказал, как она называется.

И невозможно поверить, что где-то война. И всегда была. И всегда будет. И там по-настоящему калечат и убивают. И на самом деле есть смерть.

Поверь мне, милый, хороший, родной, с тобой ничего не случится!

* * *

Принято из порту для продовольствия команды: сахару 19 пуд. 5 ф. 60 зол.; чаю 23 фун. 1/3 зол.; табаку 7 пуд. 35 ф. и мыла 8 пуд. 37 фун.

Больных два матроса и 14 солдат № 4 Линейного батальона. Воды в трюме 5 дюймов по выкачке.

Того же дня пополудни. Ветер тихий, ясно, высота бар. 30, 01 по тер. 13 1/2. Сего числа свезено на берег: ящик с амуницией – 1; бочек с мясом – 4; пеньки 25 пудов; муки ржаной 29 пудов; крупы 4 пуда; ящик с (неразборчиво) – 1; патронов 2160 штук, котлов чугунных 3; веревок 5 пуд. 20 ф.; листового железа 50 листов; невод 1; лошадь 1 и быков 2. В 12 ч. воды в трюме 24 дюйма.

Ходовых дней 192, якорных 102 дня.

Сегодня команде дали червивое мясо – и ничего, схавали. Никакого бунта.

Через четыре месяца мы достигли равнинного острова величиной в одну милю и спустились с корабля, чтобы приготовить себе пищу. Как только был разожжен огонь, остров сам ушел под воду, мы же побежали как можно быстрее обратно на корабль, оставив там наши припасы с горшками. Нам сказали, что это не остров, а рыба под названием Ясконтий, которая, почувствовав огонь, вместе с нашими припасами ушла под воду.

Поплыв дальше на север, мы в течение шести дней шли между двух гор, покрытых туманом. Приблизившись к острову, мы увидели разных редких животных и лесных людей без одежд. Дальше мы поплыли к острову, на котором уже обитают псоглавцы и обезьяны размером с годовалого теленка, где простояли пять месяцев за непогодою; мешала она нам плыть дальше. У здешних жителей и головы, и зубы, и глаза собачьи. Иноземцев, коли поймают, поедают. А здешние плоды не такие, как у нас.

Здесь очень жарко. Солнце палит так, что еле-еле вытерпишь. Опустишь яйцо в реку, не успеешь отойти – оно сварилось. Родится тут много ладану, но не белого, а коричневого. Много тут амбры, есть у них банбасина и много других товаров. Еще здесь родятся огромные слоны, зверь единорог, птица попугай, дерево эбен, красное сандальное дерево, индийские орехи, гвоздика, бразильское дерево, корица, перец, немые цикады и благоуханный камыш. Еще водятся здесь павлины, они и больше, и красивее наших, и на вид совсем другие. И куры у них не такие, как у нас.

Много инбирю и шелка на этом краю света. Сколько тут дичи, так просто удивительно. За один венецианский грош можно купить трех фазанов. Народ тут злой; воровать и разбойничать за грех не почитается, таких насмешников и разбойников в свете нет. Живут тут идолопоклонники, и деньги у них бумажные, мертвых своих сжигают, всяких харчей у них вдоволь, но едят они фараоновых крыс.

Молятся они разным вещам. Встал человек утром – первое, что увидел, тому и молится.

Полярной звезды тут совсем не видно, но если привстать на цыпочки, то поднимается она над водою на локоть.

Мертвых сжигают они, по их словам, вот почему: если не сжигать мертвых тел, в них завелись бы черви, сожрали бы те черви все тело, из которого вышли, нечего было бы им есть, пропали бы они все, а на душе того, чье тело, был бы тяжкий грех. Поэтому-то и сжигают они мертвые тела. И у червей, говорят они, – душа.

Иду с веслом, а прохожий спрашивает:

– Что за лопату несешь?

Представляешь, Сашенька моя, сначала было бразильское дерево, и только потом уже Бразилия.

Вышел на палубу, на носу никого, укрылся от ветра за лебедкой. Здесь хорошо за брезентовым чехлом, можно в рукав покурить.

Море и небо – странно, что где-то они могут существовать порознь.

Скоро начнется. Сашенька, может быть, меня убьют. Это все равно лучше, чем вернуться калекой. И не приведи Господь, если придется убивать самому.

Ты знаешь, я ко всему готов.

Смотрю на волны, на тучи. Под ногами глухие толчки. Рокот из машинного отделения. И такое странное ощущение в душе, не знаю, как тебе объяснить.

Ветер будто пытается засунуть дым обратно в трубу. Ни черта у него не получается.

Чайка замерла в небе, остановилась – задумалась. Потом вспомнила что-то важное, может, что жить с гулькин нос, и бросилась стремглав.

Зачем я тебе и себе вру? Я совершенно ни к чему не готов!

Выбросили за борт бак с отходами – чайки беснуются.

Понимаешь, Сашка, наверно, так: вещественная, видимая оболочка мира – материя – натягивается, засаливается, трется и протирается до дыр, и тогда в дырку, как палец ноги из рваного носка, лезет суть.

* * *

Мой милый, дорогой, ненаглядный, единственный!

Слушай, что произошло!

Я поехала на велосипеде в тот наш лес, потом пошла туда, где заброшенный аэродром. Помнишь?

Все заросло травой, на летном поле свалка, ангары пусты. В них наложены кучи. Везде заросли ржавой колючей проволоки.

Думаю, чего сюда приперлась? Вот только ноги обожгла о крапиву. И носки все в семенах травы.

А солнце уже садится.

И вот возвращаюсь обратно к велосипеду и вижу: пук ржавой колючки с меня ростом пророс лебедой. И, освещенный закатом, он начинает рдеть. Горит, как куст.

И вдруг говорит:

– Стой!

Я стою.

Он молчит.

Я его спрашиваю:

– Кто ты?

А пламенеющий пук:

– Не видишь, что ли? Я – альфа и омега, Гог и Магог, Гелдат и Модат, одесную и ошуйю, вершки и корешки, вдох и выдох, семя, племя, темя, вымя, знал бы прикуп, жил бы в Сочи. Я есмь то, что я есмь. Швец, жнец и на дуде игрец. Не бойся меня. Просто с разными людьми говорю по-разному. Ведь мы живем в мире, где каждая снежинка отличается одна от другой, зеркала на самом деле ничего не отражают, и у каждой родинки есть свой непохожий на других человек. Говори!

Я:

– А что мне сказать?

– Скажи: все кругом – это весть и вестник одновременно.

Я:

– Все кругом – это весть и вестник одновременно.

Пламенеющий пук:

– Ну, и в чем проблема?

Я:

– Они все хотят мне объяснить, что для любви другой не нужен. Мол, еще Платон говорил: любовь присутствует в любящем, не в любимом.

Он:

– При чем здесь это? Мало ли кто что сказал? Чего ты их всех слушаешь?

Я:

– Что же мне делать?

Он:

– Посмотри на себя!

Я:

– Страшная?

Он:

– Я не про то. Вот семена травы у тебя на носках. Это ведь тоже вестник и весть. Депеша. О жизни. О победе. Это одно и то же. В этой жизни побежденных не бывает, все – победители.

Я:

– Но я хочу быть с ним!

Он:

– Скажи слова!

Я:

– Какие слова?

Он:

– Ты знаешь.

Я:

– Я? Откуда же мне знать?

Он:

– Подумай!

Я:

– Ну что, венчается, что ли, раб Божий Вовка-морковка вот с этой? И еще на ногу наступить, чтобы быть на кухне главной?

Он:

– Нет, нет, не то!

Я:

– Но я не могу угадать!

Он:

– Не нужно гадать. Ты все уже знаешь. Посмотри, вот комар. Вот облако. Вот твои пальцы с заусенцами и шрамом у самого ногтя.

Я:

– Кажется, начинаю понимать.

Он:

– Вот мир видимый. А вот – закрой глаза – невидимый.

Я:

– Поняла!

Он:

– Ну же?

Я:

– Я все поняла.

Я все поняла! Мы уже муж и жена. Мы всегда ими были. Ты – мой муж. Я – твоя жена. И это самая чудесная рифма на свете.

* * *

Уважаемая имя-отчество!

С глубоким прискорбием сообщаю Вам, что Ваш сын.

В общем, Вы уже сами все поняли.

Крепитесь.

Понимаю, каково Вам сейчас. Тут никакие слова не помогут и не утешат.

Поверьте, и мне нелегко все это писать. Но это жизнь. Служба. Нет слова «не хочу», есть слово «надо».

Пусть Вам будет хоть каким-то утешением, что он погиб не просто так, а за что-то хорошее и большое. За что именно? Ну, хотя бы за ту же Родину.

Понимаю. Не то.

Короче, он погиб в бою.

В каком бою?

Достаточно сказать, что Ваш сын не вернулся с одной, как выразился поэт, незнаменитой войны. Так что какая разница? За белых, за красных, за эллинов, за иудеев.

Какая разница, на какой незнаменитой войне погибнуть?

Понимаю, Вам важно знать, поля какой именно вражеской империи унавозит Ваша кровиночка. Не все ли равно? Да хоть Поднебесной.

Приехал Кутузов бить французов, а Ваш сын, как шутят наши нижние чины, приехал к китайцам дать им по яйцам. Ну и вот результат. Распишитесь в получении.

Кстати, про наших чудо-богатырей и в газетах писали! Вот, во вчерашней «Вечерке» на третьей полосе: «Труден путь солдата к Георгию!»

Прилагаю.

«Как это ни печально, – сообщает ваш специальный корреспондент с театра боевых действий, – но опыт первых дней войны показал, что иначе невозможно: пробовали щадить и получали в тыл залпы из зарослей гаоляна. А почитайте-ка их воззвания, прибитые на каждой кумирне!

Нет дождей,
Земля сохнет –
Янгуйцзы нарушили всеобщую гармонию.
Разгневанное небо
Послало на землю
Восемь миллионов небесных солдат.

Вот расправимся с янгуйцзы,
Разрушим железные дороги –
Хлынет проливной дождь,
Люди и духи воспрянут,
Петухи и собаки успокоятся.
Так убей же хоть одного!
Так убей же его скорей!
Сколько раз увидишь его,
Столько раз его и убей!

Янгуйцзы, любезный читатель, – продолжал корреспондент в своей корреспонденции, – это нелюди, нехристи, псоглавцы. Мы.

Мы нарушили всеобщую гармонию. Мы – это такие дыры в совершенном мироздании, через которые уходит тепло и смысл, выдувается космическим ледяным сквозняком. Назовите всеобщую гармонию хоть фэн-шуем, хоть уставом, без разницы, главное, что всего в ней с избытком – и жизни, и смерти, а главное, человеческого тепла.

Как бы это объяснить попроще. Всеобщая гармония – это такой устав, который призван научить новобранцев, что все – рифма. Каша и Маша, любовь и кровь, снег и вода, какая-нибудь имя-отчество и ее сын.

Поднебесная потому и Поднебесная, что в ней умирают, но продолжают жить дальше. Здесь все продолжают жить дальше в тех же домах, ходить по тем же дорогам, говорить те же слова, которых ни на что не хватает, так же смотрят на закат, норовящий улизнуть, так же стригут себе ногти, помочив ноги в тазике с горячей водой. Все там, где были. И у них нельзя отнимать их дома, их дороги, их землю, их закат, их ногти.

В этом уставе написано: нужно понимать, что живешь на их земле, ходишь по их дорогам. И если хочешь вбить гвоздь в их стенку, нужно сначала спросить разрешения. И когда строишь дом, строишь его не для себя – а для всех. Для всех живших и неживших. Для всех закатов и ногтей.

И дело не в шпалах и не в рельсах, а в том, что без спросу. По живому. По поднебесному.

Янгуйцзы нарушили всеобщую гармонию, ее нужно восстановить. Поэтому необходимо уничтожить янгуйцзы. Нас. Это мы – с песьими головами, это нас надо как бешеных собак. Это мы жить никому не даем.

Само небо возмутилось и послало против наших сыновей небесное воинство.

Мы воюем с небом.

Ты бы их видел, читатель, этих небесных воинов!

Это же дети!

И все девочки.

Они считают, что сказанные особые слова, небесные заклинания сделают их неуязвимыми. Они верят, что вокруг их девичьих тел возникнет золотой прозрачный колокол, который, как доспехи, защитит их от пули и штыка. А еще они верят, что могут поджигать дома одним прикосновением или взглядом, исчезать и появляться в самом неожиданном месте, становиться невидимыми, прятаться под землей и летать по воздуху. А оружием в их руках становится даже стебель гаоляна. Достаточно направить его на янгуйцзы, и того моментально разрывают на части невидимые когти.

И в плен они никого не берут. Расправляются со своими жертвами с какой-то недевичьей жестокостью и обязательно должны надругаться над бездыханными телами. Расчленяют их, скармливают свиньям, а сердце съедают сами. Но это не простое варварство, в этом заложен глубокий смысл. Они ведь, эти летающие девочки, не могут себе представить, что чей-то сын и без того не воскреснет, никогда больше не повторится — ни на третий день, ни на сто тысяч третий».

Однако вернемся к нашим баранам.

Возвращаюсь.

Согласно предписанию, прилагаемому к письмовнику для штабных писарей, от такого-то этакого, в настоящей похоронке следует кратко изложить обстоятельства и причины гибели Вашего сына, мол, выполняя боевое задание дуракакомандира, верный присяге, проявив стойкость и мужество, погиб — или, на выбор — выполняя боевое задание дурака-командира, верный присяге, проявив стойкость и мужество, был тяжело ранен и умер. Возможен и такой вариант в случае, если Ваш мальчик погиб от неосторожного обращения с оружием, заболевания и других причин, например изошел кровавым поносом, — сами понимаете, ведь не писать же Вам такое – так что: выполняя боевое задание все того же дурака, верный присяге, тяжело заболел и умер.

Излагаю.

Ваш сын погиб под Тонжоу, на берегу реки Пейхо.

Вернее, так.

Ваш сын погиб, но он жив и здоров.

Однако обо всем по порядку.

Мы разгружались в Таку, который уже был взят союзниками.

* * *

Володенька!

Сколько же времени уже прошло?

Мне тогда позвонила твоя мама, но говорить не смогла. Трубку взял твой отчим. Он мне все сказал.

Два дня я пролежала не вставая. Зачем вставать?

Все оледенело. И душа, и ноги.

Потом встала и поехала к твоим.

На твою мать было страшно смотреть. Лицо от слез опухло. Глядела на меня как чужая.

Сели за столом. Павел Антонович стоял рядом с ней и держал руки у нее на плечах. Потом сказал, что сделает чай, и ушел на кухню.

Она сказала:

– Был бы гроб, была бы могила, а то ничего нет – бумажка...

Протянула мне извещение.

– Вот, бумага есть, печать есть, подпись есть. А где мой сын?

И тут ее прорвало, и меня тоже. Нарыдались.

Она все время повторяла:

– Но зачем же убивать? Убивать зачем? Можно было искалечить, оставить без рук, без ног, но живым. Он ведь – мой! Он принадлежит мне!

Потом стали пить чай с сушками. Твой отчим всем наливал, и я обратила внимание, как он наливает – до пальца.

Ты знаешь, наверно так – вот есть порог боли. Человек теряет сознание, чтобы не умереть. А есть порог горя – вдруг перестает болеть.

Ничего не чувствуешь. Вообще ничего.

Сидишь и пьешь чай с сушками.

А вот еще – людей кругом много, а когда что-то случается, они куда-то исчезают. Где-то читала, что раньше были запреты на общение с вдовами или вдовцами, потому что считали, что горе заразно. Наверно, и сейчас так считают. А может, и в самом деле заразно.

А сегодня шла пешком через наш парк. Там как раз закрывали статуи на зиму деревянными щитами. Как в гробы заколачивали.

Одна была с тем самым живым жестом, будто увидела маляра.

Я стояла и смотрела. Никак не могла уйти. Совсем замерзла.

Это меня заколачивали.

Это я в гробу.

* * *

Сашенька моя!

Целый день разгружаемся, и только сейчас нашел минутку тебе написать.

Знаешь, что самое трудное для меня сейчас? Это объяснить тебе самое простое – что кругом. Это невозможно описать. Краски, запахи, голоса, растения, птицы – все здесь другое.

А еще сегодня сделал первую запись о смерти. Один солдат очень глупо погиб: оказался под самой лебедкой, что-то сорвалось, его придавило ящиками.

Думал, будет как-то особенно, но рука выводила страшные слова как ни в чем не бывало.

Может, это уже начинается во мне то, чего так хотелось?

Без конца я всю жизнь задавал себе одни и те же вопросы.

И вот теперь иногда кажется, что я приближаюсь – не к ответу еще, но к какому-то пониманию.

Как же я ненавидел и презирал себя – того, которого хотелось сковырнуть, как узкий натерший ботинок! Как хотелось стать таким, как они все – неунывающим, злым, веселым, прочным, не задающим вопросов – и так все ясно. Научиться цепляться за жизнь. Переступить через все ненужное, условное, вычитанное. Научиться не думать о страхе смерти, вернее, не задумываться. Научиться бить, когда нужно ударить. Радоваться тому, что есть, и не ломать себе голову над тем, зачем все это надо.

Вот, написал рапорт о смерти человека, и рука не дрогнула. Хорошо.

Сейчас коротко об этих первых двух днях.

Вчера подошли к Таку. На рейде было уже много кораблей под всевозможными флагами, но залив мелководный, и большие суда не могут пройти к устью Пейхо. Поэтому сперва мы перебрались на баржи, и было как-то не по себе, когда смотрел на лошадей, которых поднимали и опускали судовыми лебедками. Они ржали испуганно, отрешенно, будто смирились со своей участью, и беспомощно болтали в воздухе удлинившимися ногами.

Мы стали на якорь в заливе уже к вечеру и разгружались до поздней ночи. Когда стемнело, на всех кораблях зажглись огни, целые созвездия электричества на мачтах, реях. Ты знаешь, это было очень красиво! Впервые пожалел, что тебя не было со мной. Отблески иллюминаторов в черной воде, огоньки катеров, шлюпок. То и дело вспыхивали лучи прожекторов, утыкались в облака и оставляли в них лунные пятна. Смотрел на эту иллюминацию и думал о тебе. С берега шел теплый ветерок и приносил какие-то новые неузнаваемые запахи. Было и радостно отчего-то, и страшновато. Лучи то вспыхивали, то гасли. Представляешь, так корабли переговариваются, посылая друг другу сигналы через облака.

В устье реки мы входили на буксире уже на рассвете. С обеих сторон тянулись низкие длинные линии фортов. Все пусто, мертво. Форты были взяты всего несколько дней назад. Кое-где в стенах виднелись следы от разрывов снарядов.

Не знаю, что перевозили на той барже раньше, но там было грязно, скользко, и ноги прилипали к палубе.

Ты знаешь, оказывается, в переводе название реки значит – Белая. Но цвет у Пейхо бурый, густой, с охрой. И несет она все, что может унести с сотен городов и деревень, – мусор, доски, арбузные корки, всякую всячину.

Сашка, никогда не забуду, как все притихли, увидев в первый раз проплывшее мимо мертвое тело, совсем рядом с бортом, раздувшееся, лицом вниз, даже не было понятно, мужчина это или женщина – с седой косой.

Тростник, тощие ивы, мутные волны, песчаная равнина до горизонта. Эту пустыню оживляли кучи морской соли да какие-то курганы и насыпи – могилы, как нам потом объяснили. Иногда видели опустевшие деревни. Ни одного живого существа не попадалось, только стаи собак. Бросались в глаза еще черные свиньи, рывшиеся в иловатых берегах.

Скоро показался Тонгку. Издали виднелись глинобитные желто-серые домики, потом выплыли большие таможенные пакгаузы, склады, мастерские, пристань, заваленная ящиками и тюками.

Всю ночь мы прямо на пристани грузились в вагоны. Сейчас нас повезут. Не знаю, когда смогу написать тебе в следующий раз.

Над городом всю ночь стоит зарево. В воздухе запах гари. Говорят, что жители сами поджигают свои дома, но обвиняют в этом иностранцев, чтобы вызвать к ним еще больше ненависти. Половина Тонгку уже выгорела, но пожары продолжаются, тем более что их никто не тушит.

Знаешь, что больше всего страдает? Нос. И сейчас в воздухе носится отвратительный запах горелого камыша и еще какой-то непривычный привкус ветра, от которого подташнивает. Мне кажется, я уже научился различать эту особую приторную вонь.

* * *

Володенька!

Мой любимый человек! Радость моя!

Я в гробу замерзла, ноги – ледышки.

Как тебе это объяснить? Я ем, переодеваюсь, хожу за покупками. Но где бы ни была – все равно я мертвая.

Да еще практику проходила в приемной скорой помощи – всего насмотрелась.

А сегодня выходной, темный, морозный, с утра никуда идти не нужно. Плохо топят, в комнате холод. Окна замерзли. Лежала под двумя одеялами и думала о тебе. Как ты там? Что с тобой?

Потом заставила себя встать, что-то делала по дому. Чувствую, из мусорного ведра уже попахивает. Решила вынести на помойку.

Двор проморожен. Деревья в инее. Пар изо рта.

Вышла, подхожу к мусорным бакам. И у них пар изо рта.

В грязных сугробах выброшенные новогодние елки в оборванной мишуре.

Кругом никого.

Я спрашиваю:

– Это ты?

Он:

– Я.

Я:

– Весть и вестник?

Он:

– Да.

Я:

– Уходи!

Он:

– Ты не понимаешь.

Я:

– Я все понимаю. Уходи!

Он:

– Еще и не рассвело толком, а уже закат. Смотри, какой кистеперый! С перепонками в зимних ветках. Вон и луна встала не с той ноги. Слышишь, из открытой форточки на втором этаже музыка, смех – пир во время насморка. А там коляска на балконе, ребенок проснулся, ревет. Человек только родился, а уже идет против рожна. Пойми, я тот, кто влюбил тебя в этот мир.

Я:

– Влюбил. В этот мир. Это все, что ты можешь?

Он:

– Знаю, тебе сейчас трудно.

Я:

– Ты вообще что-нибудь можешь?

Он:

– Я знаю имена всех вещей и ничего не могу.

Я:

– Почему?

Он:

– По кочану. Вас что, в школе ничему не учили? Вы не проходили разве, что есть прошедшее, ненастоящее и будущее? На физике, небось, под партой тишком толстые романы читала? Все дело в свете. Все из него состоит. И еще из тепла. И тела – это сгустки света и тепла. Тела излучают тепло. Тело может потерять тепло и стать холодным, но тепло останется теплом. Не понимаешь? Вот вы когда-то договорились о свидании у памятника. Но это ведь на самом деле не свидание у памятника, а памятник у свидания. Памятник сдернут, а то свидание останется.

Я:

– Я не могу без него жить. Он мне нужен. Почему его нет?

Он:

– Ты же сама говорила – нужно делиться. Если тебе дали, то нужно отдать, чтобы что-то оставить. И чем дороже тебе человек, тем больше надо отдать. И вообще, это только прохожие идут и верят, что все страшное уже позади. В одном толстом романе, который ты читала под партой, помнишь, герой и героиня все время где-то рядом, не встречаются и мучаются оттого, что никак не встретятся, а потом, когда наконец встретились, поняли, что они раньше еще не были готовы друг для друга. Еще не пережили тех страданий, которые им предстояло пережить. Так и вы еще не готовы друг к другу – еще не настрадались по-настоящему. Это только кажется сложным, а на самом деле очень просто. Как те войлочные молоточки.

Я:

– Просто?

Он:

– Не придирайся к словам. Это всего лишь перевод. Ты же знаешь, что слова, любые слова – это только плохой перевод с оригинала. Все происходит на языке, которого нет. И вот те несуществующие слова – настоящие.

Я:

– Чего тебе от меня надо?

Он:

– Оглянись. Все повторяют самих себя, жужжат одно и то же и удивляются, как это можно быть персом. Есть целые жизни, в которых никого нет, даже живущего, он так и умирает, не проклюнувшись. Ты что, хочешь так?

Я:

– Да.

Он:

– Да они идут и не видят, что еле достают сугробу до подбородка.

Я:

– Но они знают главное.

Он:

– Что? Что человек не обязан быть счастлив?

Я:

– Да. Они знают. А я нет. Я тоже хочу это знать.

Он:

– Это что, бунт?

Я:

– Да.

Он:

– Не дури.

Я:

– Я очень устала быть собой.

Он:

– Ты просто еще не знаешь, как это бывает. Забудешь в кафе зонтик, вернешься – и жизнь примет другой оборот. Помнишь, ты пошла в тот ваш парк. Снег падал сухой, мелкой крупой, с подскоком. Тебе показалось, что в парке, кроме тебя, никого нет, будто он был твой собственный. Подошла к скамейке, смахнула снег перчаткой, присела. А напротив как раз стояла та скульптура, забитая досками. Под завывания метели зимними ночами есть время подумать, что сделала не так. Стоит в своем гробу – одна рука сюда, другая туда – и меняется. Становится еще больше сама собой. И знает, что скоро выходить. Откроют крышку, а она там как ни в чем не бывало – одна рука здесь, другая там – вот я! Дождались? Как вы тут без меня? Что у вас тут новенького? Трою взяли? Та же, но другая – что-то поняла за зиму. И тут к тебе подбежала собака. Спаниель понюхал тебя. Дался почесать за ухом, замотал хвостом. А ты понюхала его – дохнуло вкусной собачиной. Потом появилась девочка с поводком и сразу сообщила тебе, что она теперь занимается балетом и знает уже все позиции, и что Доньке нельзя давать сладости, а то ее может пронести. У девочки уши со сросшейся мочкой. И легкое косоглазие. Потом появился Янкин профессор, которого ты сразу узнала, а он тебя нет. У него уши большие, мясистые, с кисточками волос, и мочки свисают до воротника. Ты сперва решила, что девочка – его ранняя внучка, но он назвал ее, как твой отец называл тебя, – доча. У него в руках была детская клизма. Он швырял ее, и собака носилась за ней с лаем между деревьями. Потом он присел рядом на скамейку, сцепив руки на колене, и пальцы у него были крепкие, ободранные, изъедены растворителем, а на ногтях остатки краски. Девочка бегала за собакой, а он говорил, что давно уже ничего не читает, потому что нужно писать живой жизнью – слезами, кровью, потом, мочой, калом, спермой, а они пишут чернилами. Ты в тот момент еще подумала: скольким же дурочкам он говорил это за свою долгую жизнь.

Я:

– И что?

Он:

– Поворотам судьбы надо помогать.

Я:

– Зачем?

Он:

– Ветка в бутылке с водой пускает корни. Им не за что ухватиться, и они начинают цепляться друг за друга.

Я:

– Я замерзла.

* * *

Сашенька!

Чудесная моя!

Как же я им завидую. Устали за день и теперь спят. Сопят, храпят, видят во сне своих любимых. Я тоже устал ужасно, но сначала напишу тебе, что было сегодня.

Нас отправили на Тяньцзинь, это на полпути до Пекина. Телеграфного сообщения по-прежнему нет. Из Тяньцзиня в Пекин ушел отряд под началом англичанина адмирала Сеймура, составленный из солдат разных стран, в том числе с ним ушли две русские роты, но и от них нет никаких известий.

Все здесь исходят из того, что осажденных в дипломатическом квартале Пекина, которых мы идем спасать, уже нет в живых. Освобождать, увы, больше некого. Те, кому удалось вырваться, говорят, что в городе устроили резню, европейцев никого не оставили в живых, а миссии сровняли с землей. Еще держится европейский отряд в окруженном Тяньцзине, там идут тяжелые бои.

Нас отправили на выручку. Наверно, завтра или послезавтра мы прибудем туда.

От Тонгку на Тяньцзинь ведет железная дорога, но она в печальном положении – шпалы сожжены, рельсы нашим путейщикам приходится откапывать и искать по деревням, куда их спрятали крестьяне.

Часть разобранной дороги удалось починить с грехом пополам. На стыках рельсов нас сильно встряхивало. Недостаточно шпал и костылей для крепления, вместо трех-четырех шпал кладут одну. Рельсы кривятся, ходят ходуном. Ехали и каждую минуту ждали оказаться под откосом. Столбы телеграфные вдоль дороги срублены до пней. И водокачки не работают – солдаты должны были носить воду для паровоза из оставленной деревни.

Сашенька моя, ты даже не можешь представить, как все это тоскливо. Местность представляет пустыню – жители скрылись, дома разгромлены, поля сожжены, вытоптаны.

Около половины пути мы проехали. Потом остановились. То, что накануне починили, за ночь снова приведено в негодность – рельсы разбросаны, частью унесены вовсе, шпал не было и признака. Мы высадились на какой-то станции, вернее, там, где раньше была станция. Все пристанционные постройки из кирпича не только разрушены, но даже камни из фундамента выкопаны и разбиты в крошку. Так они ненавидят все наше.

Шли весь день до вечера вдоль полотна в походном порядке. Линия железной дороги тянется берегом реки. Пейхо здесь скользит извилинами, но ее все время видно было издалека по купам деревьев.

Очень хотелось пить, но не было воды. Колодцы в деревнях отравлены, а река заражена. Наши несчастные лошади в первый день только нюхали ее, но не пили, но потом жажда взяла свое, и теперь они пьют эту жижу, больше напоминающую кисель.

Так что приходится дорожить каждым глотком.

Да еще без конца кусаются местные мелкие комары – у меня на руках и шее вздулись крупные красные волдыри и чешутся нестерпимо. Но это, конечно, пустяки.

Передовой отряд два раза попадал в засаду, к счастью, обошлось без убитых, есть только раненые, да и те легко.

Когда проходили место боя, я впервые увидел следы войны: дохлых лошадей, сломанную винтовку, брошенную фуражку, окровавленное белье.

Что мне еще предстоит увидеть? И предстоит ли?

Я сошелся с переводчиком, прикомандированным к нам. Это студент Восточного факультета Петербургского университета по фамилии Глазенап. Его походный мешок набит книгами, свитками, воззваниями, которые он повсюду подбирает и подносит к самому носу, чтобы прочитать. У него плохое зрение и очки с претолстыми стеклами.

В одной деревне мы зашли в кумирню, уже достаточно разоренную. Солдаты разрывали книги ради мягкой бумаги, и наш переводчик попытался противиться этому варварству, но, конечно, без всякого результата.

Картина удручающая – большие стеклянные расписные фонари, повешенные в алтаре кумирни и снаружи на крыльце, все разбиты. Фигуры китайских богов валялись повсюду на полу с распоротыми животами и спинами. Кто-то сказал нашим, что у местных есть обычай прятать там золото и драгоценные камни.

Я обошел все, было интересно. По бокам кое-где еще стояли во весь рост идолы с уродливыми лицами. Перед ними – горшочки с золой, чтобы втыкать свечки. Алтарь был пуст, главный идол валялся на полу, голова откололась и лежала на затылке. Я постоял перед ней – она глядела из-под полуопущенных век на перевернутый мир с любовью и снисходительно. По столбам вились, блестя золотою чешуей, синие драконы с разинутыми пастями.

Там были огромные гонги, и солдаты принялись бить в них большими деревянными молотками. Глазенап бросился отнимать у них молотки. Он объяснял, что не нужно попусту призывать духов и что дракон – символ добра. Солдаты расхохотались.

Я рад, что у нас в отряде появился этот молодой человек, восторженно влюбленый в язык Конфуция, Ли Бо и Ду Фу. Он чем-то напоминает жюльверновского Паганеля. Таким, наверно, и был Паганель в юности – неуверенным в себе, неуклюжим, но задиристым всезнайкой. Сегодня он научил нас пить воду из Пейхо, солоноватую, илистую, смешивая ее с ханьшином, китайской водкой.

Ну вот, Сашенька, сейчас постараюсь уснуть, хотя волдыри от укусов чешутся ужасно.

Даже не верится, что завтра может быть бой, в котором меня убьют или искалечат.

Ты знаешь, человек все-таки так удивительно устроен, что легко верит в смерть всех кругом, только не в собственную.

И еще – очень важное. Может быть, это из-за ожидания первого боя, не знаю, но я все здесь чувствую острее, и все кругом, весь мир со мной откровеннее, что ли, взрослее, мужественнее. Я все вижу по-другому, ярче, будто какая-то пелена спала с глаз, через которую смотрел на жизнь раньше. Все чувства напряжены, я слышу ночь кругом пронзительно – все шорохи, крики птиц, шуршание в траве. Звезды над головой ближе, крупнее. Будто я жил в каком-то ненастоящем мире, а теперь вот я начинаюсь – настоящий.

Без этого ощущения, наверно, никогда бы не было никаких войн.

На самом деле хотел сказать, что я тебя с каждым днем люблю все сильнее. Просто не умею написать то, что чувствую. Вот если бы мы сейчас были вместе, взял бы твое лицо руками и поцеловал – и это было бы намного больше, чем могу написать на этих страницах, которые дописываю, ничего толком не сказав.

Я ведь говорил тебе не раз: я тебя люблю. Но сейчас мне кажется, что я говорю это тебе впервые. Потому что теперь я люблю тебя совсем по-другому, иначе. Слова те же, а значат для меня намного больше.

И мне легко и радостно сейчас оттого, что знаю – ты меня дождешься, что бы ни произошло!

Я тебя люблю.

* * *

Володя!

Милый мой! Единственный!

Я так счастлива, что ты у меня есть!

Ты ведь знаешь, что родинки – блуждают, появляются и исчезают, и вообще, могут менять тела. Я нашла у себя твою родинку, представляешь? Вот здесь, на плече. Так чудесно!

Набегалась сегодня по городу, а заснуть не могу. Знаешь, когда ворочаешься, ищешь прохладное место в кровати, потом оно нагревается, начинаешь искать другое. Вот так не осталось и островка прохлады, а сна все нет и нет.

Какие-то обрывки перед глазами, то ли открытыми, то ли закрытыми. В два ночи все равно – видимый это мир или невидимый.

Или уже три?

Мысли бегают по времени, как по траве. Время не растет ровно – в нем бывают залысины. Ходишь как на водопой, топчешь одно место.

Вспоминаются без конца те же картинки, причем ненужные.

В магазине забыла сдачу, и за мной побежали и кричали:

– Девушка, девушка! Куда вы?

В трамвае кто-то рядом уселся мне на край юбки, пришлось вытаскивать.

А потом вошла пара стариков, головы трясутся, у него – нет-нет, у нее – да-да.

Янка рассказывала, как она ходила со своим женихом в ресторан, дали мелочь на чай, а официант швырнул им эту мелочь вдогонку.

Иду по улице, а в открытом окне чья-то рука – то ли зовет меня к себе, то ли отгоняет комара.

В газете написали, что на Севере нашли самолет со сломанной лыжей и замерзшего летчика с обгоревшими унтами – сунул перед смертью обмороженные ноги в самый огонь, чтобы согрелись. А часы его, оттаяв, снова пошли.

А вот из детства – гуляли с папой по парку, ботинки все в грязи, он у подъезда обтирает подошвы о край тротуара и траву, а мне на какое-то мгновение кажется, что он пытается освободиться от своей тени.

А вот мама делает мне любимую мою тюрю – режет хлеб кубиками и бросает их в миску с теплым молоком, потом посыпает сахарным песком, а у меня вдруг горло сжимается от мысли, что она когда-нибудь умрет, и я вспомню именно это – как она делает мне тюрю и посыпает песком из чайной ложки.

Чартков пригласил меня на домашний концерт к своей знакомой пианистке. Она высокая, ноги такие длинные, что сидела за роялем враскоряку. Наши места были у нее почти за спиной, так что были видны отражения ее кистей в крышке рояля, будто она играла сама с собой в четыре руки. И щеки все время тряслись.

А на обратном пути по дороге была авария, кто-то погиб и лежал на мостовой, ему прикрыли лицо газетой.

Ну вот, снова полезло, как работала на скорой.

Одна хотела шторы повесить, упала и опять сломала все ту же ногу, которую уже несколько раз ломала.

Другой жег костер, зацепился ногой за корягу, упал – кожу снимали с рук, как перчатки.

У третьего брючина попала в цепь, упал с велосипеда, разбил голову о бордюр так, что глаз болтался на нерве, будто на ниточке.

Ребенок ел мороженое на палочке, побежал, споткнулся, палочка проткнула гортань.

И так каждый день без конца.

Как от этого всего освободишься?

Гуляли с Чартковым и его Сонечкой, она забавная такая – пожалела чей-то старый выброшенный ботинок, который не может больше ходить и должен смотреть все время на помойку, перетащила его на другое место, чтобы у него был вид на кусты сирени. Потом пришли в мастерскую, и она стала рисовать мой портрет в профиль: посадила боком к стене, направила на меня лампу, приложила лист бумаги и стала обводить карандашом тень.

С ее косоглазием надо что-то делать. Вожу пальцем перед носом, один глаз смотрит на палец, а другой зрачок блуждает.

Донька все время норовит погрызть шнурки на ботинке. Трепала ее, и от рук тоже стало вкусно попахивать псиной.

А в мастерской все пахнет краской, скипидаром, углем, деревом, холстами. Картины лицом к стене, в угол, будто наказаны. Мольберты, подрамники, коробки с красками, замасленные кисти, мастихины. Полы в засохших разноцветных брызгах. В грязной мойке немытая посуда. По углам мышиные горошки.

Во второй раз, когда пришла, посадил на перемазанную, заляпанную табуретку. Взял уголь и принялся за работу. Смотрит на меня поверх очков. Сопит, кусает губы, высовывает язык. Мурлычет, кряхтит, посвистывает. Шепоты, стоны, вздохи. Шорох угля по картону.

Из окна вдруг звонок – у него напротив школа.

В школьном дворе старичок с метлой, который ничего, как и я, не понимает.

Так странно – позировать. Ненужное, мимолетное – просто сидишь и смотришь в окно – становится нужным, важным.

А потом во двор выбежали мальчишки и стали играть головой куклы в футбол. Дылды. Наверно, прогуливают какую-нибудь физику – пропустят что-то важное, например что Вселенная уже давно не расширяется, а сужается со скоростью тьмы. Кукольная голова кувыркается, бьется об асфальт пусто, звонко, радостно. И задорно трясет косичками, мол, ничего, прорвемся, где наша не пропадала, держи хвост пистолетом!

Стал рассказывать, как делал наброски с умиравшей матери.

Говорит, что первохолст – это лицо человека, мимика. Потом тело. Потом уже камень.

Это женщина на самом деле осеменяет, а мужчина вынашивает и рожает.

Лондонский парламент горел, гибли люди, а Тернер пытался ухватить краски пожара в акварели. Нерон – не художник, но каждый художник – Нерон.

Еще говорили об Иове. Он – ненастоящий, потому что его на самом деле не было. А каждый человек – настоящий. И ему сначала все дают, а потом все отбирают. И без всяких объяснений.

А вчера зашла, он работал красками. Так захотелось выдавить живого червячка на палитру. Стояла и выдавливала. Попробовала пальцем.

Он вдруг сказал:

– Да, краску нужно чувствовать кожей.

Поводил ладонью по палитре и приложил руку с краской к моему лицу.

* * *

Сашенька моя!

Не знаю, когда получится отправить это письмо, но все равно пишу. Столько всего произошло за эти дни, и только теперь могу спокойно с тобой поговорить. Сейчас расскажу, что со мной было, но сначала главное – ты мне очень дорога. И чем дольше мы не вместе, тем сильнее я тебя чувствую.

Настолько чувствую тебя возле себя, что мне кажется, и ты не можешь этого не чувствовать.

Мы в Тянцзине. Сколько времени мы уже здесь? Всего три дня. А кажется, что три года. Или тридцать три.

Сейчас попытаюсь тебе рассказать обо всем, что здесь происходит.

Наш отряд соединился с отрядом полковника Анисимова, который сумел продержаться до нашего прихода. У них много потерь. На раненых страшно смотреть.

Солдат, совершенно измученных за время осады, вывели из-под обстрела на наш бивак. В первый раз со времени выступления из Артура они получили возможность выспаться, поесть горячее и помыться. Если бы ты видела, с какой радостью они мыли свое белье в мутной воде Пейхо!

Мы расположились лагерем на левом берегу, за городским валом, на ровном, открытом месте, но когда стали долетать гранаты с китайских позиций из предместья Тяньцзиня, было приказано передвинуть лагерь подальше. Наши палатки разбиты в версте от Пейхо и в двух верстах от сеттельмента – так называют здесь европейскую часть города.

От соединенного отряда Сеймура по-прежнему никаких известий. С ним ушли на Пекин около двух тысяч англичан, русских, немцев, американцев и итальянцев. Они отправились по железной дороге, исправляя путь, но их где-то окружили, пути снова перерезаны и испорчены. Живы ли еще эти люди?

Про иностранные посольства в Пекине уже достоверно известно, что они уничтожены, а все европейское население вместе с китайскими христианами перебито. Китаец, служивший при немецком посольстве, чудом спасся и рассказывал про то, что досталось и русской миссии в Пекине: сожгли храм, подворье с библиотекой, больницей и школой. Сила ненависти такова, что уничтожили даже православное кладбище, все могилы разрыли и кости разбросали. На его глазах русской семье, жившей при миссии, вспороли животы и отрубили головы.

Еще ходят разные слухи один кошмарнее другого. Никто ничего толком не знает.

В настоящем бою я еще не участвовал и противника вблизи не видел, вернее, видел только трупы. У солдат странная форма – синие куртки, поверх которых надеты безрукавки с красной каймой и золочеными пуговицами. А на спине и на груди круги из промасленной белой материи – на них черными иероглифами написано, к какой части солдат принадлежит, это заменяет им наши погоны. На ногах шаровары и суконные сапоги с толстыми войлочными подошвами. Но редко кто валяется в полном обмундировании – трупы чаще видишь полуголые. И у всех почему-то открыт рот. Проходишь мимо, и вздымаются тучи мух.

Стоит нестерпимая жара, и все мучаются от отсутствия воды. Солдаты стали рыть колодцы, но воды не хватает, особенно страдают раненые.

Из осажденного города нам сюда перевели вчера русский лазарет, который находился во французском госпитале. Их палатки совсем рядом с нашей. Я и сейчас слышу, как кто-то стонет. И как на него ругается доктор. Фамилия нашего доктора – Заремба. Он часто ругается на больных, но это для видимости. Хочет казаться грубым, а на самом деле душевный человек. Показывал всем фотографию жены и сына. Он просто очень устал.

Раненых целый день все несли и несли в носилках, и казалось, что конца этому не будет. Над каждым роились мухи. Лиц не было – они глубоко утонули в холстине. И им оттуда было видно только небо. Многие стонали от тряски, а один без конца ныл совсем по-детски:

– Ногу, ногу осторожно!

Страшно, что и меня могут вот так же понести в любую минуту.

Я разговаривал с ранеными, они рассказывают ужасные вещи о том, что здесь происходило. Один офицер, Рыбаков, у него перебиты обе стопы, был здесь уже с весны, так вот, он говорил, что уже до начала событий Тяньцзинь кишел ихэтуанями, которые устраивали шумные сборища и расклеивали всюду призывы расправляться с иностранцами. Ни армия, ни полиция ничего не делала, чтобы их остановить, хотя до того, как союзники взяли штурмом форты Таку, правительство официально преследовало повстанцев. В китайской части города на домах, в которых жили европейцы или китайцы-христиане, появлялись пометки, сделанные кровью – резали собак, обмазывали их внутренностями ворота и забрасывали в окна. Китайцы, работавшие у иностранцев, стали проситься со своими семьями в концессии, но сперва их туда не пускали. Для них открыли заставы только после того, как по ночам ихэтуани стали вырезать целые семьи. Иногда щадили детей, но отрубали им кисти рук. Наверно, для устрашения.

Сашенька, я понимаю, не нужно тебе обо всем этом писать, но не могу, прости. Я сам видел одного мальчика – он прибился к французскому госпиталю. Ему дали сухарь, и он сосал его, сжимая обвязанными обрубками.

Так вот, этот Рыбаков в самую первую ночь беспорядков стоял со своими солдатами в заставе, охранявшей французскую концессию. Они услышали из китайского города шум, крики, там поднялось зарево – это полыхал католический собор. К их заставе стали подбегать перепуганные люди. Ихэтуани поджигали дома китайцев-христиан, сотни людей погибли. Самому настоятелю собора удалось бежать во французскую концессию. В ту же ночь был первый штурм сеттльмента, но удалось отбиться.

Уехать из города европейскому населению было уже невозможно – железную дорогу перерезали, в осаде оказались сотни женщин с детьми. Вместе с русскими Тяньцзинь защищали немцы, англичане, японцы, французы, американцы, австрийцы, итальянцы. Всех вместе их не было и тысячи бойцов. Эта горстка должна была противостоять десяткам тысяч ихэтуаней и регулярной армии. Уйти они не могли – ни отступить, ни выйти из-под обстрела. Оставшиеся в городе жители концессий должны были взять в руки оружие и защищаться. Всюду были вырыты окопы, улицы, которые обстреливались из-за реки и со стороны китайского города, были забаррикадированы.

Русским выпало оборонять железнодорожную станцию на левом берегу – местность самая невыгодная. Вокзал было решено удерживать любой ценой, потому что тогда китайцы овладели бы всем левым берегом и смогли бы обстреливать концессии, прячась за бунтами соли, которыми завалены подъездные пути, и защитники не продержались бы и суток.

Рыбаков со своими солдатами несколько дней провел на вокзале, бои шли и днем и ночью. Они делали вылазки, чтобы не давать поставить орудия, бившие прямой наводкой, и во время одной такой вылазки его ранили. Он говорит, что уже выбирал минуту, чтобы застрелиться – страшно было попасть в плен. Но наши солдаты его отбили и вынесли из-под огня.

Сашенька, я видел этот вокзал в бинокль – от него теперь остались одни изрешеченные и обгорелые развалины.

Бомбардировка Тяньцзиня не прекращается и сейчас, из города доносятся разрывы снарядов – это китайская армия обстреливает европейские кварталы. Больше всего досталось французской концессии, в которой жили ненавистные ихэтуаням католические миссионеры. Именно там находилось и русское консульство, и русско-французский госпиталь.

Обстрел идет из предместий и из артиллерийской школы, расположенной за высоким валом на берегу Пейхо напротив германской концессии. Там, говорят, обучались около трехсот молодых китайских офицеров, немцы поставили им новейшие орудия. Инструкторы-европейцы бежали, а один, который пытался повредить прицелы, был растерзан, и голова его до сих пор выставлена на бамбуковом шесте. По крайней мере, так рассказывают, а голову можно еще вчера было видеть в хорошую погоду в бинокль. Сегодня немцы и англичане взяли школу приступом. Большие потери и у наших союзников, и у китайцев.

Другой раненый, по фамилии Вериго, все эти дни был в концессии. Там тоже шел непрерывный бой. Люди не раздевались ни днем ни ночью и почти не спали. Нельзя было разбивать бивак – как только ставили палатки, туда начинали падать снаряды. Огнем управляли из города – китайцы подавали своим знаки, куда стрелять. Людей и лошадей приходилось прятать за стенами, вдоль улиц и в домах и располагать как можно реже. Но и в этом случае они несли потери почти такие же, как и на позиции, потому что во всех концессиях не было ни одного уголка, не обстреливаемого орудийным или оружейным огнем. Дома служили плохою защитою. Пули летели в окна и двери, а снаряды пронизывали стены насквозь. Женщины и дети прятались в подвалах.

У Вериго обе руки привязаны к груди. Несчастный ничего сам не может делать, ему помогают раненые товарищи, но он еще и шутит над своей беспомощностью. Он был ранен на мосту разрывом шрапнели.

Удивительно, что китайцы превосходят нас в вооружении. Вот буквально слова Вериго:

– У них новейшая артиллерия и большой запас снарядов, доставленных немцами, а у нас устаревшие пушки. На их пять выстрелов отвечали одним. О ружьях и говорить нечего, у каждого кули есть теперь маузер или манлихер!

Вокзал соединяется с городом плавучим мостом, который сделан из барок, чтобы можно было разводить его для пропуска джонок. Мост постоянно обстреливался, и там погибло много наших солдат. Каждый день на него сверху по течению спускали пылающие лодки, нагруженные сухим камышом, и под огнем приходилось разводить барки.

Вместе с русскими ранеными в наш полевой лазарет перебралась и сестра, которая ухаживала за ними во французском госпитале. Она парижанка, ее все зовут просто Люси. Очень милая, простая, дельная, с красными от сулемы руками. Она кажется хрупкой, но без труда перестилает под лежачими ранеными. У нее некрасивая большая родинка на шее, которой она стесняется. Все время невзначай прикрывает рукой. Не знаю, как она попала в Китай. По-русски почти не говорит, но все здесь ее очень полюбили.

Вчера ночью один солдат в лазарете начал истошно кричать. Наши палатки совсем рядом. Спать было невозможно, я вышел посмотреть, в чем дело. Кричал несчастный парень, которому накануне ампутировали ноги. Его пытались успокоить, но он только еще сильнее орал и дрался, так что пришлось силой скрутить. Ему впрыснули морфий, но он не успокаивался, перебудил всех раненых. Доктор Заремба разозлился и ушел со словами:

– Да пусть себе кричит. Когда охрипнет – перестанет!

Тогда Люси села рядом с ним, обняла голову и стала успокаивать сначала по-французски, а потом повторять те немногие русские слова, которые знала:

– Да? Нет? Хорошо! Хорошо! Папа! Мама!

Бедный безногий, которого, наверно, еще женская рука, кроме мамы, и не гладила, глядел на нее сумасшедшими глазами, потом успокоился, замолк и заснул.

В лазарете каждую ночь кто-то умирает. Их относят в отдельную палатку, но на такой жаре они долго не выдерживают. Сегодня хоронили восемь человек. Двоих из них я видел еще вчера утром живыми и здоровыми, а вечером их принесли на носилках: один был безнадежно ранен в горло пулей навылет, другой в живот. Первый умер еще вечером, а второй, капитан Попов, страдал до самого утра, стонал и хрипел то без памяти, то приходя в себя. Он недавно женился.

Не было досок для гробов – хоронили в мешках. Солдаты несли мертвецов и прятали носы в фуражки. Один из мешков был совсем маленьким – после разрыва снаряда целыми остались только плечи с руками и голова, а все остальное разлетелось.

Закопали их в полуверсте от лагеря на пригорке. Сколотили один на всех крест, сунули его в сухую глину. Закопали неглубоко – не было сил на солнцепеке копать глубокую яму.

Сашенька, ты знаешь, я слушал заупокойное бормотание, смотрел на солдат, стреляющих над могилой залпом в небо, а в голову лезли совершенно неподобающие минуте мысли. Вот американские индейцы стреляли в небо из луков, чтобы отогнать прочь злых духов, а у нас стрельбу из ружей на военных похоронах называют прощальным салютом. И это тот же самый обряд, какой отправляли индейцы, когда пускали в небо стрелы. И тем, кто сейчас в мешках лежит под глиной, ничего этого не нужно.

Обратно возвращались молча, и каждый думал о том же: что вот, может быть, завтра и его понесут в овсяном мешке и будут от вони прятать лица в фуражки.

Сейчас, когда пишу тебе эти строчки, в палатку пришел мой товарищ Кирилл Глазенап, я тебе писал о нем. Он совершенно подавлен. Рассказал, что переводил допрос схваченного нашими солдатами в соседней деревне китайца, который уверял, что он не ихэтуань, но того все равно только что расстреляли.

Сашенька, ко всему тут приходится привыкать.

Сейчас все кругом затихло, больше не слышно ни выстрелов, ни взрывов. Доносятся только чьи-то стоны из лазарета да храп из соседней палатки. Мышь куролесит в ящике с провизией.

Стемнело, но и сейчас еще жарко, духота, и опять набросились москиты. Я искусан весь с головы до ног. Никакого сравнения с нашим простодушным комаром, который уже издалека извещает о своем приближении. Этих не видно и не слышно, и вдруг – укол. Нет спасения. А они переносят малярию. Раздали сегодня специальные сетки – оказались маленькими. Сейчас солдаты сидят, сшивают каждый себе из двух-трех сеток один полог, чтобы можно было под ним спать.

Хорошая моя, я не жалуюсь, не подумай, просто за эти дни сильно устал, потому что днем все время мысли о том, чтобы остаться живым, и при этом ужасно хочется спать – присядешь на минуту и уже видишь сны, а ночью, когда ляжешь отдохнуть, невозможно освободиться от дневных впечатлений.

Закрываю глаза – а все равно вижу того мальчишку с культяпками, как он протягивает их к поднесенной ему кружке с чаем. Перевернешься на другой бок – перед глазами снова мост, который ведет к разрушенному вокзалу. Я был там вчера и видел, как его разводили, чтобы пропустить скопившиеся за ночь трупы. Неизвестно, что там, вверх по реке, происходит, но оттуда течением приносит бесконечные вереницы мертвых. У одного были связаны за спиной руки. Я видел только скрюченные пальцы, мне показалось, что они шевелятся, но это от волны.

Родная, прости, что приходится описывать такие грустные и страшные вещи. Но это теперь моя жизнь.

А так хочется уйти от этого всего, спрятаться, забыться – вспомнить что-нибудь из детства, мою комнату, книги, нас с тобой. Думать о чем-то хорошем, родном!

Ну вот, начал перечитывать письмо, и стало грустно – как мало в нем нежности к тебе и как много ее во мне.

Теперь корю себя, что, когда мы были вместе, у меня было столько возможностей показать тебе мою любовь, а я об этом не думал. А теперь ты так далеко, что ничего не могу для тебя сделать – ни обнять, ни поцеловать, ни провести ладонью по твоим волосам. Любви нужны не доказательства, но проявления. Так хочется купить тебе цветы! Никогда ведь не покупал. Один раз только, помнишь, нарвал тебе сирени в нашем парке. И еще хочется пойти с тобой и накупить тебе чего-нибудь ненужного, женского – колечко, брошку, сережки, шляпку, сумочку. Всегда казалось, что это все глупости, ерунда, а теперь только понял, как это важно и зачем все это нужно. Только здесь пришло понимание, почему так необходимы ненужные вещи!

Вот написал про необходимость ненужного и вспомнил нашу соседку, к которой я иногда заглядывал в детстве. Мне она тогда казалась столетней старухой. Наверно, такой и была. У нее были толстые забинтованные ноги, на которых она еле ходила, опираясь на спинку стула. Толкнет стул вперед и подволакивает ноги. Мама говорила, что у нее в ногах вода, в каждой по ведру. Как сейчас ее вижу. Шпильки вылезают из седого пучка, глаза слезятся, пальцы, распухшие в суставах, трясутся. Уши огромные, с растянутыми от серег мочками, и из них всегда торчала вата, потому что они гноились. Я ее не боялся, для меня у нее всегда была приготовлена конфета или пряник, но вообще-то я приходил к ней за аптечными резинками от микстур и порошков – она хранила их для меня на оконных ручках, а мне они нужны были для катапульт, которые я мастерил из катушек и карандашей.

Она была странная и всегда говорила о вещах, которых я не понимал. Сядет медленно на свой стул перед зеркалом и начинает говорить, что вот там, в зеркале, она ненастоящая, а когда-то была настоящая и хорошенькая. Я киваю, но она видит, что я не верю, и начинает показывать старые фотографии. А мне на них запомнились только гондолы. Она рассказывала, как гондольер ведет свою гондолу в узком канале и отталкивается ногой от стен домов.

Один раз сказала:

– Нужное забываю, а вот этот жест, как гондольер отталкивается ногой, помню.

Она часто говорила мне что-то, а потом прибавляла:

– Это ты сейчас не поймешь. Просто запомни.

И вот я запомнил про жест гондольера, и понял про важность ненужного только сейчас.

А еще помню, что я спросил ее о чем-то, а она ответила:

– Вот почему!

Притянула меня к зеркалу и прижалась щекой к щеке.

Вопроса совершенно не помню, а вот ее ответ запомнился: мы смотрим оба в зеркало – и я вижу мое семилетнее лицо и ее морщины, старую дряблую кожу, волосы над губами и на подбородке, кустистые брови, чувствую ее неприятный старушечий запах и хочу поскорее вырваться, но она крепко держит мою голову.

Я вернулся домой после летних каникул, а ее уже не было. Мне сказали, что она уехала. Я тогда поверил.

А сейчас подумал – где теперь те два ведра воды, которые она носила в своих забинтованных ногах? Может, смешались с волнами Пейхо?

Перечитал и подумал: как та старуха, о которой никто, наверно, кроме меня, и не помнит, попала к нам с тобой сюда? Неважно.

Важно только, Сашенька моя, что мы вместе. И ничто нас разлучить не может.

Я ведь за тебя отвечаю! Поэтому я не могу просто так исчезнуть – ведь кто-то должен заботиться о тебе, любить тебя, думать о тебе, переживать, радоваться за твои удачи, делить несчастья. Вот видишь, мне никак нельзя пропасть!

Только сейчас, в такой дали от тебя, родная, понимаю, как мало я тебе говорил о своей любви, о том, как ты мне необходима! Я держусь за тебя, как за саму жизнь. Это трудно объяснить, но то, что я еще дышу, вижу, – все это только потому, что я тебя люблю.

* * *

Володенька!

Не очень представляю себе, как тебе это объяснить, но знаю, что ты все поймешь.

Я выхожу замуж.

Сегодня он сделал мне предложение.

Было очень смешно – мы пошли в ресторан, и так получилось, что он в дверях пропустил меня вперед, там вращающиеся двери, и я хотела что-то сказать и отвела голову назад, а он в это время наклонился ко мне, и я ударила его затылком в нос. Бедный, у него пошла кровь. Так и просидел весь торжественный ужин, задрав голову, с кровавой ваткой в носу.

Сказал, что уже подал на развод.

И проверил, настоящие цветы в вазочке или бумажные. Потом спросил:

– Да?

Я кивнула.

И вышла в туалет.

А там было открыто окно и слышен шум дождя, с утра собирался. Мыла руки и думала: «Что я делаю? Зачем?»

Тут вошла какая-то женщина, лет под сорок, стала подводить глаза. И бормочет:

– А я не хочу брать себя в руки!

Потом стала душиться: прыснула из флакона вверх и встала под это облако.

Красила губы помадой и косилась на меня в зеркало. И, наверно, прочитала в моих глазах, кем она для меня была – старой, увядающей, которой уже не поможет никакая на свете помада.

Вернулась к столику, и все смотрели на нас. Особенно официанты – насмешливыми глазами.

Он говорил о бездомье, что разве можно тщательно отделывать купе случайного вагона, в котором всего-то предстоит провести ночь между пунктами А и Б?

От меня пахнуло ароматом той, из туалета, и он захотел сделать мне подарок, после ресторана пошли выбирать духи. В магазине он перепробовал, наверно, все, что там было, брызгал мне на запястье, задирал рукава, а когда на руках кончилась свободная кожа, на шею, потом уже и себе – и каждый раз морщился и говорил, что это запах не мой, а какой-то чужой женщины. Так ничего и не выбрал. А я шла по улице как в толстой шубе из запахов, и меня начало тошнить.

Я все еще не сказала тебе главного – я жду ребенка.

Вот написала эти слова – я жду ребенка, – а хочется еще их написать.

Я жду ребенка.

Все время представляю себе, какой он. С тыквенное семечко. С мочку уха. С наперсток. Со скомканный чулок. Девять сантиметров, сорок пять граммов. В книге рассматривала фотографию – уже хорошо виден позвоночник, можно даже пересчитать позвонки.

Мама рассказывала, что, когда носила меня, ей страшно хотелось всего горького, и папа называл ее – моя горькоежка. А я чиркаю спичкой по коробку и лижу его горячий наждачный бок. Мы так делали когда-то в детстве. Ужас? А еще пожираю халву. Откроешь только пачку, а уже только крошки остались.

И еще я подумала вдруг, что именно поэтому мир не мог быть сотворен. Я имею в виду, как мне, а вернее, кому-то во мне, хочется внюхивать в себя запах чиркнувшей о коробок спички. Чтобы сотворить это – никакого воображения не хватит, должно быть знание. А это могу знать только я. Понимаешь, есть детали, которые никакой творец не может придумать. Их можно только увидеть, испытать, вспомнить.

У меня зверский аппетит, но все извергается обратно. То утром, как по часам, а то среди дня на работе. Теперь все время чувствую свой плохой запах изо рта. Один раз не добежала – зажала рот ладонью, но все вырвалось и прыснуло сквозь пальцы. Стыдно было ужасно, хотя чего тут стыдиться?

А у самок животных при беременности не бывает рвоты, только у человека. Мы вообще неудачные животные – во всем, даже в этом.

Так изматывает, что иногда просто лежу часами с тазом около кровати. Жду и боюсь.

Коплю в себе плоть и считаю луны.

Я чувствую, как становлюсь другой. Движения плавны. Глаза блестят. Сонливость сладка. Глаза устремлены внутрь. Зачем нужен видимый мир, если внутри меня зреет невидимый? Зримое куда-то отступает, тушуется. Готовится уступить место еще незримому.

У меня удивительное ощущение, как будто я участвую в образовании новой планеты, которая от меня в свой положенный срок отпочкуется, будто я – сестра жизни и вообще близкий родственник каждому дереву. Но так ведь и есть. Треплю Доньке загривок и думаю: псина моя, у нас ведь с тобой общий белковый предок, понимаешь? Она понимает! Вот у нее пупок и у меня. И мы этим пупком связаны. Чешу ей пузо, и она счастливо машет хвостом. И я вместе с ней битком набита счастьем, только хвоста нет, чтобы так же радостно стучать им по паркету!

Донька смешная, глупая, указываешь на что-то вдаль, а собака смотрит на палец. Еще она любит, когда я сброшу с уставших ног босоножки и прилягу, тогда она пристроится и лижет мне пальцы. Так щекотно! И язык у нее шершавый.

И главное, в этом живом сгустке во мне ведь уже зреет и следующая жизнь, и еще следующая, и так без конца. Я просто нашпигована будущими жизнями! В школе все никак не могла представить себе бесконечность – а она вот здесь, под ладонью.

Смотрю на женщин вокруг, и кажется странным, что, имея такую возможность, они ходят пустопорожними.

И еще странно – я другая, а в зеркале привычное отражение. И живот пока не начал расти.

А по ночам просыпаюсь в поту от страха – что родишь что-то не то. Лежишь и пытаешься забыть, как нам показывали кусок мяса с шерстью и зубами или полумладенца-полукамбалу с глазами на одну сторону.

И от этих страхов наутро дурнеешь. А мама сказала в утешение, она ведь у меня всегда найдет, что сказать хорошего:

– Смысл цветка – любого – только в том, чтобы он увял и осталась невзрачная коробочка с семенами.

А отец, как напьется, звонит, просит, чтобы я не бросала трубку, и радуется, что станет дедом. Плетет невесть что:

– Смотри, а я вот захочу, тоже нарожаю, и будет у меня внук старше, чем собственные дети! Ты мне мальчишку рожай!

Говорю, что мне некогда, и вешаю трубку.

Еще мама мне подарила лифчик с большим крючком и к нему пояс с застежкой, передвигающейся по мере увеличения срока.

Все время дает советы:

– Если заметишь муть в моче, сразу обращайся к врачу! Когда я носила тебя, у меня появился белок.

Я задумалась о чем-то и стала грызть заусенцы, а она звонко шлепнула меня по руке, как в детстве.

Странно, когда она начинает меня успокаивать, что все будет хорошо, мне становится только тревожнее.

Его мастерская теперь наше бездомье.

Хожу и учусь всему заново – вот здесь чайные ложечки, вот здесь чайник, а где чай? Вернее, приручаю его нежилье.

Странствую по ящичкам буфета – мое свадебное путешествие.

И каждые сорок пять минут слышен школьный звонок со двора.

И еще все время доносится стук – в соседнем ателье работает скульптор. Бьет молотком по резцу с утра пораньше. Взял книжку почитать, а вернул всю в каменной пыли.

Сонечка приходит к нам два раза в неделю. Он сказал ей, что у нее скоро появится сестренка или братик. Она решила, что братик. И каждый раз спрашивает:

– Как там мой братик?

Смеюсь:

– Хорошо!

Он водит ее в балетную школу. В прошлый раз и я с ними пошла. Она держит его за руку, а мне руку не дает. Спрашивает его:

– Значит, вы с мамой уже больше никогда не поженитесь?

Объясняет ей, что теперь он все время будет жить не дома.

А она:

– Папа, но я для тебя все равно самая-самая?

– Да.

И посмотрела на меня с победным видом.

А в первый раз я пошла с ними туда еще в начале весны, ветер был уже с сырцой, но еще к вечеру подмораживало. Наступаем на подернутые льдом лужи, и хруст радостный. А перед тем как треснуть, тонкий лед еще ноет.

Пришли в танцкласс с морозца, а балетные тапочки холодные. Он поднес ко рту и дышит в них, согревает.

И мне тоже вдруг так захотелось заниматься балетом! Ну почему в детстве меня мама не отдала в балетную школу!

Шарканье ног. Шуршание муслина. Девочки сидят рядами на полу в коридоре, натягивают шерстяные гетры на шелковые чулки. Преподаватель – бывшая балерина – пробирается с прямой спиной по коридору, переступая через их ноги. Родители и бабушки с шубами рассаживаются по стенкам. Аккомпаниатор греет руки на батарее. Начинают.

– Выше подбородок! Тяни носок! Носок! Спина прямая! Ноги должны быть прямые, как циркуль! Спина! Голова! Не высовывай язык!

Пять позиций – пять аккордов. Замерли в пятой позиции.

Смотрела на них, и так жгуче захотелось стать маленькой, легкой и делать упражнения у балетной палки, начиная с азов, все позиции, плие, препарасьон! Обязательно отдам ребенка в балет. Может быть, будет девочка. Хотя какая разница! Я уже его или ее люблю.

Особенно им всем там нравилось делать реверансы.

А вчера он занимался с ней дома и объяснял перспективу, он очень здорово умеет все объяснять:

– Смотри, перспективой держится мир, как картина веревочкой, подвешенной к гвоздику. Если бы не тот гвоздик и веревочка – мир бы упал и разбился.

И вот я смотрю, она взяла картинку в каком-то журнале и от всего проводит карандашом линии по линейке – к одной точке. От каждого стула, цветка, руки, ноги, глаза, уха уходили такие веревочки к одному гвоздику. Я подошла и говорю ей:

– Как у тебя здорово получается!

А она отвечает:

– Знаешь, что такое цыганский браслетик?

– Нет.

– Сделать?

– Ну, сделай.

Взялась обеими руками за мое запястье и как крутанет в разные стороны. Я чуть не взвыла от боли! Кожа горит, красная полоска.

Улыбнулась ей.

Это она борется со мной за него.

* * *

Сашенька моя!

Как мне стало тепло и хорошо, когда написал твое имя на первой строчке – Сашенька!

Как ты там? Что с тобой? Все время думаю о тебе. И так радостно знать, что ты тоже в твоих мыслях все время со мной!

Знаю, что думаешь обо мне, переживаешь. Не переживай, родная! Вот, раз я пишу эти строчки, значит, ничего со мной не случилось! Пишу – значит, еще жив.

Когда только ты получишь это письмо? И получишь ли? Но ведь знаешь, как говорят: не доходят только те письма, которых не пишут.

Ты, наверно, пытаешься себе представить, что со мной, как я теперь выгляжу, что я ем, как сплю, что вижу кругом. Что ж, пока выдалась свободная минутка, постараюсь описать тебе наше тут житье-бытье.

В первые дни, я писал тебе, шли все время бои, а сейчас затишье, иногда только слышатся артиллерийские перестрелки.

По-прежнему мучит нестерпимая жара, но теперь поднялся сильный ветер, настоящая песчаная буря. Мелкий песок приносит из пустыни Гоби, и все предметы покрываются слоем этой желтой пыли, она проникает в палатки, еда все время скрипит на зубах. Пыль в глазах, в ушах, за воротником, в карманах – отвратительно.

Хочется дождя, но ему устав не писан. Все тут мечтают о дожде – можно было бы набрать чистой воды. Наши солдаты выкупались в Пейхо – появилась сыпь по всему телу. Доктор сказал, что от трупной жидкости. В вырытых колодцах воды мало, и она плохая. На ночь оставляют у каждого колодца охрану – боятся, что отравят.

Все время прибывают новые части, и наш лагерь растянулся уже на версту. Его разбили на полях гаоляна, но сейчас все это вытоптано.

Теперь опишу тебе, что вокруг.

С южной стороны виднеются развалины китайских деревень. Жители разбежались, и среди обгорелых стен бродят свиньи и собаки, на которых иногда охотятся наши солдаты. Хуже всего собаки, они совершенно одичали и с яростью бросаются на всех. Вообще деревни здесь грязные, нищие.

На переднем плане – несколько рощиц. На фоне зелени белеют палатки, поставленные правильными рядами. Лошади длинной цепью стоят на коновязи, мотают головами – над ними тучи мух.

В штабной палатке шумно. Сюда натащили циновок из соседних разрушенных фанз. Вместо столов – ящики из-под снарядов. Только что вскипятили чай, говорят, что это единственное, что помогает пережить зной.

А прямо передо мной лазарет. Я тебе уже писал об этом невеселом соседстве.

Слева между палатками вижу, как дальномерщики возятся около своей треноги с призматической трубой.

Справа от меня чуть наискосок солдаты чистят винтовки под холстинным навесом. Оттуда доносятся запахи смазки, металлический скрежет шомполов и щеток, которые протягивают через стволы.

Еще дальше кухня. Сегодня там при мне забили корову. Когда вывалилась целая гора внутренностей, удивился, как они все в ней помещались. Неужели и в нас столько всякой требухи? И во мне? Все это закопали – вместе с глазами. У коров, оказывается, огромные глаза – с яблоко.

Но чаще мы питаемся кониной. По вкусу она напоминает говядину.

На самом краю лагеря роют новые ямы, подальше. А то устроили уборные не подумав, и от них идет по ветру невероятная вонь.

Сашенька моя, не думаю, чтобы тебе все это было интересно. Но теперь это я.

Посредине бивака, там, где кухня и большая палатка, отведенная под офицерскую столовую, возвышается большой земляной курган, а кругом везде разбросаны холмики пониже. Ты улыбнешься, но мы в самом прямом смысле этого слова живем на кладбище.

Могильные холмы у них всюду, они сплошь покрывают все окрестности Тяньцзиня. Кирилл Глазенап мне все рассказал. Дело в том, что у них нет кладбищ, как у нас, а на каждом поле, обрабатываемом отдельной семьей, непременно отведен уголок предкам. Они мертвых не зарывают, а, наоборот, делают небольшую присыпку на земле, на которую ставят гроб и засыпают его сверху. Получается конусообразный холм, величина которого зависит от величины гроба и от важности покойника. Холм этот снаружи обмазывается смесью глины и соломы, так что получается что-то вроде киргизских юрт. У них считается, что предки помогают своим внукам. Так и есть — наши солдаты очень не любят эти могилы, потому что каждая из них представляет готовое укрытие для стрелка. Приходится все время быть настороже.

А еще солдаты, которые по многу часов проводят в секретах, говорят, что тут много змей, но мне пока ни одна тварь не встретилась. Не помню, рассказывал тебе или нет, как мальчишкой в лесу схватил охапку хвороста для костра, а из нее выскользнула и шлепнулась на землю гадюка. После этого страхи всю жизнь. И без ползучих гадов тут достаточно всяких мелких неприятностей — лезешь в карман за куском сахара, а там полно муравьев.

Увы, затишье для нас, а не для смерти. Приходится хоронить по-прежнему, почти каждый день, но теперь крестов не ставим и стараемся сделать так, чтобы могила была незаметна. Ту первую братскую могилу, о которой я тебе писал, ночью китайцы разрыли и тела разбросали, изуродовав их. Так они нас ненавидят. А заметили это наутро, потому что часовой из сторожевого охранения увидел собаку с отгрызенной человеческой кистью в зубах.

Из города ушел вниз по реке к Таку буксир с двумя баржами, наполненными беженцами из Тяньцзиня. Измученные женщины, дети, скарб. Бросилась в глаза клетка с попугаем.

Спешно ремонтируют пути, чтобы можно было подвозить снаряжения и людей. Паровозы все испорчены, их пытаются привести в порядок американцы и наши железнодорожники. Телеграфная команда восстанавливает связь, но ничего не хватает, прежде всего столбов, а вместо изоляторов используют бутылки.

Иногда общаемся с союзниками – с каждым днем сюда прибывают все новые части. Наши офицеры пригласили вчера в гости японских. Один японец, довольно сносно говорящий по-русски, заявил, когда речь зашла о трудностях борьбы с ихэтуанями:

– Доблесть китайцев состоит вот в чем! – и положил руку на стол, усеянный мухами, которые, конечно, улетели.

– Видите, а теперь я убрал руку, и мухи возвратились. Ихэтуани – то же, что эти мухи. Они убивают нас из-за прикрытий, а когда мы идем в атаку, они скрываются, чтобы возвратиться.

И он очень ловко прихлопнул ладонью несколько мух.

Надо сказать, японцы поражают своей необыкновенной дисциплиной и фаталистическим бесстрашием. Может, поэтому у них и потери самые тяжелые. Ими командует генерал Фукусима, знаменитый своей поездкой из Петербурга во Владивосток верхом. Японцы смешно марширують каким-то связанным шагом.

Вообще мы тут представляем собой довольно живописную компанию.

Американцы похожи из-за своих широкополых мягких шляп на лихих ковбоев. Они дерутся тоже хорошо, но дисциплиной не отличаются. Смотришь на них и чувствуешь себя в каком-нибудь из романов Майн Рида.

Настоящих французов мало, здесь только зуавы, наспех присланные из Индокитая. Они мало похожи на регулярные войска и очень воинственны.

У англичан здесь сипаи – высокие, стройные, в желтых и красных тюрбанах. Во главе каждой роты стоит непременно английский офицер, а офицер-сипай, подчас втрое старше своего командира, исполняет должность младшего офицера. Не думаю, чтобы англичане могли твердо опереться на них. Сипаи отдают честь, прикладывая руки к чалме и к груди.

Австрийцев здесь всего несколько десятков человек, но зато национальные флаги их такой величины, что одним можно покрыть всех сразу.

Италию представляет рота берсальеров – альпийских стрелков. Все точно сняты с картинки «Живописного обозрения». Шляпы с петушиным пером, голые икры, маленький карабин в руках. Всем улыбаются.

Сегодня видел немцев в неуклюжих коричневых куртках. Одному стало плохо под палящим солнцем, товарищи оттащили его в тень и обмахивали. Вообще, от жары здесь часто падают.

Иногда мне все это напоминает какой-то странный маскарад – все эти формы, наряды, каски, чалмы. Раньше ведь люди переодевались для карнавала, чтобы обдурить смерть. Это то, что мы здесь делаем?

Еще бросается в глаза, что отношение между союзниками самое дружелюбное, даже у солдат. Да и как может быть иначе, если им приходится делить одни лишения и опасности и в бою выручать друг друга?

Знаешь, что замечательно? Вот мешаются здесь с нашими фуражками белые шлемы англичан, синие круглые головные уборы французов, германские каски, чалмы сипаев, задорно загнутые шляпы американцев, маленькие белые фуражки японцев – и приходит ощущение, что есть действительно единая человеческая семья, и все войны, которые вели наши предки, ушли в прошлое. Наверное, мы на последней войне.

Иногда, когда свободен от дежурства, захожу к раненым посидеть и послушать их разговоры. Сегодня в одной палатке обсуждали артиллерию. Командир второй батареи Ансельм, которому раздробило локоть и осколком изуродовало нос – он остался практически без руки и с обезображенным лицом, но еще радуется, что так легко отделался, – так вот, он рассказывал, что китайцы стреляют из новейших крупповских орудий бездымным порохом, с позиций, совершенно закрытых железнодорожными насыпями, и из-за городского вала – отыскивать их чрезвычайно трудно.

Удивительно смотреть, как человек с забинтованным лицом, отныне урод на всю жизнь, с истерзанным телом, не поддается унынию, а еще находит в себе силы смеяться и поддерживать других раненых. Поневоле приходит мысль: а смог бы я так?

Особенно отличаются большой выносливостью при ранах казаки. У одного амурца, урядника Савина, раздроблена челюсть и язык распух до того, что не помещается во рту, а он еще пытается улыбаться над тем, что его обвязали точно бабу.

Помнишь, я писал тебе о Рыбакове, у которого были перебиты ступни. Ему ампутировали одну ногу по колено. Он говорит, что чувствует ее. А я, когда думал о нем, представил себе, что, наверно, после смерти человек вот так же чувствует свое тело, которого больше нет.

Приносят каждый день новых раненых. Сегодня – счастливое исключение. Все живые еще живы и невредимые – еще невредимы. А вчера ночью принесли посланного связного, говорят, что он попал под огонь случайно – наш часовой принял его в темноте с перепугу за лазутчика. Носилок не было, и беднягу притащили на снятой в разрушенном доме двери. Его ранили в пах. Он ужасно страдает. Страдание усиливает сама мысль, что он, может быть, умрет от нашей же пули, а не от руки врага. Боятся, как бы у него не началось заражение крови. Вообще от этого умирают чаще, чем от самих ранений.

Мне полюбился злюка Заремба, наш доктор. Когда у него хорошее настроение, он начинает всех смешить своими рассказами о том, как работал несколько лет при нашей миссии в Пекине. Он понимает немного по-китайски. Сегодня за чаем он вспоминал, как однажды пришел к нему молодой китаец и объяснял что-то про болезнь матери. Заремба дал ему лекарство, а тот не понес матери, а сам поспешил выпить его на месте. Молодому человеку вовсе не показалось странным, что мать должна выздороветь от лекарства, принятого за нее сыном! Это дает какое-то представление об уровне развития китайцев.

У доктора очень много работы. Вот сейчас он ушел на операцию – принесли солдата из саперной команды, у которого началась гангрена. Он умолял оставить ему ногу. Я слышал, как Заремба оборвал его:

– Я никогда не ампутирую зря.

И велел насильно наложить маску с хлороформом.

Ты знаешь, я на днях из любопытства нюхнул маску – безвкусный, тепловатый, пахнущий резиной воздух.

Иногда удается перебросится парой слов с Люси. Накануне она помогала фельдшеру делать перевязку, приходилось отдирать присохшие к ране бинты. Раненый от боли цеплялся за ее руки. Люси с улыбкой показала свои запястья – иссиня-черные. Она гордится этими синяками.

Люси, оказывается, сделалась сестрой по необходимости. Она пыталась эвакуироваться из осажденного города, но последний поезд с беженцами, отправленный из Тяньцзиня в Таку, выходил под обстрелом, и несчастным людям, а вагоны были переполнены женщинами с детьми и ранеными, пришлось вернуться – железнодорожный путь уже был разрушен. Все вынуждены были остаться в осажденном городе и вынести жестокую бомбардировку. Она не могла сидеть в бездействии и пошла добровольно в госпиталь помогать. Теперь она могла бы уехать вместе с другими беженцами, но пока решила остаться в нашем лазарете. Действительно, Люси со своим теплом и лаской нужна раненым не меньше, чем лекарства.

Когда разговариваешь с ней, глаз невольно пристает к нелепой родинке, она замечает этот взгляд, прикрывается рукой, и оттого становится неловко.

К ней тянутся. Это и понятно. Столько мужчин, оторванных от дома, от родных. Каждому хочется хоть каплю ласки, человеческого слова, тепла. Но Люси со всеми одинаково ласкова и никого близко не подпускает. Мне кажется, исключение делается только для Глазенапа. Я часто вижу их вместе, о чем-то оживленно беседующими. У сестры хороший легкий смех. Вот и сейчас Кирилл вернулся от нее в нашу палатку, повалился на койку и молча вздыхает. Протирает от песчаной пыли свои очки, толстые, как донышки стаканов. Я однажды попытался посмотреть через них – только глазам сделалось больно.

Здесь в эту минуту темнеет быстро, густо. Сверчки, лягушки завели свои вечерние песни. И москиты тут как тут. Отовсюду доносятся чертыхания и хлопки.

Ждешь темноты, чтобы стало хоть немного полегче, но, наоборот, ветер стихает, земля отдает накопленное за день тепло и дышать становится совсем уж нечем.

От сегодняшней песчаной бури остался налет песка на всем. Даже на зубах скрипит. Все время хочется прополоскать рот. Но главное – жажда. Постоянно прикладываюсь к фляжке, правда, от этой воды только хуже. Пот ручьями льется по лицу и всему телу. А пыль, прилипшая к коже, покрывает ее густой липкой пленкой. Ну, вот, нажаловался. Все это ерунда, поверь!

А еще, Сашенька моя, теперь знаю, что война – это не только бои, взрывы, раны, нет, это еще бесконечное ожидание, неизвестность, скука. И тут меня спасает общение с Кириллом. Мы говорим обо всем на свете и часто спорим и даже ругаемся, злимся друг на друга, но недолго: потом, забыв, что поругались, – снова начинаем о чем-нибудь говорить.

Уверен, он бы тебе понравился. Хотя Глазенап и имеет некоторые привычки, которые мне неприятны, как, например, сильно размахивать руками при разговоре, хватать собеседника за рукав, – он все же близок мне и симпатичен. Мне нравится его рассудительный голос, его умные глаза, уменьшенные линзами очков. Спать он может, только положив под голову свою китайскую узорную подушечку, набитую каким-то особым чаем, со специальной дырочкой для уха. А аромат этого чая, как он утверждает, очень полезен для глаз.

Он рассказывает всегда такие забавные вещи! Вот, например, как тебе такая история? Живую энергию, которая пронизывает и связывает все вокруг, китайцы называют *ци*. А влиять на *ци* можно музыкой. И музыкальными звуками определять насыщенность *ци*. Раньше, чтобы выяснить, готова ли армия к бою, музыкант становился среди солдат, дул в специальную трубу и по звуку делал свое заключение. Если труба звучала ослабленно, то и воинский дух был соответствующий, что предсказывало поражение в бою. В этом случае полководец приказывал своей армии не начинать сражения и отступить. Улыбнулась?

Когда выпадает возможность, Глазенап занимается каллиграфией. У него целый набор кисточек. А тушь в брикетиках – палочки, которые он натирает в каменной тушечнице – в лунке с водой. Но бумаги мало, и он часто пишет на доске или холстине, окуная кисточку в простую воду. Несколько иероглифов, написанных сверху вниз, образуют стихотворение. Когда он дописывает стихотворение до конца, начало уже начинает исчезать от солнца и ветра. Сашенька, если бы только могла видеть, как это здорово!

Видишь, иногда мы проводим здесь время совсем недурно.

Извини, хотел пошутить, но получилось глупо.

Просто используешь любую возможность, чтобы забыться.

Сегодня Кирилл практиковался в своей каллиграфии, и мне так захотелось попробовать, что не удержался и тоже сделал несколько мазков. Глазенап снисходительно заметил, что мой мазок напоминает секцию бамбука, чем я несказанно возгордился, но, как оказалось, зря. Представляешь, мазок кисти не должен напоминать ни голову овцы, ни хвост крысы, ни ногу аиста, ни сломанную ветку, то есть вообще ничего реального. Теперь-то я знаю, что горизонтальный мазок подобен облаку, простирающемуся на десять тысяч ли. Я решил каллиграфией больше не заниматься.

Оказывается, древнее письмо начиналось как запись порядка жертвоприношений. Картинки изображали сцены служения с участниками и ритуальной утварью. И это как раз понятно. А вот дальше произошло удивительное! Смотри, ведь получалось, что это таинство становилось доступным каждому, взглянувшему на картинку. Собака была собакой, рыба – рыбой, лошадь – лошадью, человек – человеком. И тогда письмо стали специально запутывать, чтобы его могли понять только посвященные. Знаки стали освобождаться от дерева, от солнца, от неба, от реки. Знаки раньше отражали гармонию, всеобщую красоту. Гармония переместилась в писание. Теперь письмо не отражение красоты, но сама красота!

Как мне все это близко и понятно!

Кирилл грустит, что не попадет домой на свадьбу сестры. Говорит, что мать не хотела его отпускать, страшно переживала, что его убьют. Он сказал:

– Я за себя никогда в жизни не боялся, а теперь вот боюсь ее страхом.

Я промолчал. Знаю, что моя мама так же переживает за меня.

Когда прощались на вокзале, она плакала и лезла целовать, а мне было очень неловко, и я все пытался освободиться от объятий.

Да еще ее слепой вдруг захотел меня обнять. Оцарапал своей щетиной.

Она попросила на прощание:

– Ну, скажи мне что-нибудь!

А я только смог выдавить из себя:

– Иди! Все будет хорошо! Иди!

Понимаешь, Сашенька, я уверил себя, что ее не люблю. Нет, конечно, ты не можешь этого понять. Да я теперь, честно говоря, и сам не очень понимаю.

Закрываю глаза и вижу тот не видимый никому больше мир – нашу старую квартиру, обои, гардины на окнах, мебель, паркет. Зеркало в комоде, перед которым я когда-то корчил рожи, познавая себя. На диване подушка с павлином, у которого можно вертеть пуговичный глаз. Эту подушку вышила бабушка. Глаз то и дело отрывался, не без моей помощи, конечно, и его снова пришивали, отчего у павлина менялось выражение – то он с испугом косился, то удивленно вглядывался в потолок, то ехидно хихикал.

Вижу отметки на дверном косяке – мама измеряла мой рост, прикладывая книгу на голову. А сама измеряться отказывалась, как я ее ни просил.

Ты знаешь, улетаю опять мыслью подальше от этого зноя, ран, смерти, и так хорошо становится!

У меня над кроватью, сколько себя помню, висел план огромного океанского парохода в разрезе, на котором я без конца мог разглядывать каюты, трапы, машины, капитанский мостик, трюмы, маленьких человечков, которые гуляли по палубе или обедали за столиками в ресторане, матросов, кочегаров, там даже была крошечная собака, воровавшая сардельки у кока. Я был уверен, что этот пароход повесил над моей кроватью папа. Я любил представлять себе ту жизнь – что кричит в рупор капитан, что ему отвечает рыжий юнга, который карабкается на мачту. Придумывал, о чем говорят матросы, когда драят палубу. Сочинял разные истории про пассажиров, давал им смешные имена. Иногда сам пририсовывал недостающих человечков, например матроса, который висит, как обезьяна, на веревке, с ведром краски, и красит якорь.

И было интересно и странно думать, кто я для них?

И догадываются ли они о моем существовании?

Когда мы переезжали на дачу, я осторожно выковыривал из стены кнопки, сворачивал картинку в трубку и никому не давал, так и ехал, вглядываясь вдаль, будто это была моя подзорная труба. Мама долго хранила эту картинку вместе с моими детскими рисунками, пока я не выбросил все это.

От отца у меня осталось только несколько обрывочных воспоминаний. Даже не знаю, сколько мне было. Мы едем на вокзал встречать маму. Там очень людно, папа сажает меня на плечи и говорит, чтобы не пропустил ее, а то мы потеряемся. Помню, как держу папу за шею и вглядываюсь в толпу. Мне тревожно и ужасно оттого, что мы можем не найти друг друга. Вдруг вижу ее и кричу на весь вокзал:

– Мама! Мама! Мы здесь!

Осталось в памяти, как мы были у фотографа. Очевидно, из-за разочарования, что из ящика не вылетела обещанная птичка. Сделанные тогда фотографии с отцом куда-то исчезли, наверно, мама уничтожила их. Сохранилась только та, где я один с гитарой, которую держу, как контрабас.

Еще одно, совсем глупое воспоминание: на морозе я трогаю его нос, красный, как у клоуна.

Так радостно, что могу с тобой всем этим, никому больше не нужным, делиться!

Что еще вспоминается?

Целый год мама водила меня на специальную гимнастику, чтобы растягивать мне позвоночник и шею – врачи сказали ей, что у меня неправильная осанка. Там мою голову закрепляли в кожаный крепкий воротник с ремешками для лба и подбородка и подтягивали так чуть ли не к потолку. Рядом покачивались и другие мальчики и девочки с неправильной осанкой, подвешенные, как колбасы в магазине. Я ненавидел и эту гимнастику, и маму, которая заставляла меня туда ходить, как я ни упирался!

А вот еще. Помню, как пришли гости, а я спрятался в шкаф и сидел там в духоте и темноте, пока меня не хватились и не побежали искать на улицу. На меня ругались, спрашивали, зачем я это сделал. Я и сам не знал, а теперь понимаю, что просто хотел, чтобы меня искали, нашли и мне обрадовались.

Ты знаешь, мне в детстве приходили в голову иногда совершенно странные мысли. А может, и не такие странные. Кто-то подарил нам французские печенья в красивой жестяной банке, и вот я думал, что бы с такой замечательной банкой сделать. Потом придумал – ведь в нее можно положить разные вещи и закопать, а когда-нибудь кто-то мою банку найдет и все обо мне узнает. Я положил туда мою фотографию, какие-то рисунки, марки, всякую мелочь, которая забивала ящики стола, – камушки, солдатики, карандашики, еще такую же ерунду, мне тогда важную, и закопал на даче под кустом жасмина. А потом мне пришло в голову, что через много лет, когда эту банку найдут, меня уже не будет, и мамы, и вообще никого. И нужно положить в банку что-то от мамы тоже. Я вытащил тайком из альбома ее фотографию и тоже закопал. А потом меня поразила мысль, что я обладаю удивительной властью – останутся только те, кого я возьму с собой в мою банку!

Интересно, где сейчас та жестянка? Неужели еще там, под жасмином?

Мама все гнала меня на улицу:

– Что с книжками опять сидишь! Пойди, поиграй с детьми!

А я не любил играть с мальчишками, у них были жестокие игры и бесконечные испытания, которые нужно было выдержать. Например, приставят натянутую рогатку к глазу – моргнешь или нет?

Еще я в детстве очень хотел завести собаку и один раз принес с улицы бездомного щенка. Мы его покормили. Но потом мама увидела, что его вырвало, и он тут же снова свою рвоту слизал с паркета – и не разрешила оставить, как я ее ни упрашивал.

Что еще?

У бабушки была коробка с пуговицами, и я обожал играть, будто это моя армия. Мелкие белые пуговички были пехотой, другие изображали кавалерию, пушки. Помню огромную перламутровую – это был генерал, всегда сражавшийся против армии другого генерала – позеленевшей медной застежки. Я устраивал целые битвы – пуговицы бросались в атаку, кричали, схватившись врукопашную, умирали. Погибших я сгребал обратно в коробку.

Сашенька моя! Так приятно говорить с тобой обо всем этом, куда-то исчезнувшем!

Однажды мама взяла меня на выступление фокусника. Наверно, ничего особенного в его фокусах не было, но меня тогда это совершенно заворожило. Предметы появлялись и исчезали, одно превращалось в другое. Пиковый туз становился червовой дамой. Фокусник клал на ладонь монетку, сжимал кулак, разжимал – а там белая мышь. У одного господина отрезал ножницами галстук, потом соединил половинки, и галстук оказался целым и невредимым.

Потом он вызвал желающих на сцену и стал их гипнотизировать. Мама тоже не удержалась и вышла, хотя я вцепился в нее и не пускал. Жутко и захватывающе было смотреть, как живые люди вдруг на глазах превращались в лунатиков, двигающихся с закрытыми глазами. Маме он сказал, что началось наводнение и в комнате поднимается вода, все выше и выше – и она стала задирать подол. А потом говорила, что ничего не помнит.

В магазине игрушек я увидел набор для фокусника и упросил маму купить – она сделала мне подарок на день рождения. Какой это был чудесный ящик! Там было все необходимое, чтобы приводить публику в восторг. Собственно, этого, наверно, мне на самом деле и хотелось – не самих фокусов, а чтобы меня любили.

Какие там были замечательные шарики из губки, шелковые платки и ленты, яйцо, цветок, все с виду настоящее, но с подвохом! Специальные шнуры, «китайские кольца», напальчник – ноготь большого пальца с фитильком – будто кто-то смог бы поверить, что у меня палец горит, как свечка.

Я нашел в библиотеке зачитанную книжку про разных великих магов, гипнотизеров и фокусников – мне нравилось, что человека можно положить в гроб, закопать, завалить могилу камнем, а потом гроб оказывался пустым! И закопанный поджидал всех дома за столом!

Я тоже мечтал стать фокусником и гипнотизером и удивлялся, что бабушке моя великолепная идея совсем не нравится, она только вздыхала и говорила:

– Баловство!

Ей хотелось, чтобы я увлекся чем-нибудь серьезным.

В наборе фокусника ко всем чудесам были подробные описания, я старался точно следовать указаниям, но все равно фокусы мои выходили какими-то бестолковыми. Вернее, когда я практиковался перед зеркалом, все получалось, причем самым сложным было научиться делать пассы, отвлекающие движения, но когда я показывал мои чудеса гостям, все не столько восхищались моему магическому искусству, сколько смеялись над моей неуклюжестью. В какой-то момент меня пронзила больная мысль, что для них я был вовсе не магом, а клоуном. Кончилось тем, что я возненавидел фокусы.

Но с этими фокусами потом было еще вот что.

Бабушка заболела. Вернее, она зимой поскользнулась на наледи около почты, упала и сломала себе бедро. Она уже не вставала, несколько месяцев лежала беспомощная и слабела. Запомнилось, как мама вздыхала, что бабушка больше «не жилец». Еще запомнилась сцена, как у бабушки трясутся руки и голова, а мама расчесывает ей волосы. Бабушка была в молодости очень красивая, ходила с длинной толстой косой, в руку толщиной. Косу когда-то отрезали из-за болезни, и она хранилась у нас как семейная реликвия. А к старости у бабушки снова отросли длинные волосы.

Однажды я очень поздно вернулся из гимназии. Нахватал двоек, не хотел идти домой в уверенности, что опять будет головомойка. Гулял где-то допоздна, зная, что теперь попадет и за это. И вот прихожу, готовый к самому худшему, а мама, вместо того чтобы ругать, обнимает меня и целует. Я ничего не понимал, а потом понял – от бабушки вышел врач и долго мыл руки, тщательно, каждый палец отдельно. Мама поговорила с ним, потом прижала мою голову к груди и сказала, что бабушка уже при смерти. Она повела меня прощаться.

Перед смертью бабушка стала страшной, лежала растрепанная и вся тряслась, особенно руки.

Не помню, о чем мы говорили, но вдруг она попросила, чтобы я показал ей какой-нибудь фокус. Я замотал головой. Я не мог. Не то чтобы не хотел – просто не мог. Но объяснить это было никому невозможно.

Мама стала упрашивать:

– Володенька, ну пожалуйста! Бабушка у тебя, может, ничего больше никогда не попросит. Ну что тебе стоит?

Но я не смог. Вырвался из маминых рук, убежал куда-то от всех подальше и расплакался.

Перед похоронами меня поразили ее успокоившиеся руки в гробу. Мама сидела и расчесывала волосы покойнице.

На кладбище меня подталкивали поцеловать мертвую и бросить первую горсть земли. Я молча упирался. Было не страшно, но как-то не по себе.

Помню, что, когда комья земли стали падать с легким стуком на крышку гроба, мне отчего-то пришло в голову: вот бы сейчас открыть гроб, а он – пустой, и бабушка ждет нас дома!

Ее зарыли, разровняли, как цветочную клумбу. И было совершенно невозможно, что бабушка стала клумбой.

Похороны продолжались долго, мне ужасно захотелось в уборную – мама отпустила меня в кладбищенскую будку с дыркой в полу. И вот там, стоя над ямой, напомнившей мне могилу, я очень остро почувствовал, что бабушка не может ждать нас дома, что она там, в своем гробу под землей, потому что смерть – это настоящее, такое же настоящее, как эта вонючая, смрадная дырка.

От бабушкиной смерти у меня осталось ощущение детского ужаса. Но то, что я тоже когда-то умру, – в моем мозгу тогда как-то не укладывалось. Я испугался этого по-настоящему намного позже.

А сейчас слушаю стоны раненых, доносящихся из госпитальных палаток, и думаю – какая это была замечательная смерть! Это же так чудесно – прожить всю жизнь и умереть от старости.

Вот видишь, как здесь меняется представление о счастье.

Знаешь, что мне сейчас пришло в голову? Что я в жизни ничего никому не дал. Не по пустякам, а по-настоящему. Все мне что-то давали – я брал. А сам никому ничего. Тем более маме. И не потому, что не хотел, – но просто не успел.

Снова такие простые мысли лезут как какие-то открытия.

И вот я понял, что хочу так много дать – тепла, любви, мыслей, слов, нежности, понимания, а все может оборваться, не начавшись, завтра, через пять минут, сейчас! Так обидно!

Все, заканчиваю на сегодня. Рука устала. И глаза болят – пишу тебе при свете ночника.

Сашенька моя, так хочется, чтобы у тебя все было хорошо!

Я знаю, мы увидимся.

* * *

За что?

Все время задаю себе вопрос: за что?

Почему нужно наказывать именно так? Именно этим?

Ехала в трамвае. Вдруг боль внизу живота, резкая, невыносимая. Я испугалась и уже сразу все поняла, но сама себя уговаривала, что это совсем не то. Не знаю что, но не то. Пошла кровь.

Мне бы сразу в больницу, а я домой, к нему. Притащилась, он засуетился, стал бегать по квартире и только лепетал:

– Скажи, что сделать? Скажи, что сделать?

Никогда не думала увидеть его в такой панике. Даже не знал, как вызвать скорую. Он был испуган еще больше меня. Стала его утешать, что ничего страшного, а сама ведь понимаю, что если маточное кровотечение не остановить, то можно умереть от потери крови, а само по себе оно не проходит.

Скорую прождали вечность.

Будто набили живот камнями и сжимают тисками. Пальцы на ногах онемели. Вся в испарине, всю трясет. Я выла, началась истерика от боли и обиды, а он наливал себе коньяк, рюмку за рюмкой, чтобы успокоиться. Боль адская. В глазах темно, комната скользит. Несколько раз казалось, что теряю сознание.

В больнице сразу на стол. Обезболивающее. Выскоблили.

Мой ребенок вышел из меня, а как, я и не заметила. Из меня текло. Кровь шла сгустками.

Внутри все ободрано – и душа, и утроба.

Плоти моей стало меньше, а кажется, будто ударяюсь обо все на свете: о двери, о людей, о звуки, о запахи. Все стало шумным, мелким, утомительным. Ненужным.

Как же так? Еще только на днях остановилась у витрины с детскими вещами, разглядывала и удивлялась, сколько же всего нужно этой крошке, а сейчас я уже одна.

Мама, когда узнала, сказала:

– Плачь! Это то, что тебе сейчас нужно, – хорошо поплакать.

А Янка:

– Лучше бы ты аборт сразу сделала и не мучилась.

Сняли квартиру с детской для будущего ребенка – а теперь в ней остается ночевать Сонечка.

Я отлеживалась после больницы, а Соня, как обычно, спросила:

– Ну, как там мой братик?

Улыбнулась ей в ответ:

– Хорошо.

– А чего в постели валяешься?

– Простыла немножко.

И отвернулась, сделала вид, что закашлялась в подушку, чтобы незаметно было, что опять реву.

А вчера привела ее в ванную, стала раздевать, она не дается, дуется, царевна-несмеяна. Чтобы как-то ее раскачать, стала играть с ней бельевыми прищепками, кусаться. Не рассчитала и чуть прищемила ей кожу. Протянула ей прищепку:

– На, ущипни меня тоже!

Она взяла и ущипнула по-настоящему, до боли.

Мою ее, а она ревет, что мыло в глаза и что мама все делает не так.

Потом растираю полотенцем, и чисто промытые волосы звонко скрипят. Моя мама мне так всегда говорила в детстве, что волосы нужно мыть до скрипа.

У меня будет когда-нибудь ребенок, обязательно будет, и вот буду ему так мыть волосы – до скрипа.

Потом только поняла, почему Соня так не хотела у нас оставаться на ночь. Она все еще писается. Приходится вставать ночью, проверять, сухо ли – и менять простыню, если мокро. Она все это про себя знает и ужасно стыдится.

Сегодня вместо него повела ее в танцкласс.

Она переобувалась и вдруг ткнула мне своим балетным тапком под нос:

– Дыши!

Я взяла тапок и сунула ей под нос:

– Сама дыши!

Она бросила в меня злые глаза.

Пока тянулось занятие, вышла пройтись. Смотрю, трамвайные рельсы идут к невидимому гвоздику, на котором держится мир. И вдруг так отчетливо увидела: от всех предметов тянутся к той точке схода линии, будто нити. Вернее, будто туго натянутые резиночки. Вот всех когда-то разнесло – и столбы, и сугробы, и кусты, и трамвай, и меня, но не отпустило, удержало и теперь тянет обратно.

* * *

Саша! Сашенька!

Чудо мое! Славная моя!

Знаю, меня нет рядом, и тебе трудно. Все время думаю, как ты там? Что с тобой? Что ты сейчас делаешь? О чем думаешь? Что тебя тревожит? Как хочется подойти в этот миг к тебе, приласкать, обнять, прижать твою голову к груди. Пожалуйста, держись! Тебе нужно держаться!

Я вернусь, вот увидишь, и все будет хорошо!

Мы расстались ведь совсем недавно, а это время протянулось годами.

Особенно после того, как я попал сюда, время летит быстро и незаметно, то, наоборот, останавливается и ни с места, и даже не очень понимаешь – существует ли оно вообще? Скорее так – за всеми событиями кажется, что время становится невидимым, а вспомнишь день, когда я оторвался от тебя, – получается, что прошло его много, очень много.

Ты даже не можешь себе представить, как помогаешь уже только тем, что могу писать тебе! Это спасает. Не улыбайся – действительно спасает!

Что я написал! Улыбайся, Сашенька, чудо мое, улыбайся!

Проснулся рано – и это лучшее время здесь. Только рассвело, еще свежо, утренний ветерок. Здесь можно жить только в такие часы. Наслаждаюсь прохладой и уже заранее испытываю ужас перед жарой, которую предвещает вот это огромное красное солнце, вылезающее из дымки над полями гаоляна. Скоро солнце сделается золотым, потом белым. Дымка над полями испарится, утренний ветерок стихнет, и начнется опять ад. Жара здесь может испечь мозг в самом прямом смысле – многие падают от солнечного удара.

Сейчас хочется записать впечатления, накопившиеся за эти дни. Извини, хорошая моя, если придется писать о неприятных вещах.

Буду писать не по важности происшедшего, а просто по тому, что первым в голову приходит.

Вчера один офицер, Всеславинский, напился ханьшина и ко всем приставал со своим исковерканным биноклем. Собственно, поэтому он и напился – пуля попала ему в бинокль на груди, а он отделался синяком. Всем показывал и разбитый бинокль, и синяк. Мне раньше казалось, что такие счастливые случайности бывают только в книжках. Его совершенно развезло, он расплакался, как мальчишка, и все пил и пил. Странно, потому что до этого он производил впечатление очень хладнокровного и мужественного человека. А наутро его нашли утонувшим в пруду. Здесь у разрушенной фанзы есть маленький прудик, в котором и ребенку утонуть невозможно. Наверно, он поскользнулся. Совсем ведь был в беспамятстве. Когда мы его достали, у него изо рта и из носа вытекали струйки грязной жидкости. Попытались делать искусственное дыхание – бесполезно. Фельдшер засунул ему пальцы глубоко в рот и вынул их в чем-то вязком.

Как глупо все!

А родные получат извещение о геройской смерти.

С другой стороны, что еще им написать? Правду?

Правда в том, что мы несем потери каждый день, но, как видишь, далеко не все они боевые. Чаще – несчастные случаи и солнечные удары. Жара стоит по-прежнему невыносимая.

Достается не только людям. Позавчера у меня на глазах произошло вот что. Вторая батарея выдвигалась на позицию. Дорога спускалась с пригорка, лошади побежали рысью. Вдруг одна лошадь, на которой сидел ездовой солдат, упала. К счастью, солдат успел спрыгнуть в сторону, но на лошадь наскочило орудие и переломило ей обе задние ноги. Она жалобно ржала. Ее пристрелили.

А вот хорошие известия – возвратились остатки экспедиции адмирала Сеймура. Их уже считали погибшими. Пробиться к Пекину они не смогли, перед ними разобрали пути. Оставлять везде достаточное количество солдат для охраны они тоже не могли, и железнодорожные станции за ними заняла китайская армия, и им ничего не оставалось, как пробираться обратно с боями. Вернулись ни с чем. Вернее, с двумястами раненых. Погибших они хоронили, если получалось, прямо на месте.

С этим отрядом ушли две роты русских матросов под командованием капитана Чагина. Вернулась только половина. Нашим морякам пришлось две недели провести в самых тяжелых условиях в постоянном бою. Я слышал, Чагин рассказывал офицерам, как один раз им пришлось отступить на короткое время и оставить часть раненых в здании разрушенной станции, а когда станцию снова отбили, раненые все были разрублены на куски. Жестокость здесь невозможная. И наши тоже пленных не брали. Чагин пытался хотя бы не давать своим подчиненным мучить попавших в плен, но это не всегда удавалось. А в плен попадают именно раненые, беспомощные. Люди звереют, когда видят, что делают с их товарищами.

Наше положение тут пока мало изменилось. То и дело вспыхивают бои у вокзала, у городского вала и дальше, у Лутайского канала, но небольшие. Я писал тебе, что через Тяньцзинь проходит канал, который проложен уже тысячу лет назад и тянется через весь Китай?

Пока обе стороны выжидают, но бомбардировка города продолжается постоянно. Оказывается, китайцы невероятно пунктуальны. Обстрел концессий начинается обыкновенно с трех часов дня до восьми вечера, а затем в два ночи и длится до десяти утра.

Сашенька, я уже настолько прислушался к этому непрерывному грохоту, что стал отличать выстрелы наших и китайских орудий и даже их калибры. Китайцы стреляют из фортов шестидюймовыми крупповскими пушками и из скорострелок Гочкиса. Ты, конечно, скажешь, ну какой из тебя знаток калибров! Да никакой, разумеется! Но просто уши привыкают. Да и сам я тут меняюсь. Становлюсь кем-то другим. Здесь нельзя не меняться. Но ведь это именно то, чего я хотел.

Пришлось прерваться. Пишу тебе на следующий день.

Вчера, выполняя задание, поехал в город. Я и рад был, а то сидишь все время в лагере. Хоть какая-то перемена, хотя и был риск попасть под обстрел, но сразу скажу, Сашенька, пока я там был, ни один снаряд в те кварталы не упал. Не переживай!

Ты знаешь, по дороге к городу есть небольшое болотце. Вообще здесь много водоемов, но они будто умерли от засухи и теперь разлагаются на жаре. Так вот, я видел, как змеи несколько раз прочертили букву S. В первый раз мне попались на глаза эти гады, о которых тут все говорят.

Сам Тяньцзинь и вся долина, разрезанная полосой горчичного цвета – Пейхо, издалека смотрится довольно живописно, пока не видишь всех следов разрушения.

Вокзал и пристанционные постройки в ужасном состоянии – изрытая снарядами платформа, груды мусора, разбитого кирпича. Железные крыши пакгауза будто сделаны из металлического кружева – так их изрешетили пули и осколки. Еще не убрали сгоревшие вагоны.

Мост наши саперы укрепили новым настилом. Такого количества трупов, которые тут скапливались пару дней назад, уже нет, но все равно приплывают. При мне солдаты длинными бамбуковыми палками пытались пропихнуть что-то посиневшее и раздутое между барками.

Я был там с офицером из Анисимовского отряда, у него странная фамилия Убри, он застал город еще не разрушенным и теперь все сокрушался, глядя на то, во что превратился Тяньцзинь во время осады. Убри контужен и плохо слышит, когда говоришь с ним, нужно кричать.

Он показывал мне сеттльменты. После моста сразу попадаешь в английскую концессию. Главная улица называется Виктория-роуд. Она тянется вдоль реки и идет прямиком на китайские форты, поэтому гранаты свободно носятся вдоль улицы, теперь изрытой воронками.

Все стены исцарапаны осколками, много домов разрушено – обгоревшие руины, разбитые окна. На перекрестках улиц везде баррикады из тюков шерсти, фонарных столбов, кирпичей. Всюду валяется мебель, мусор, черепица. На улицах тишина, прохожих не видно, только патрули разных национальностей перед домами, обращенными в штабы, лазареты, склады.

Представляешь, на тумбах еще висят афиши — зазывают на цирковое представление! Международная труппа обклеила перед осадой весь город афишами, но вместо ожидаемых сборов с публики артисты вынуждены были довольствоваться тем, что им хотя бы удалось бежать на последнем прорвавшемся в Таку поезде.

Мы зашли с Убри в Гордон-Холл, муниципалитет английской концессии. Он рассказал, что здесь, в подвалах, во время осады укрывались женщины с детьми, а еду им готовили в соседней гостинице «Астор-Хаус». Там же, в подвалах Гордон-Холла, провел осаду и русский консул Шуйский с семьей. У него во время обстрела погиб семилетний сын.

Гостиница тоже пострадала, хотя и сейчас видно, какое это великолепное здание с балконами, верандами, башней. Красивые большие окна с маркизами теперь заложены мешками. Убри сказал, что там внутри мраморные ванны, электрические звонки, роскошь и все удобства. Но все это в прошлом — с самого начала осады в концессиях не работает ни электричество, ни водопровод.

Вообще, даже сейчас видно, какой это был красивый и даже щегольской город! Каким комфортом европейцы обставили свою жизнь! Красивая набережная, безукоризненные широкие улицы, обсаженные тополями и акациями, сады, живописный парк Виктории, нарядные дома английского типа, клубы, почта, телеграф, телефон, канализация, освещение. Несколько больших блестящих магазинов, правда разгромленных и выгоревших.

Теперь на этот европейский город в центре Азии страшно смотреть. Ни одно здание, ни одну виллу не пощадил огонь или снаряд. Причем разрушали не только китайцы. Убри показал мне в крайней, французской концессии полностью уничтоженный огромный квартал, непосредственно примыкавший к госпиталю и заселенный китайцами-христианами, — французский консул приказал сжечь его дотла, потому что боялся поджога и нападения со стороны китайского города.

Там на протяжении двух верст видны одни обгоревшие стены, одинокие трубы, груды камней, обломков и угля. Дома китайцев, уцелевшие от огня, разграблены. Во дворах разбросаны кучи простого и дорогого шелкового платья, всякая мебель, посуда, рухлядь, богатые китайские вышивки, фарфоровые вазы, картины с великолепной инкрустацией, часы — все разбито, затоптано.

Во всех брошенных домах уже похозяйничали солдаты союзных наций. К сожалению, не было ни одного отряда, солдаты которого не рылись бы в этих кучах всякого добра и сора. Никакого надзора в китайском квартале не было, да и не было никакой возможности или надобности в охране китайского добра, которое валялось по дворам и улицам.

Убри показал мне место, где разорвался снаряд, когда он получил контузию. А товарищу его, стоявшему рядом и принявшему ударную волну на себя, тогда оторвало обе ноги, и он умер через несколько часов в страшных мучениях.

Полк индийских сипаев остановился биваком в саду Международного клуба – когда мы проходили мимо, там горели костры, они готовили пищу, играли на своих дудках и пузырях. При этом на улицы текли ручьи зловонного человеческого содержимого, но солдат в тюрбанах это не смущало, хотя мы с Убри должны были зажать носы, чтобы проскочить поскорее мимо.

При нас англичане поймали китайского лазутчика. Это был совсем мальчишка. Сипаи вели его от своего штаба на площадь перед «Астор-Хаус», чтобы казнить.

Мы поговорили с английским офицером, он сказал, что видели, как этот парень махал кому-то платком, забравшись на крышу. Китайцы, конечно, прекрасно знают обо всем, что делается в концессиях.

Парень был очень худой – кожа да кости. И еще стрижен наголо. Когда он проходил мимо меня, мы встретились взглядами. В его глазах были ужас и отчаяние. Он все время икал, наверно, от страха. Я быстро отвернулся, не выдержал. И сейчас чувствую на себе тот взгляд.

Сашенька, я думал, его расстреляют, но сипаи отрубили ему голову. И там был еще фотограф со своим аппаратом, какой-то американец. Кто-то будет смотреть на эти фотографии, разглядывать. Сипаи позировали с гордостью, улыбались.

Я хотел заставить себя смотреть на это, но не смог, в тот самый момент закрыл глаза. Только слышал звук. Ты знаешь, это похоже на звук садовых ножниц. Потом открыл глаза и увидел его голову на земле. Сколько раз видел на разных картинах отрезанные головы, например, на блюде, излюбленный художниками сюжет – в этом было ужасное, но и возвышенное, красивое. А тут передо мной валялось что-то маленькое, измазанное черной кровью, облепленное песком. Исковерканный рот с прикушенным языком, закатившийся глаз. Тело без головы какое-то невозможное, куцее. Из шеи этого тела лилась темная струйка.

Так странно. Оказывается, можно все это увидеть и не сойти с ума.

И даже можно в тот же день есть. И говорить о чем-то другом, нездешнем, далеком, человеческом. Вот сегодня я рассказал Глазенапу о том, как был на казни, и это лишь послужило поводом для разговора о переселении душ.

Как можно кого-то здесь удивить чьей-то казнью, если каждый понимает, почему и зачем это происходит! Убивая их, мы спасаем наши жизни. Все так просто.

Кирилл верит в переселение души после смерти. По крайней мере, говорит, что верит.

Я спросил, почему же нас в таком случае не удивляет, что мы больше не Наполеон, не Марк Аврелий, не казненный китаец на худой конец, а какие-то Добчинские-Бобчинские, больше всего на свете боящиеся умереть? А он ответил, что мы ведь не удивляемся ничему, оказавшись во сне в какой-то совершенно невозможной ситуации да еще среди давно умерших людей.

– Вот мы жили раньше, – заявил Кирилл, – в другом мире и в другое время, а проснулись тут и продолжаем жить, ничему не удивляясь, все принимая как данность. А потом еще где-нибудь проснемся.

Он все-таки невозможный, этот Глазенап.

Но вот смеюсь над ним, а тот китайский мальчишка – и если не душа его, то, по крайней мере, голова нашла пока свое временное пристанище во мне. Даже глаза не нужно закрывать, чтобы ее увидеть там, на земле, среди затоптанной грязи, – перемазанную кровью и песком, белок без зрачка, черный язык, прикушенный коричневыми зубами.

Прости, родная моя, прости!

Но зачеркивать ничего не буду.

Ты же можешь просто пропустить эти строчки, не читать.

И так хочется писать тебе только о хорошем!

Сашенька моя, я снова прервался ненадолго, а теперь опять продолжаю. И знаешь, почему прервался? Так глупо, но все равно объясню, ведь хочется говорить с тобой обо всем! На коновязи казаки и артиллеристы чистили лошадей. И переругивались. Тихо сейчас, ветерок с той стороны, пахнет лошадьми, их потом, мочой, но все это на самом деле такие человеческие приятные запахи!

Это от людей здесь исходят отвратительные животные запахи, а от животных – наоборот. Так вот, они рассказывали друг другу разные грязные истории и громко грубо ржали. Я попытался писать под этот разговор письмо тебе – и бросил. Было ощущение, что их слова могут это письмо замарать уже тем, что они произносились над этим листком.

Прошелся немного. Посмотрел на лошадей: стоят в своих денниках такие милые, чистые. Дышат на меня своим вкусным животным духом. Подергивают мышцами, пытаясь согнать с себя мух, всхрапывают, мотают мордами. Косятся своими грустными, покорными глазами. Какие-то они целомудренные. Как с ними хорошо!

Продолжаю, когда солдаты уже разошлись. О чем тебе еще написать?

Сегодня Люси рассказала, как ей чудом удалось спастись, когда весной громили католическую миссию где-то на севере от Тяньцзиня, в которую она попала еще год назад. Вообще же история, как она оказалась в Китае, остается для всех загадкой, но мне Кирилл под большим секретом рассказал с ее слов, что она приехала в Китай по любви – бросила у себя дома все и отправилась на край света за любимым человеком. А он оказался мерзавцем – обычная история. Вернуться домой она не могла и устроилась в католической миссии. Так вот, возвращаюсь к ее рассказу.

Что этой маленькой женщине пришлось пережить!

Толпа ворвалась на территорию миссии, и никто не успел убежать. Восставшие крестьяне нашли на кухне в буфете стеклянные банки с маринованными луковками. Они стали показывать это всей деревне как доказательство злобы и вероломства европейцев – они приняли луковки за китайские глаза. Остановить их было уже невозможно – началась резня.

Католическому священнику они вырвали вилкой глаза. Его экономке отрубили голову – она еще держала за руку сына, его убили тотчас вслед за ней. Люси рассказывала все это без волнения в голосе, каким-то сухим тоном, будто все это происходило не с ней, будто сама она умерла, а речь шла о переживаниях какой-то другой женщины.

У Люси был маленький револьвер, но она все никак не решалась им воспользоваться. Говорит, что сперва хотела стрелять в нападавших, но не смогла целиться в человека. Потом решила застрелиться, чтобы не даться им в руки, но когда увидела, что эти люди делали с ее близкими, она начала стрелять в них. И говорит, что у нее было только одно желание – убить их как можно больше.

Она чудом выжила – заперлась в чулане и отстреливалась, убила нескольких человек. А спас ее небольшой отряд китайской регулярной армии – тогда еще они преследовали бесчинства ихэтуаней, и наместник провинции Чжили даже ввел денежные награды за поимку бунтовщиков.

После ее рассказа все сидели какое-то время молча. И я не мог поднять на нее глаза – смотрел на ее руки. Было удивительно, что те же руки, которые жалеют, ласкают, лечат, – убивали.

Я сколько уже на войне, но главного ее испытания все еще не прошел, а эта хрупкая женщина с такими ласковыми руками уже это сделала.

Потом Люси сказала, что готова убивать еще. Она ненавидит их.

Сашенька, как все это непонятно, непостижимо, дико.

Так больно за нее. И тоже начинаешь их ненавидеть.

Когда мы остаемся вдвоем, Кирилл говорит о ней с большой нежностью. Ты знаешь, он сказал мне, что в Петербурге любил одну женщину, но та посмеялась над его чувствами и бросила его ради какого-то ничтожества. И вот теперь ему кажется, что он нашел в жизни настоящее.

Сашенька, так замечательно наблюдать за их рождающимся у всех на глазах чувством – среди крови, и смерти, и ран, и боли, и гноя, и грязи. Все замечают, как они тянутся друг к другу. На них смотрят с улыбкой. Конечно, им завидуют. Нет, неправильное слово. За них радуются. Столько зверства кругом, столько жестокости – и так радостно, что хотя бы в этих двух людях жива нежность.

Наверно, смотрят на них – и вспоминают своих любимых.

Сашенька моя далекая! Теперь ты мне так близка, будто стоишь рядом, наклонилась над плечом и смотришь на мои скачущие строчки.

Целую тебя очень нежно.

Спокойной ночи, любимая!

Мы с тобой уже давно одно целое. Ты – я. Я – ты. Что нас может разлучить? Нет ничего такого, что могло бы нас разлучить.

* * *

В ноге – муравейник. Затекла.

С утра прошли два дождя и студент.

Стеклянность, оловянность, деревянность.

Дни юркие, разбегаются ящерками, захочешь ухватить – в руке лишь хвост – вот эта строчка.

Звонок. Перемена. Крики детей со школьного двора.

Подумала вдруг – эти детские крики на переменке будут точно такими же и через сто лет. И через двести.

Донька стучит когтями по паркету. Бросила мне на колени передние лапы, просительно заглянула в глаза. Зовет гулять.

Оказывается, балерины в пятки балетных туфель заливают теплой воды, чтобы крепче сидела ступня.

Хожу гулять с Донькой и несколько раз встречалась в парке с балетной учительницей Сонечки, у нее что-то тоже семейства собачих, но размером с тапочек. Несоответствие пропорций не мешает нюхать друг у друга под хвостом.

Рассказывала про балет. Она упала на концерте, исполняя дуэтный танец, – ошибка партнера. До сих пор ненавидит его.

Он любил говорить на сцене какую-нибудь глупость сквозь зубы с непроницаемым лицом, чтобы рассмешить ее.

Сперва вовсе не хотели брать в балет, якобы из-за плоскостопия, а на самом деле из-за намечавшейся большой груди.

Ее педагог говорила в танцклассе: представь себе пятак и зажми его задницей на весь урок, чтобы он не вывалился!

У нее роман с ортопедом, который лечит балетных. Он все обещает бросить жену, но не может – она больна, дети и проч. – обычная история. От одиночества завела себе собаку.

Для танцора сопротивление материала – притяжение земли.

Ей так хотелось в детстве кататься на коньках – но не позволяла себе ни коньки, ни лыжи – боялась подвернуть ногу.

Говорит, что у Сонечки способности к балету, но предупредила:

– Балетные девочки обычно неразвитые – некогда читать.

Еще сказала, что, когда выходишь на сцену, зрители будто подсадные – и нужно сделать их настоящими – в тебя влюбленными.

Обычно с Донькой гуляет он, и мама уже несколько раз говорила, что все время видит его с этой балериной.

– Не будь дурой! Смотри за ним! За мужа надо бороться!

Бедная мама. У меня уже свой дом, а она все продолжает приставать с поучениями, советами, упреками. Одинокая. Жалко ее. После того как отец ее оставил, она переключилась на меня. Боюсь этих редких приходов. Опять во всем нужно оправдываться, объясняться. И все я делаю не так, и везде грязь и беспорядок, и вообще неблагодарная.

Все время воспитывает. Купила плащ, показала ей – и опять: цвет не тот, сидит плохо, выкинула деньги на ветер. Когда же ты повзрослеешь! Отчитывает. Раз не хочу ее слушать, значит, не люблю. И терпеть ее невыносимо, и пожалеть надо.

Мама все время повторяет, что хочет мне счастья, чтобы у меня с ним все было хорошо, а на самом деле хочет, чтобы я к ней вернулась и снова стала маленькая.

Он ужасно мнительный, берет мои справочники по болезням и находит у себя все, кроме женских. Но на самом деле боится, что у него по наследству повторится болезнь, которая была у его отца, – у того развилась к концу жизни склеродерма.

Иногда вдруг что-то начинает рассказывать о себе. Отец был профессором и завел роман со своей студенткой. Так сын, чтобы открыть ему глаза на эту девицу, и доказать отцу, что она его вовсе не любит, переспал с ней. Отец не мог ему простить. А когда у сына была первая выставка, отец сказал что-то такое уничижительное, что они перестали вовсе друг с другом разговаривать.

Отец погиб ужасно – возвращался поздно ночью зимой, его ограбили, проломив голову.

Теперь переживает, что отец тогда умер, а он ни разу не сказал ему, что любит его.

Улыбнулся:

– Я его тогда осуждал, что он хочет бросить мать ради молоденькой. А теперь поступил точно так же. Хотел доказать что-то отцу, а теперь получается, что он мне оттуда доказал обратное. Так странно, когда я женился на Аде, ты уже где-то была, лепила пирожки из песка.

Он иногда, забывшись, зовет меня:

– Ада!

И даже не слышит сам себя.

Я отвечаю:

– Ты кого?

– Тебя! Кого же еще.

И при этом говорит:

– Понимаешь, Ада – нелепая ошибка, которую теперь я исправил. Моя судьба – ты.

Это про женщину, с которой он прожил восемьсот лет. Он так и говорит:

– Что ты хочешь? Чтобы я сразу освободился от нее в себе? Мы прожили вместе восемьсот лет.

А в другой раз сказал про себя с ней: это было другое одиночество.

Еще про Аду: сначала хотел рассказать ей о своих женщинах, ведь они договорились быть откровенными и доверять, потом понял, что, наоборот, ничего не надо рассказывать. Не надо унижать человека, который тебя любит. Стал ей лгать.

– И она верила мне во всем! Но человека, который тебе верит, обманывать совершенно невозможно!

Однажды сказал:

– Когда живешь вместе, то чувства к этому человеку нужно каждый день драить песком и пемзой, а ни сил, ни времени на это нет.

Потом добавил, что это он про себя с Адой, а не про нас.

В день, когда решился уйти от жены, на улице мальчишка, продававший газеты, назвал его дедушкой. Ощущение катастрофы, нужно что-то делать. Рассказывал это как что-то забавное.

При этом он бежит туда, как только она позовет его повесить шторы. Объясняет, что семья, которая продолжалась всю жизнь, не может вдруг взять и прекратиться.

Сонечка заявила, когда я пекла ей оладушки:

– Мама сказала, что ты украла у нас папу.

– А еще что?

– Что ты за мной не следишь.

– А еще?

– Из-за тебя мы с ней не поедем на каникулы. У нас теперь нет денег.

Один раз вдруг звонок среди ночи. У Сони жар. Он собирается. Я ему:

– Подожди, поеду с тобой!

Он мнется.

– Понимаешь, она уверена, что это, пока Соня была у нас, ты недосмотрела.

Поехала с ним. Взяли такси. Всю дорогу промолчали, глядя в разные стороны. Таксист сморкался без конца и так чихал, что едва не врезался в трамвай.

Я впервые оказалась у них дома.

Все стены в картинах. Он много писал ее обнаженной. То в таком виде, то в этом. Стоит, сидит, лежит. И тут входит она – меня поразило несоответствие молодого тела на картинах и этой растрепанной старой женщины в застиранном халатике и стоптанных шлепанцах.

У ребенка температура 39. Вся в поту. Нёбо и язык в белую точечку. На фоне покрасневших щек – белый треугольник вокруг рта. Сыпь – крупинки в паху.

Ада набросилась на меня, что дочка вернулась от нас с мокрыми ногами, бегала по лужам, а я не проверила ботинки. В глазах слезы.

– Вдруг снова круп?!

Я ее перебила:

– Простите, вы – врач?

– Нет...

– Тогда ваше мнение меня не интересует.

И объяснила им, что это скарлатина и сыпь на следующий день пройдет.

Пошла мыть руки, он принес мне полотенце, и я, не подумав, спросила тихо:

– Сколько же ей лет?

Он, смутившись, ответил:

– Мы ровесники.

Домой я возвращалась одна. Он сказал, что должен остаться там до утра.

– Ты же понимаешь?

Я кивнула. Я все понимаю.

Через три недели у Сонечки с рук сошла кожа.

Ночью лежали, обнявшись, и он сказал:

– Вот я родился, и я умру – понятно. Неприятно, но понятно. Страшно, конечно, но объяснимо, с этим можно справиться. Но вот как же с дочкой? Она уже есть и однажды умрет – вот это уже по-настоящему страшно. Раньше даже не знал, что может быть так страшно.

Он балует ее, а она бессовестно пользуется властью над отцом.

Ему кажется, что он все время должен куда-то ее вести – в цирк, в зоопарк, на детский утренник. После нее все в квартире в липких леденцах, шоколаде, обертках. Покупает ей всякую ерунду – просто боится сказать нет. За этой лавиной щедрости боязнь потерять ее близость.

За столом она выкаблучивается – то не буду, это не буду. И вообще у мамы все не так, вкуснее. И ничего не могу сказать, он все ей разрешает. И глупо мучаюсь, что останется голодной.

Она берет без спроса мои вещи из шкафа, брошки, бусы из шкатулки у зеркала, духи, лак. Он пожал плечами и сказал, чтобы я поговорила напрямую с ней. А когда я начала этот разговор, вступился за нее, стал защищать, будто в моих словах была какая-то несправедливость.

Расчесываю ей волосы, а она не сидит смирно, все время ерзает и вопит, если щетка застревает в волосах, говорит, что я специально делаю ей больно.

В воскресное утро, когда можно поспать подольше, она вскакивает чуть свет и бежит к нам в комнату, залезает в постель и садится ему верхом на грудь, пальцами открывает веки. И он все терпит.

На ее день рождения мы пошли с ним покупать ей подарки. Он хотел, чтобы я помогала ему выбирать платьица, туфельки. А о моем дне рождения он и не вспомнил. Да я и сама забыла, что родилась.

Она ест свою любимую булочку с изюмом, положит крошку на ладонь и протянет ему, а он должен ее клевать – брать одними губами.

Или садятся рядышком плечом к плечу и рисуют в альбоме – она на одной странице дерево, он на другой – лису.

Они счастливы вместе.

Я им нужна?

Ночью он встает проверить, не мокрая ли у нее постель. Вынимает ее из кроватки, несет, сонно виснущую на руках, бормочущую во сне, в ванную, сажает на толчок, а сам садится на край ванны рядом, чтобы она могла положить голову ему на колени, ждет терпеливо, когда раздастся журчанье.

Иногда она все же мочит постель, он переодевает ее в сухую ночнушку, снимает простыню, складывает пополам сухим кверху. Укладывает, чешет спинку, пока не заснет.

Перед сном она еще привыкла к маминой бутылочке с «сонной водичкой».

Ее подружки остаются друг у друга на ночь, а она боится, что они узнают и будут над ней издеваться, перестанут с ней дружить. Придумывает отговорки, чтобы не ночевать в гостях.

Она и меня стесняется, а я ей говорю, что ничего страшного, все дети писаются, а когда вырастают, все проходит, и можно спать без клеенки.

Потом стираю ее вещи отдельно.

Иногда мне кажется, мы с ней никогда не сможем по-настоящему полюбить друг друга. А иногда, наоборот, вдруг она прижмется ко мне, и нахлынет волна нежности к этому нескладному существу.

С ее косоглазием ходили к разным врачам. Прописали носить специальные очки с одним стеклом, а второй глаз закрыт черным. Стесняется своих очков ужасно, все время норовит их снять — страх, что дети засмеют.

Это дома она бойкая, а в школе совсем другая. Мы пошли на школьный концерт, на котором она должна была прочитать стихотворение со сцены.

Когда вышла в своих очках, кто-то из мальчишек засмеялся, она забыла слова, стушевалась, убежала. Обрыдалась вся.

Зато дома отыгрывается, она – королева, а кругом подданные, которые и существуют на земле только для того, чтобы танцевать под ее дудку.

Смотрела, как она рисует карандашом, и обратила внимание на то, что, если рисунок показался ей неправильным, он для нее просто перестает существовать, она его больше не видит, рисует на том же листе другой – не замечает старых линий, видит только новые.

Вот надо научиться так жить.

Но больше всего она любит рисовать папиными красками. Я надеваю на нее его старую рубашку, чтобы можно было пачкаться. Он хотел чему-то научить ее, по-настоящему, но еще рано, ей это неинтересно.

Как-то раз ножницами для рукоделия выстригла у себя клок волос и прилепила клеем на подбородок – как у папы.

Однажды вечером он укладывает ее спать, а она плачет в подушку.

– Чудо мое, что такое?

А она сквозь всхлипы:

– Папа, ты же умрешь! Мне тебя так жалко!

Она только начала по-настоящему осознавать себя. Вдруг сказала, когда были на пруду и смотрели на закат:

– Ведь эта солнечная дорожка – это ведь не солнце, это я, да?

Ходили в детский театр на «Снегурочку». Я шла и думала – как это странно, что они слепили девочку из снега. И вообще, это ведь не снежную бабу из комков сделать – нужно вылепить руки, ноги, каждый пальчик. А Сонечка не нашла в этом ничего особенного, у нее даже вопроса такого не возникло:

– Но ведь она же настоящая! Живая!

Он купил ей взрослые ручные часики. Соня заводит их, поднеся к уху, и восхищенно говорит:

– Слышишь? Как будто кузнечики!

Смастерил ей воздушного змея, и мы все вместе пошли запускать его, но змей долетел лишь до ближайшего столба и запутался в проводах. Когда проходим мимо, машем ему – от него остались одни лоскуты, и он машет ими в ответ.

Еще она любит брать мой фонендоскоп и выслушивать все подряд. Себя, Доньку, стену, кресло, подоконник. Приставит к стеклу и говорит серьезным голосом миру за окном:

– Дышите! А теперь не дышите!

Читаю ей перед сном, а она заслушается, смотрит куда-то в себя и лижет волоски себе на руке чуть выше запястья – сначала в одну сторону, потом в другую. Заглядывает в книгу, когда переворачиваю страницу, – не появилась ли картинка?

Ее нужно все время проверять. Ложится спать, уже юркнула в постель, а зубная щетка сухая. Подъем! В ванную! Все равно что-нибудь придумает – щетку держит неподвижно, а зубы водит по ней, мотает головой из стороны в сторону, будто протестует.

Мне кажется, она боится полюбить меня, потому что тогда это получится, будто она предает свою маму. Она боится измены, предательства. Попыталась поговорить с ней, объяснить, что ничего страшного в этом нет и, если она по-настоящему любит двух людей, это не означает, что она изменяет одному из них.

Мне кажется, у нас все получится. Иногда нам бывает так уютно вместе. Вот в последнее воскресенье укладываю ее, а она просит посидеть с ней еще в полумраке. Боится спать в темноте, умоляет оставить свет. Оставляю ей ночник, прикрытый газовой косынкой. Тени каждый раз другие. Она лежит и придумывает, кто это там, на потолке.

И всегда просит, чтобы я ее погладила кисточкой – как папа.

Вожу мягкой беличьей кисточкой ей по рукам, ногам, спине, попочке. Ей щекотно, она счастливо смеется, извивается.

Целую ее на ночь и шепчу:

– Ну все, а теперь свернись калачиком!

* * *

Сашенька моя!

Здесь кругом так много смерти! Стараюсь не думать об этом. Не получается.

Отремонтировали дорогу до Таку, и оттуда каждый день прибывают новые отряды союзников, готовится наступление. Значит, будет еще больше смерти.

Кирилл сказал, что нужно умирать легко, как Людовик XVI, – тот, взойдя на эшафот и увидев после темницы первого живого человека, с которым мог перекинуться словом, спросил у палача:

– Братец, а что слышно об экспедиции Лапеpуза?

За несколько минут до смерти он еще интересовался географическими открытиями.

Да, и я тоже хотел бы так – с легкостью, будто вышел к завтраку.

Но, наверно, для этого нужно быть очень сильным.

Я сильный?

Сашенька, я тут видел идеальную смерть. Человек – молодой, красивый, белозубый, хотя на зубы как раз он жаловался до этого весь день, ходил с флюсом и чуть не выл от зубной боли, – исчез моментально. Снаряд попал прямо в него. В сам момент взрыва меня там не было, но я потом видел его руку, закинутую на макушку дерева.

Это мой идеал.

Но вдруг так не будет?

Каждый день вижу раненых, и поневоле приходит мысль – ведь завтра я буду одним из них. Вероятность прямого попадания снаряда в мой череп равна, увы, нулю. А вот получить увечье и корчиться в муках – очень даже вероятно.

Ведь пуля или осколок может попасть мне в коленку. Или в ладонь. Застрять в почке, левой или правой. Разорвать сердечную сумку. Пробить мочевой пузырь. Да что перечислять – человек вообще очень ранимое существо. Я тут уже на многое нагляделся.

Смотрю на раненого и поневоле примеряю его ранение на себя.

Один солдат кричал «ура», а пуля в это мгновение пронзила ему обе щеки и выбила зубы. И зачем-то представляю себя на его месте. И не могу от этого избавиться.

Ночью я вышел полусонный по нужде и слышу, как в большой лазаретной палатке кто-то жалобно просит:

– Не могу найти свою шконку. Кто-нибудь, помогите шконку найти!

Это парень, у которого глаза замотаны бинтами, на ощупь пробирается по проходу между походными койками. Тоже вышел среди ночи, а на обратном пути потерялся.

Меня будут перевязывать, оперировать, перепиливать кость, отрезать гниющие остатки вот этой моей правой ноги. Или левой?

Для меня было бы невыносимо ковылять весь остаток жизни на одной ноге или вообще без ног.

И может быть, уже завтра Люси будет отмывать после меня от крови белую клеенку на операционном столе.

А может, наоборот, именно тогда мне и захочется – с легкостью – уйти? Когда это было? Позавчера. Фельдшер вышел покурить между операциями и, увидев меня, подошел. Наверно, хотелось с кем-то поговорить, отвести душу. Его все зовут по имени-отчеству, Михал Михалыч. Он мне нравится – у него всегда добродушный вид, на круглой голове седой остаток студенческого ежика – он когда-то ушел из университета, недоучился, почтенные усы, округлый живот, мелкая старческая походка. У него смешной рыхлый нос, украшенный красными и синими прожилками. Посидели молча, потом он вздохнул:

– Господи, чего в этом лазарете только не насмотришься! Вот сегодня утром принесли одного такого молодого, как ты, и до того изуродованного, что пытался покончить с собой. Я держал его, пока доктор не сделал ему укол.

Докурил, хлопнул меня по плечу, мол, держись, где наша не пропадала, и засеменил обратно в операционную.

Смерть. Столько раз слышал это слово и сам произносил и записывал эти шесть букв, но теперь я не совсем уверен, понимал ли я по-настоящему, что оно значит.

Вот написал это предложение и задумался.

А сейчас понимаю?

Сашка, главное здесь – не думать. А я все время думаю. И это неправильно. Ведь сколько поколений думало об этом и пришло к великой мудрости – надо не думать. Почему солдатам всегда дают какое-нибудь задание, любое, пусть самое бессмысленное, лишь бы их чем-нибудь занять?

Чтобы не думать. В этом есть глубокий смысл — чтобы человек не думал. Нужно спасти его от себя самого, от мыслей о смерти.

Здесь нужно как-то уметь забыться, что-то делать руками — вот их и заставляют то чистить оружие, то приводить в порядок форму, то копать что-нибудь. Придумывают дела.

А я себе, наверно, тоже именно поэтому придумываю дело — писать тебе при первой возможности. То есть делать буквы. И ты меня так спасаешь, родная моя!

Сашенька, милая, хорошая, я не жалуюсь тебе, нет, и знаю, что ты это понимаешь.

Я все время думаю о смерти. Она здесь кругом. С утра до поздней ночи и даже во сне. Я ужасно сплю. Меня мучают кошмары и испарина. Иногда я потею просто по-зверски. Обычно я сны свои не запоминаю, они куда-то испаряются через несколько мгновений после того, как проснусь — так дыхание на зеркале испаряется от сквозняка, без следа. А то, что приснилось сегодня, запомнилось.

Во сне я снова оказался на призывном пункте перед военной комиссией голым — довольно унизительная церемония. Все было как наяву, и я даже совсем не удивился, что прохожу это освидетельствование повторно. Стою в очереди, прикрывшись ладонями, смотрю поневоле на шрамы и ссадины стоящих передо мной, на их волосатые и голые ягодицы, на прыщи, бородавки. Все это унизительно, особенно когда доктор щупает каждого в паху, потом нужно еще повернуться, наклониться вперед и раздвинуть промежность. И вот очередь доходит до меня, а врачом почему-то оказывается Виктор Сергеевич, мой учитель, который умер на уроке. Он протирает галстуком очки и смотрит на меня. Я начинаю оправдываться, что искал те таблетки, о которых он нам говорил, но так нервничал, что никак не мог найти:

– Виктор Сергеевич! Я тогда, в классе, когда вы лежали на полу у доски, перерыл все карманы в вашем пиджаке, но таблеток там не было! Честное слово!

А он качает головой и все протирает галстуком очки.

– Не было... А потом прибежал директор и сразу нашел! Вот же где они были, вот здесь! Я же показывал!

И похлопывает себя по карману.

Тут мне стало совершенно невыносимо, и я проснулся.

Сашенька, я ведь тебе этого не рассказывал.

Когда с ним случился припадок на уроке, я бросился к нему, нашему Тювику, чтобы его спасти, но никак не мог найти эти таблетки. А когда ему дали лекарство, было уже поздно. Я знаю, что в этом нет моей вины, но все равно до сих пор должен заново себе это объяснять.

Ты знаешь, я его очень любил и обижался, когда его называли Тювиком. И любил на переменках забежать к нему по какому-нибудь пустяшному делу, просто очень нравились все эти стеклянные ящики с бабочками, старые шкафы с натуралиями, наполненные огромными страусовыми яйцами, морскими звездами, чучелами.

Запомнилось, как на урок ботаники он принес восковые муляжи яблок всяких сортов в коробках, обложенных ватой. Так нестерпимо захотелось надкусить – настолько они были красивыми, сочными, настоящими!

Летом он дал задание собирать гербарии – как я старался! Но больше, чем рвать растения по оврагам и засушивать их в томах Брокгауза, мне нравилось потом подписывать аккуратным почерком: «Одуванчик, *Taraxacum*» или «Подорожник, *Plantago*». Казалось удивительным, что обыкновенный подорожник может быть таким важным и красивым словом – «плантаго». Похоже, слова меня завораживали больше, чем сами высушенные скучные листочки.

Когда Виктор Сергеевич стал преподавать зоологию, я, как мне думалось, всерьез увлекся орнитологией и, даже за обедом, кушая куриный окорочок, складывал обглоданные косточки вместе, проверяя, как работает сустав: какую функцию выполняет эта косточка или тот хрящик.

Вообще, честно говоря, не знаю, любил ли я все это до него – растения, птиц. Мне кажется, я вовсе не обращал на это внимания. А полюбил всю эту живность его любовью.

Или чтобы он обратил внимание на мои старания, похвалил меня?

Хотя и до гимназии были какие-то случаи моей любви к пернатым – помню, на даче я нашел на березе в гнезде трех галчат, залезал туда несколько раз в день и сбрасывал в их глотки кусочки котлет, а воду заливал из старого наперстка, выпрошенного у бабушки.

Но настоящую проверку моя любовь к природе прошла через пару лет, тоже на даче и тоже с птенцом. Ко мне с ревом прибежал соседский мальчик, давился слезами и все никак не мог мне объяснить, что произошло. Я побежал за ним. То, что я увидел у них на дорожке, ведущей к крыльцу, действительно было не для детского глаза. Из гнезда упал птенец, но неудачно, рядом с муравейником, и он весь был облеплен муравьями, корчился беззвучно, и я растерялся, не зная, что делать. Спасти его было уже невозможно, но и просто стоять и смотреть на его мучения я тоже не мог.

Ты знаешь, Сашенька, мне кажется, в ту минуту я по-настоящему начал взрослеть. Я понял, что должен найти в себе мужество сделать добро. А добром в эту минуту будет поскорее прекратить эти мучения. Я взял лопату, сказал мальчишке идти в дом, сам подошел к птенцу, превратившемуся в живой черный муравьиный комочек, и разрезал его лезвием лопаты пополам. Обе половинки продолжали корчиться – или мне так показалось из-за муравьев. Я отнес эти муравьиные кучки к забору и там закопал. А тот мальчик все видел из окна террасы, обиделся на меня и не мог мне этого простить.

Еще Виктор Сергеевич мне нравился, потому что он умел привычные вещи сделать непривычными. Вот мы на уроке литературы смеялись над тем, как молодого Пушкина послали на саранчу, и он написал ядовитый отчет:

> Саранча летела, летела
> И села,
> Сидела, сидела, все съела
> И вновь улетела.

Ну, разве не смешно? А у Виктора Сергеевича все получилось совсем по-другому. Пушкин был чиновником для особых поручений, его, энергичного, смышленого, послали в командировку по важному вопросу. Люди попали в беду, остались без средств к существованию, ждали от правительства помощи.

Мне кажется, мой учитель просто обиделся за такое высокомерное отношение к насекомым, которые для него были не менее важными, сложными и живыми, чем мы сами.

В гимназии над ним все смеялись, даже другие учителя, и мне было от этого очень обидно. Но что я мог сделать?

Я мог только полюбить то, что любил он, — растения, птиц. Потом, после его смерти, мое увлечение всеми этими голосеменными, новонебными и бескилевыми, конечно, прошло, но названия в памяти остались — и так здорово было не просто гулять по лесу, а знать — вот любистик, вот канупер, вот ятрышник, а там щирец. Идешь по тропинке, а вокруг крушина, дремлик, кислица, короставник! А вот курослеп, осот, горечавка! А птицы! Вон пеночка, там желна, а это олуша!

Ведь это так здорово – идти по тропинке и знать, почему иван-чай любит пепелища!

И от всего – удивительное ощущение жизни, которая никогда не кончится.

После его смерти я впервые по-настоящему задумался о своей.

Конечно, ты скажешь, что любой юноша испытывает эти приступы ужаса, эти припадки страха, и, конечно, ты права, все это самое обычное. И я сам прекрасно все это понимал. Но мне от этого не становилось легче.

Мама часто рассказывала, как я, пятилетний, спросил испуганно, услышав, как взрослые говорили о чьей-то смерти: «Я тоже умру?» Она ответила: «Нет». И я успокоился.

В детстве, играя в войну пуговицами, я воображал себя ими на поле боя, когда бежишь в атаку, кричишь «ура» – и падаешь, раскинув руки, убитым. Полежишь мгновение, потом вскакиваешь и бежишь дальше как ни в чем не бывало, живой, жаждущий рукопашной схватки. Режь, бей, коли!

Однажды я так заигрался, что не заметил, что мама стояла в дверях и смотрела на меня. Она сказала:

– А ты знаешь, что у каждой убитой пуговицы тоже есть мама, которая ждет дома и плачет.

Я тогда не понял ее.

Помню, после смерти бабушки я попробовал представить себя мертвым – лег на диван, сложив руки на груди, расслабил все мускулы, зажмурил глаза и попытался долго не дышать. На какое-то мгновение мне даже показалось, что я смог остановить стук сердца. И что? Я только почувствовал себя невероятно живым. Какая-то до того не осознанная сила во мне заставила меня дышать. Моей воли для нее вообще не существовало. К пониманию смерти я не приблизился тогда ни на йоту, но зато явно ощутил в себе, что такое жизнь. Это мое дыхание. Оно хозяин меня.

Тело свое я не любил и презирал, кажется, с той самой отроческой поры, когда вдруг осознал, что я – это не совсем оно, а оно – это совсем не я. Странно было, что на призывной комиссии во время медицинского осмотра снова, как когда-то маму в детстве, кого-то интересовал мой вес, рост, зубы, и аккуратно заносились на бумагу все эти цифры, не имеющие собственно ко мне никакого отношения. Зачем все это? Кому нужно?

Знаешь, отчего стало страшно в первый раз – мне было четырнадцать или пятнадцать, – оттого, что вдруг пришло озарение: мое тело тянет меня в могилу. Каждый день, каждое мгновение. С каждым вдохом и каждым выдохом.

Разве не повод возненавидеть его уже только за одно это?

Помню, я лежал на своем диване и взгляд скользил по вскрытым внутренностям парохода на стене, и мне пришло в голову, что этот огромный корабль сразу бы утонул, если бы только почувствовал всю бездонную глубину под собой.

Мое тело почувствовало эту бездну.

И всякий раз находились новые поводы для ненависти. Вот пришла пора бриться. Кожа у меня, ты же знаешь, неровная, отвратительная – фурункулы, прыщи, – бреюсь и все время режусь, кровь идет. Пробовал отпустить бороду – не растет, несчастье одно, а не борода. И вот помню, брился, порезался очередной раз, и меня парализовала мысль, что вот этот мерзкий кожаный мешок, набитый требухой, уже сейчас, в эту самую минуту, когда я прикладываю кусочек газетки к порезу, идет ко дну и утягивает меня с собой. И он будет тонуть все годы моей жизни, пока не утонет.

Все делалось невыносимым. Простые предметы, как сговорившись, твердили об одном: вот алтын – он будет, когда меня уже не будет, вот дверная ручка, за нее будут браться, вот сосулька за окном, она и через триста лет будет сосулькой сверкать и переливаться на солнце в мартовский полдень.

И зеркало на рассвете из безобидного предмета вдруг стало тем, чем оно было на самом деле, – глоткой времени. Заглянешь в него всего через минуту – а оно уже эту минуту проглотило. И моей жизни на эту минуту стало меньше.

И еще угнетало, что все кругом так уверены в собственном существовании, а я сам себе иной раз кажусь нереальным и совсем не знаю себя. И если не уверен в себе, то как можно быть уверенным в остальном? Может, меня вообще нет.

Может, меня кто-то придумал – как я придумывал человечков на корабле – и вот теперь мучает.

Я проваливался в черный омут без дна, я исчезал, переставал существовать. Мне для существования нужны были доказательства. Их не было. Зеркало отражало что-то, но обо мне оно, как, впрочем, и я сам, не имело никакого представления. Оно могло только глотать все без разбора.

Я ничем не мог заниматься, все, за что брался – и что в обычное время развлекало, доставляло радость, те же книги, – теперь не могло удержать меня на плаву, все покрывала, как жирным налетом, липкая бессмысленность.

И особенно раздражал слепой. Я лежу в своей комнатке, забившись в угол дивана, спрятавшись под подушку, и меня трясет мелкой дрожью от ужаса темноты и пустоты, а он, насвистывая, бодро шаркает по коридору, живет полной жизнью, которая, несмотря на слепоту, вовсе не кажется ему темной и пустой! Что он такое своими слепыми глазами видит, чего не вижу я? Какой такой невидимый мир?

Больше всего доставалось маме. Я запрусь в комнате и не выхожу, не ем, ни с кем не разговариваю.

Говорить с мамой было, конечно, бесполезно. Она считала, что у меня свойственные возрасту *приступы*. Я слышал, как она объясняла про меня своей подруге:

– Вот приступ живописи прошел, теперь приступ смысла жизни. Обойдется! Хорошо хоть, что еще никакая недотрога его не охмурила! Они теперь знаешь какие!

Девушек я боялся ужасно. Не боялся, но стеснялся до паники. Однажды ехал в трамвае, а передо мной села одна с удивительными волосами – целый ушат каштановых волнистых волос. И такие пахучие! Она время от времени их подбирала ладонями с краев и снова забрасывала за плечи. И так захотелось до этих волос дотронуться! Я увидел, что никто не смотрит, и потрогал их. Мне казалось, что незаметно. Но она заметила и насмешливо скосила на меня глаза. А я так смутился, что пулей вылетел из вагона.

После такого еще больше начинаешь себя презирать!

Сейчас смешно вспоминать, но мама так боялась за меня, что тайком обыскивала мои вещи – вдруг у меня яд припрятан или револьвер?

Однажды слышу шепот за дверью, умоляет своего слепого:

– Павлуша, поговори с ним, пожалуйста, ты же мужчина, вы скорее поймете друг друга!

Шаркает, стучится.

Я в ответ кричу:

– Отстаньте все!

Возьмешь книжку какого-нибудь мудреца-отшельника в надежде найти если не ответ, то хотя бы правильно поставленный вопрос, а все мудрецы-отшельники хором призывают жить настоящим, радоваться минутному, преходящему.

Но это же надо еще уметь!

Как радоваться настоящему, если оно ненужно и никчемно? И от всего тошнит – от обоев, от потолка, от занавесок, от города за окном, от всего этого *не я*. Тошнит от самого себя, такого же *не я*, как и все остальное. Тошнит от куцего, убогого прошлого, состоящего из глупостей и унижений. И особенно тошнит от будущего. Особенно от будущего – это ведь дорога в ту смрадную дырку в кладбищенской уборной.

А до этой дырки – зачем все? Что я сам выбрал? Плоть? Время? Место? Ничего я не выбирал, никуда меня не звали.

И вот когда становилось совсем плохо, когда действительно думал о том, что можно взять у слепого в ванной бритву, когда задыхался от невозможности прожить еще вдох, а потом выдох, а потом снова вдох и еще раз выдох, кожу покрывала испарина, сердце болело, меня бил озноб – вдруг где-то в кончиках пальцев начиналась удивительная вибрация.

Откуда-то из глубины поднималось нестройное, но уверенное гудение. Росло волной. Заставляло вскочить, бегать по комнате, отрывать с треском и клочьями створки окна, заклеенного на зиму, дышать улицей. Гудение нарастало, крепло, распирало. И наконец, необъяснимая сокрушительная волна, как горстью, подбирала меня с самого дна и выбрасывала на поверхность, к небу. Меня переполняли слова.

Сашенька, это нельзя объяснить, это можно только пережить.

Страх растворялся, улетучивался. Исчезнувший мир возвращался в себя. Невидимое становилось видимым.

Все это *не я* начинало отзываться, гудеть в ответ, признавать меня своим. Ты ведь понимаешь, о чем я? Все вокруг делалось моим, радостным, съедобным! Хотелось ощупать, внюхать в себя, попробовать на язык и обои, и потолок, и занавески, и город за окном! *Не я* делалось мной.

В те минуты я только и жил. Оглядывался кругом и не понимал, как без этого могут обходиться другие. Разве можно без этого жить?

А потом слова уходили, гудение исчезало, и снова начинались приступы пустоты, настоящие припадки – меня знобило, трясло, я валялся днями на своем диване и не выходил никуда – не мог себе объяснить: зачем нужно куда-то выходить? Кому нужно выходить? Что такое – выходить? Что такое – я? Что такое – что?

И самое страшное – а вдруг слова больше не придут?

В какой-то момент я остро ощутил связь: мерзлую вселенскую пустоту, из которой я не могу выкарабкаться, может заполнить только то чудесное гудение, шелест, рокот, прибой слов. Получалось, что ежеминутное, преходящее становится радостным и осмысленным только тогда, когда оно проходит сквозь слова. А без этого та радость от настоящего, к которой призывали меня мудрецы, просто невозможна. Все настоящее ничтожно, никчемно, если оно не ведет к словам и если слова не ведут к нему. Только слова как-то оправдывают существование сущего, придают смысл минутному, делают ненастоящее – настоящим, меня – мной.

Понимаешь, Сашенька, я жил в какой-то отчужденности от жизни. Между мной и миром оградой выросли буквы. На происходившее со мной я смотрел только с точки зрения слов – могу я это взять с собой туда, на страницу, или нет. Я знал теперь, что ответить давно сгнившим мудрецам: мимолетное обретает смысл, если поймать его на лету. Где вы, мудрецы, ау? Где видимый вами мир? Где ваше мимолетное? Не знаете? А я знаю.

Казалось, что мне открылась истина. Я вдруг почувствовал себя сильным. Не просто сильным, а всесильным. Да, Сашка, смейся надо мной – я ощутил себя всемогущим. Мне открылось то, что было закрыто для незнающих. Мне открылась сила слова. По крайней мере, тогда так казалось. Через меня замкнулась очень важная цепь, может быть, самая важная, которая шла от того реального человека, пусть потливого, с дурным запахом изо рта, левшой, правшой, мучимого изжогой, неважно, но такого же реального, как ты и я, который написал когда-то: «В начале было слово». И вот слова его остались, а он – в них, они стали его телом. И это единственное реальное бессмертие. Другого не бывает. Все остальное – там, в яме с кладбищенскими испражнениями.

Через слова протянулось от того человека ко мне то, что сильнее и жизни, и смерти, особенно если понять, что это одно и то же.

Представляешь, с каким удивлением я смотрел на окружающих. Как они могут быть? Почему они, не будучи подвешены на этой цепочке над смертью, не падают? Что их держит?

Для меня было очевидно, что древнейшее правещество – чернила.

Златоусты всех времен и народов уверяли, что письмо не знает смерти, и я им верил – ведь это единственное средство общения мертвых, живых и еще не родившихся.

Я был убежден, что мои слова – это то, что останется после того, как все сегодняшнее, мимолетное сбросят в выгребную яму на бабушкином кладбище, и потому написанное мной – это самая важная, самая главная часть меня.

Я верил, что слова – это мое тело, когда меня нет.

Наверно, нельзя так любить слова. Я любил их до одури. А они за моей спиной перемигивались.

Они надо мной смеялись!

Чем больше я перекладывал себя в слова, тем очевиднее становилось бессилие что-то словами выразить. Вернее, так – слова могут создать что-то свое, но ты не можешь стать словами. Слова – обманщики. Обещают взять с собой в плавание и потом уходят тайком на всех парусах, а ты остаешься на берегу.

А главное – настоящее ни в какие слова не влезает. От настоящего – немеешь. Все, что в жизни происходит важного, – выше слов.

В какой-то момент приходит понимание, что если то, что ты пережил, может быть передано словами, это значит, что ты ничего не пережил.

Я, наверно, очень путано все говорю, Сашенька, но все равно мне нужно выговориться. И знаю, что, как бы я ни путался, ты меня поймешь.

Я про тщетность слов. Если не чувствовать тщетности слов, то, значит, ты ничего в словах не понимаешь.

Попробую объяснить это вот так: помнишь, я писал тебе, что когда-то на переменке, начитавшись, как средневековые шуты изводят своих сеньоров-недоумков каверзными вопросами, я попробовал посмеяться таким же образом над моим мучителем из старшего класса, а тот, недослушав моей витиеватой фразы, привычно хлопнул меня по ушам.

Так вот, златоусты с их упованием на продление себя во времени – это такие же глупые начитанные мальчики, как я, пытающиеся всю свою жизнь заговорить витиеватыми разговорами смерть, а она в конце концов, недослушав, все равно хлопнет их по ушам.

Помнишь, я никак не мог убедить тебя, что любая книга – ложь, уже хотя бы потому, что в ней есть начало и конец. Нечестно поставить последнюю точку, написать слово «конец» – и не умереть. Мне казалось, что слова – это высшая истина. А оказалось – какой-то фокус, мошенничество, ненастоящее, недостойное.

Я дал себе зарок больше ничего не писать. Мне казалось, что это достойно.

Сашенька, и никто ведь не объяснит, пока в каком-нибудь неподходящем месте само вдруг не откроется, что на вопрос *кто я?* ответа не существует, потому что нельзя знать ответ на этот вопрос, можно только быть им.

Понимаешь, мне захотелось быть.

Я не был собой. Слова приходили – и я чувствовал себя сильным, но я не мог им сказать – приходите! И они оставляли меня пустым, никчемным, использованным, выбрасывали на помойку.

Я ненавидел себя слабого и хотел быть сильным, но каким мне быть – за меня решали слова.

Сашенька, пойми, я больше так не мог! Ты все время думала, что дело в тебе, – нет!

Я должен был освободиться от них. Почувствовать себя свободным. Живым просто так. Я должен был доказать, что существую сам по себе, без слов. Мне нужны были доказательства моего бытия.

Я сжег все написанное – и не жалел об этом ни минуты. Ты ругала меня, но напрасно. Родная, не ругай меня, пожалуйста! Мне нужно было измениться, стать другим, понять то, что понимают все, кроме меня, и увидеть то, что видит каждый слепой!

Мне не дано умереть и родиться другим – у меня есть только эта жизнь. И я должен успеть стать настоящим.

И знаешь, что странно – те тетради давно превратились в пепел, но себя того, прошлого, я начинаю сжигать только здесь и сейчас.

Ты знаешь, это ведь я слепой был. Видел слова, а не сквозь слова. Это как смотреть на оконное стекло, а не на улицу. Все сущее и мимолетное отражает свет. Этот свет проходит через слова, как через стекло. Слова существуют, чтобы пропускать через себя свет.

Ты улыбнешься: конечно, вылитый я – дал слово ничего больше никогда не писать, а теперь думаю, что, когда вернусь, может быть, напишу книгу. А может, и не напишу. Неважно.

То, что я сейчас испытываю, – намного важнее сотен и тысяч слов. Скажи, как можно передать словами эту готовность к жизни, которая меня переполняет?

Сашенька моя! Еще никогда я не чувствовал себя таким живым!

Выглянул на минуту – лунная ночь, небо яркое, звездное и очень похожее на счастье. Прошелся, потирая уставшие пальцы.

Изумительная ночь. Такая луна – читать можно. Блеснула на штыках. Палатки светятся лунным светом.

Тишина замечательная, ни звука.

Нет, отовсюду звуки, но такие мирные, чудесные – лошадь цокнула, храп из соседней палатки, в лазарете кто-то зевнул, цикады на тополях стрекочут.

Стою и вглядываюсь в Млечный путь. Теперь всегда сразу вижу, что он делит мироздание наискосок.

Стою под этим мирозданием, дышу и думаю: вот, просто луна, оказывается, может сделать человека счастливым. А я столько лет искал доказательств собственного бытия!

Какой я невозможный дурак, Сашка!

К черту луну! К черту доказательства!

Сашка моя родная! Какие еще нужны доказательства моего бытия, если я счастлив из-за того, что ты есть, и любишь меня, и читаешь сейчас эти строчки!

Знаю, что написанное письмо все равно как-то дойдет до тебя, а ненаписанное – исчезнет бесследно. Вот и пишу тебе, Сашенька моя!

* * *

Иду вчера от остановки и уже издалека вижу ее – мне навстречу.

Перехожу на другую сторону – и она тоже.

Идет прямо на меня. Останавливаемся лицом к лицу.

Причесанная, ухоженная, выглядит намного моложе. Будто другая женщина. Волосы зачесаны наверх, уши видны – со сросшейся мочкой.

Молчит. Веко у нее вдруг начинает нервно трепетать.

Говорю ей:

– Добрый день, Ада Львовна!

Веко подергивается.

– Александра, мне надо с вами поговорить. С тобой. Ты должна меня выслушать. Мне надо рассказать.

А я ей:

– Не надо.

Не надо мне ничего рассказывать, Ада Львовна!

Я все знаю.

Муж объелся груш.

А за много лет до этого жена мужа думала: кому я такая нужна?

Когда набухло вокруг сосков, обрадовалась, а то уже вымахала и все еще ничего нет. Выглядела, как восьмилетняя гулливерша.

О Гулливере задумалась – как же он какал? И что бедные лилипуты делали со всем этим? Один раз пописал, и хватило на то, чтобы затушить целый пожар. Ведь в какие горы превращались ежеутренне все эти быки, коровы, бараны! Вдруг ощутила какую-то большую неправду, но не оттого, что не бывает таких больших людей.

Второй муж мамы – неудачник. Неудачники всегда женятся на вдове с ребенком.

Когда-то в далекой юности послал свою симфонию знаменитому композитору, а в ответ ничего. Потом на концерте узнал в новом произведении мастера свою музыку. С тех пор мстил человечеству ничегонеделанием. Подрабатывал аккомпаниатором в танцклассе, грел озябшие пальцы на батарее.

Читал вслух всегда из газет занимательные факты и любил цифры. Вот ведь за последние пять тысяч лет покончили с собой столько-то человек. И никто не знает точно сколько. Но на самом-то деле такая цифра есть. Существует. Живет. Объективно и независимо. Так существовала когда-то до Колумба неоткрытая еще Америка. Если мы чего-то не знаем, не видим, не чувствуем, и не слышим, и не можем попробовать на язык, это не значит, что этого нет.

По статистике, самоубийство чаще всего происходит днем в два-три часа или вечером в одиннадцать-двенадцать.

Неудачнику казалось, что, женившись, поступил благородно, а в ответ – неблагодарность. Когда влюбился, говорил любимой:

– Я так счастлив, что ты появилась в моей жизни, ты – мое спасение.

А через много лет подумал:

– Разве женщина может быть спасением? Если плывешь – она помогает плыть, если тонешь – она лишь помогает утонуть.

Все ждала, когда мамин муж начнет смотреть на нее не по-отечески, а он так и не посмотрел.

Мать стучала целыми днями на машинке. Мозоли на пальцах, твердые подушечки. Завещания, доверенности, купчие, протоколы обыска, заверенные переводы. Каждый раз теряла работу, когда начальник, заглядывая в вырез блузки, оставлял после работы, запирал дверь на ключ, доставал бутылку вина, два бокала и уверял вкрадчиво:

– Я знаю, вы любите мужа, вам трудно, мог бы вам помочь.

Отказывалась от помощи, одним ловким движением вкручивая лист в каретку.

Стала брать работу на дом. Все время с головной болью, отупев от многочасового выстукивания. Ставила пишущую машинку на подушку. Лента истрепанная, в дырах. Копирка прострелена навылет. Высунулась в окно покурить, а звездное небо ей кажется использованной копиркой.

Сразу после смерти матери переехала жить, чтобы не оставаться в одной квартире с запившим неудачником, к бабушке с дедушкой.

Бабка ей на похоронах:

– Не порть горе – поплачь!

Говорили, что мать умерла от сердца. Слабое сердце не выдержало.

Только когда исполнилось шестнадцать, ей сказали, что мать покончила с собой. Показали предсмертное короткое письмо. Оно заканчивалось так: «Адочка, без настоящего горя душа не созреет. Человек растет на горе».

На самом деле мать умерла так: высыпала на ладонь остаток снотворных таблеток из флакончика – их никто не считал, но где-то такая цифра есть, существует, живет – бросила их в кухонную ступку. Потолкла пестиком. Залила рябиновой настойкой. Получилась кашица. Размешала ложечкой. Еще подлила немного, чтобы стало пожиже.

Перелила в стакан. Выпила залпом. Прислушалась к себе. Потом вытряхнула коробку с лекарствами на стол и стала глотать все подряд: просроченные сердечные и от изжоги, от астмы и от печени.

Мамин муж пришел поздно, увидел жену спящей и не стал будить. Удивился только, что легла, не раздеваясь.

Мама вовсе не хотела умирать, а хотела, чтобы ее спасли и любили.

Через три года написала открытку старикам: «Дорогие бабушка и дедушка! Я вышла замуж. Ада». Не написала, но подумала: «И не могу понять только одного – за что мне, мне, которая знает себя настоящую, изнутри, столько счастья?»

Муж молод, непризнан, нежнорук, огнедышащ.

Он сказал ей про дар: это же не от родителей, это – проснуться.

Жить было не на что, от помощи отца-профессора отказался. Вообще с ним не разговаривал. Она продала свою единственную драгоценность, мамино обручальное кольцо, а он по ночам ходил работать грузчиком, по воскресеньям мыл окна в пустых учреждениях, иногда витрины.

Научилась вить гнездо в съемных углах, сумела полюбить чужую обшарпанную мебель.

Она пошла работать, чтобы он мог учиться. Его мучило, что он живет на ее деньги. А она ему:

– Ну что ты, дурачок, такое говоришь! Разве мы не муж и жена?

Когда работала во вторую смену, готовила ему завтраки и приносила в постель, чтобы еще полежать рядом, приласкаться. Слушала, что готовила ему мама, и вступила с ней в тайное соревнование, но мамины пирожки так и остались лучше.

Листал библиотечный альбом и ткнул пальцем:

– Ада, смотри, это мы.

Лысая дама с прирученным единорогом.

Спросила:

– А когда ты понял, что мы будем вместе?

– Когда ты сняла очки. Будто сняла с себя одежду. Странно – ты просто сняла очки, а я понял, что тебя люблю.

Раньше он обрезал себе ногти карманным ножом, а теперь она ему кривыми ножничками.

Тайком получала деньги от профессора. Неопрятный, неухоженный, с дурным запахом изо рта – весь в своей науке. Уже больной, с отмирающими участками кожи на руках. Каждый раз просил:

– Только не говорите ему, что эти деньги от меня. Ему будет больно.

Кругом ломали дома, муж приносил домой выброшенные вещи, стулья, фотографии в рамочках, бронзовые шпингалеты. Один раз кто-то умер в соседнем подъезде, освобождали квартиру, выбрасывали все на помойку, притащил связку писем. Почему-то отталкивали все эти обращения: Кошечка! Миленькая моя! Сладкий мой! Ненаглядная моя Танечка! Это потому что письма – чужие.

Он ей объяснил, почему чужие письма можно читать:

– Потому что мы тоже умрем. А с точки зрения писем уже умерли. Чужих писем не бывает.

Каждый раз поражалась, что он делится своими мыслями с ней, которая даже и понять их толком не может. Просто запоминала:

– В начале было не слово, но рисунок – алфавитные знаки представляют собой производную, сокращенную форму.

Или:

– По образу и подобию своему – каждый может. И кошка, и облако. Надо изображать лес не таким, как его видят деревья.

Обнял ее руками, перепачканными пастелью, и она так и вышла, пятнистая, на улицу.

Днем она была сильная и готова защищать его от всего мира, а ночью ей надо было выплакаться в его объятиях.

Всего-то и нужно для счастья – смывать за ним в раковине грязную пену с бритвы.

Детей у них не было, да он и не хотел.

Делала глазунью, разбивая яйца о край сковородки, и сто лет прошло.

На верхней губе появилось раздражение, но он и так давно перестал ее целовать.

У него другие, она не верит. Пока есть возможность ничего не знать, нужно не знать.

Волнистая шпилька-невидимка вдруг становится видимой.

Чужие запахи.

На ее столике не ее помада.

– Чья это?

– Что значит чья? Разбрасываешь по всей квартире!

Как он ласкает ту? Так, как ласкал ее, или по-другому?

Какие слова говорит он той, сжимая в объятиях, при встречах и расставаниях? Это с ней он битое стекло, а с той – нежнорук и огнедышащ.

Оттирала пятно на полу и заметила на паркете вмятинки. Представила себе, как та стучала острыми каблуками по паркету, и эта каблучная дробь действовала на него возбуждающе.

Во время редких ночных ласк как узнать, хочет ли он в темноте именно ее, а не ту, неистощимую на игры «давай станем другими»?

В постели испугалась, что он не ее держит в руках, закрыв глаза. Попросила:

– Посмотри на меня!

Больнее всего было то, что он приводил ту к ним домой. Та брала ее вещи, трогала все, презрительно усмехаясь, мол, что за вкус у твоей!

Стало страшно ложиться – будто это уже не ее кровать. Кто застилал одеяло, поправлял подушки?

Ногти короткие и неухоженные.

Пытается представить его чувства, когда он приходит домой, обнимает и чувствует ее живот, который упирается в него, а до этого обнимался с другой, стройной.

Той он расстегивал лифчик и целовал груди. Какие?

Уходил куда-то, а ей казалось – к той. Куда бы он на самом деле ни уходил. К той.

Звонил ей сказать, что все в порядке и чтобы не ждала к ужину – пока та принимала душ.

В каждой его знакомой видела ту.

Смотрит, во что та одета, и думает, что, может быть, именно это платье он расстегивал.

Боялась, что та ей скажет:

– Ты довела его без любви, а я могу дать ему то, чего ты не можешь. Это от тебя у него тайны, а мне он все говорит.

И что ответить, если так и есть.

Ведь это ее собственная вина, ведь она утратила свойство быть другой.

Он скрывает свои измены – значит, его нужно простить, потому что так он заботится о ее чувствах, бережет ее. Это значит, что она ему нужна, что он ее ценит, боится обидеть, оскорбить.

Признание – не честность, а жестокость. Он не хочет быть жестоким к близкому человеку.

Измена – это не тело, тело всегда само с собой. Когда люди вместе – неважно, где их тела.

Она не может его потерять, потому что теряешь только то, чего не имеешь.

Человеку невозможно без ласки, и ее всегда не хватает и будет не хватать, потому что потребность в ласке всегда больше любой ласки.

Если приоткрыл отдушину, значит, задыхался.

И как могут устоять перед ним другие, если она не устояла?

Молчала, делала вид, что ничего не замечает, что все хорошо. Боялась слов – слова могут только разрушить. Вдруг он скажет:

– Когда та до меня дотрагивается, бросает в дрожь. А от тебя не бросает. Это я ей изменяю с тобой.

Ни слова, ни упрека, ни вопроса. Было больно, но простила.

И нет на него обиды – он ведь тоже мучается. Из чувства вины он становился добрее.

Когда позвонила та – позвала его к телефону, а сама пошла в ванную, включила воду, чтобы не слышать.

Боялась его обнюхать или перед стиркой что-то найти в вещах – просила самого посмотреть, не забыл ли что в карманах.

Старалась быть с ним легкой – так сестра целует брата утренним поцелуем:

– До скорого!

Жить, будто мир не рушится. Не ходить по дому в слезах. Стирать и гладить, потому что если придет к той в неглаженой рубашке – пожалеет и выгладит.

Когда появилась мастерская, стало легче, он оставался там ночевать на диване.

Утром, когда не хочется вставать и жить, – улыбнуться. И еще раз улыбнуться. И еще.

Сказать давно не беленному потолку слова благодарности.

Дети ведь не от семени.

Родилась дочка, ребенок поздний, долгожданный, намоленный. С большой помятой головой – при родах разодрала материнскую плоть в клочья.

Обезьянка родится и сразу хватается за мамину шкуру, а ребенок рождается, и ему даже не за что уцепиться – голый, беззащитный.

Горячая волна, поднимавшаяся от младенца, соединила их заново, по-другому. Снова стало ясно, почему они вместе.

Молока было мало, и она ревновала к молочной бутылочке.

Он любил сам переодевать дочку. Говорил, что у нее пальчики на ногах как леденцы.

После рождения Сонечки ей было не до ласк, а он не настаивал, и снова прошло сто лет.

Дочкины болезни отнимали тело и душу, и стало легче объяснять себе его нелюбовь. Теперь можно было себя ругать за то, что стала меньше уделять ему внимания из-за ребенка, ведь муж почувствовал себя одиноким и покинутым. Когда ребенок заболевал, она думала только об этом, ничего другого для нее больше не существовало.

Делали прокол уха, муж не выдержал и ушел из кабинета подальше от крика. Она положила головку дочки себе на колени и зажала руками, как тисками. Соня смотрела на нее снизу вверх испуганными глазами, не понимавшими, почему ее привели на эту боль, и кричала, не вырываясь, смирившись.

Перед зеркалом оттягивала себе пальцем кожу под глазом и не верила – сколько морщин! Начала терять волосы, в ванне слив забился – вынула мокрые слипшиеся комки. Перестала улыбаться, чтобы не показывать съеденные кариесом зубы, –

а та, другая, вкусно зевала, открывая в пасти свежее, молодое, здоровое.

За спиной его друзья над ней смеялись, ведь они все знали, конечно.

Иногда оставлял записку, что, может быть, не вернется на ночь. Один раз приписал: «Ты вышла когда-то замуж за гения, а теперь живешь с самовлюбленной стареющей пустотой. Родная, потерпи меня еще!»

После этого полюбила его сильнее.

Часто вспоминала, как однажды, когда стало невмоготу, закрыла глаза и вдруг почувствовала, что счастлива. Счастье, наверно, и должно быть таким, мгновенным, как укол иголкой: ребенок канючит, от клеенки несет мочой, денег нет, погода отвратительная, молоко сбежало, нужно теперь отдраивать плиту, по радио передают землетрясение, где-то война, а все вместе это и есть счастье.

Еще дождливое столетие. И еще.

Уже давно делили больше стол, чем ложе, не супруги, но сотрапезники.

Раздевались, не глядя друг на друга, ложились каждый на свой край – большая кровать и долина между ними. Ее голова уже не покоилась на его плече. Расстояние, разделяющее зимней ночью два замерзших существа, ничтожно, но непреодолимо.

В семейной постели вдруг проснуться от одиночества. Зачем-то посмотрела, как он спит – лицо совсем старое.

В доме поселился новый звук – захлопнутой двери.

Кричал на свою жизнь, а получала она, понимая, что она и есть его жизнь.

Скандалы. Затяжные, изматывающие, при затравленно хнычущем ребенке.

Один раз держал в руке чайник с кипятком, и она испугалась, что сейчас плеснет на нее, но он сдержался и полил на подоконнике горшочек с алоэ. Потом выкинула вместе с горшком в помойку, вынесла ведро, вернулась, а запах обваренного алоэ на кухне еще стоял.

Однажды пьяный стал на нее кричать:

– Не носи мне тапки в зубах!

В ванной он так и не научился задергивать занавеску душа до конца, приходилось каждый раз тряпкой убирать за ним.

И никогда не счищал после себя ершиком мазки в унитазе.

Презирал своих друзей, достигших чего-то, а доставалось опять ей. Однажды подумала, что ее жизнь для его жизни промокашка. Ему судьба что-то пишет и тут же ею промокает – тогда его жизнь обрывками проступает на ней. Как только у него клякса, она тут же прикладывает себя.

По углам собираются комки пыли, убегают от щетки, как зверьки. Думала, чем они питаются, и вдруг поняла – ее годами.

Носки всегда разбрасывал. Огрызок на книжной полке. Обрезки ногтей на столе. Но главное – носки. Это же не мелочи, это метки. Люди ведут себя, как животные, только не могут вспомнить – почему. Люди метят свою территорию запахом из ног, оставляя след. Все животные это понимают и ходят босиком. Вот Донька любит положить морду на ноги или тапки, и запах хозяев приятно щекочет ей ноздри.

Чем труднее людям жить вместе, тем сильнее они метят.

Все боялась, что он однажды скажет:

– Я люблю другую. И ухожу к ней.

А он взял и сказал.

Уже заранее заготовил слова. Если бы она умоляла – и умоляла – остаться ради ребенка, он бы сказал – и сказал:

– Единственное, что родители обязаны сделать ради ребенка, – это быть счастливыми. С тобой я несчастлив. А с ней – да. Несчастливые люди не могут дать счастья ребенку.

Она и сама понимала, что – ради ребенка – только отговорка. Просто страшно остаться одной. Ведь никто больше не полюбит.

Говорила ему, не веря сама:

– Не пори горячку! Давай отложим до лета. Повремени! Вам обоим лучше проверить себя, испытать. Вдруг это просто порыв, а пройдет время, и все остынет. Зачем тогда ломать жизнь? Если действительно захочешь тогда уйти – не буду держать.

И он тоже не верил:

– Только с ней я понял, что такое любовь.

– А как же я?

– Что ты хочешь, чтобы я тебе сказал?

– Что это ошибка.

– Да это ты, ты – ошибка!

Схватила банку с мутной водой от акварели, оставшейся на столе после Сони, и швырнула в шкаф с посудой. Все вдребезги, вся комната в осколках и грязной воде. Ребенок вскочил с кроватки, остановился голыми ногами на пороге.

– Стой! Не входи сюда!

Оба бросились к Соне. Он поскользнулся, поранил руку о стекло. Она схватила дочку в охапку и отнесла в постель. Уложила, успокоила, вышла, прикрыв дверь. Стали ругаться шепотом.

Кровь никак не останавливалась, ненависть тоже.

Когда кончились слова, измазал ей кофточку на груди кровью из руки и ушел, брезгливо переступив через разбитое стекло.

Рухнула на кровать и разрыдалась, не жалея только о брошенной банке. Жалела, что ждала столько лет, чтобы швырнуть ее.

Полночи убиралась, потом взяла Сонечку к себе в постель. Та ворочалась и к утру спала поперек, оттеснив ее на самый край.

Столетия закончились.

Вечера, когда забирают Соню, самые тяжелые. Бродит по опустевшей квартире и думает.

Вдруг поняла, что у нее нет подруг. Ее подруги куда-то за годы пропали, остались только его друзья. Они теперь совсем по-другому с ней разговаривают. Всем стало некогда. Да и не хотелось смотреть в глаза тем, кто все давно знал.

Раньше снимала чулки, и Донька, виляя хвостом, лизала ей пальцы, а теперь лижет ноги той.

Попробовала напиться, купила бутылку вина – кислятина, не смогла заставить себя пить, вылила в раковину.

То берет себя в руки, то не хочет. Наткнется на его старый носок, и опять слезы.

Никто рядом не храпит, ногами не пинает, простыни в жгуты не скручивает.

У него же больной желудок. Разве та, молодая, будет следить, чтобы на завтрак у него была овсянка и чтобы вообще он ел поменьше соленого?

Поняла, чего ему не хватало в их жизни: ему не хватало другой жизни.

А вдруг он позвонит ей, пьяный, несчастный, раскаявшийся, а ее не окажется дома? Ведь он захочет сказать, что повел себя как последний идиот, что просит ее простить! Любит и возвращается. Устал и хочет прийти и положить ей голову на колени. Ведь все на свете должно заканчиваться так – мужчина, пройдя испытания, возвращается к любимой и кладет ей голову на колени.

Она старалась никуда не уходить, да и уходить некуда, пила рябиновую настойку и караулила телефонный звонок. Время от времени поднимала трубку – гудок – телефон в порядке. Однажды вылетела нагишом из душа, чтобы успеть к звонку. Это Сонечка хотела рассказать ей про папины подарки.

Соня каждый раз возвращается вся увешанная подарками, и она подумала, что со временем он совсем перетянет ребенка на свою сторону.

Отчитывала его, когда привез дочку в воскресенье вечером:

– Я, получается, всю неделю зануда, пилю, все запрещаю, придираюсь, требую, воспитываю, а ты – добренький, развращаешь ребенка, слова «нет» вообще не существует, балуешь, приучаешь ее к тому, что я не могу ей позволить!

Заметила, что он все еще ходит в свитере, который она ему связала.

Соня пляшет на кровати, хвастается:

– Смотри, какие мне папа часики подарил. Слышишь? Как кузнечики!

Закричала на нее:

– А ну спать немедленно!

Засыпает не с новыми игрушками, а со своим облезлым тигренком.

Еще стал посылать Соне открытки с рисунками – лисы, зайцы, какие-то уроды с двумя головами, трехглазые, одноногие, все улыбаются, машут лапами, зовут. Сначала выбрасывала, потом перестала, когда заметила, что открытки пронумерованы. Соня прикрепляет их булавками к стене над своей кроваткой. Разговаривает с ними перед сном.

Варила Соне кашу на ужин, засмотрелась в окно, там прохожие тусклого окраса. Торопятся и не знают, что счастливы. Каша подгорела. Села за стол, положила голову на согнутую руку и заревела. Тут Соня вошла:

– Мама, чем так пахнет? Что с тобой? Ты плачешь?

Стала утешать, как взрослая, гладить по голове:

– Ну что ты, мамочка, ну подумаешь, каша!

Сонечка почти уже перестала мочить по ночам постель, а теперь, после его ухода, снова все началось.

Читали какую-то детскую книжку, а там девочка идет на блошиный рынок, где продаются старые куклы, и вдруг понимает, что куклы – это умершие девочки. Как можно такое писать для детей?

Ехали в поликлинику, и Сонечка вдруг спросила громко на весь трамвай:

– Мама, а папа ушел от нас из-за меня?

На каникулах они забрали Соню на неделю. Почти перестала выходить из дома, мусор не выбрасывала, посуду не мыла, простыню не меняла, белье не гладила. С пыльными зверьками мокрой тряпкой не сражалась, сдалась. Ей казалось, что это месть. С диеты перешла на шоколад. И это месть.

Волосы свисают грязными сосульками и пугают сединой.

Смотрела в зеркало на складки вокруг глаз, сухую кожу на щеках, увядающую шею. Женщина высыхает сначала изнутри, в душе, а потом снаружи.

Думала: как же так – вот вены разбежались ручейками по ногам, волосы на лобке седеют. А это уже давно началось расставание с телом.

Смотрела на свои портреты, развешанные по стенам, вспоминала, как позировала голая и он прерывался, чтобы целовать ее везде, и теперь спрашивала себя:

– Кто там на холсте? А я тогда кто?

Стала разговаривать сама с собой:

– Нужно открыть форточку и пойти на кухню поставить чайник. Слышишь?

– Зачем?

– Затем. Для этого нужно хотя бы временно полюбить себя.

– Полюбить себя? За что?

Загадала – вот сейчас примет душ, приведет себя в порядок, оденется, накрасится, купит на остановке букетик цветов себе, и что-то произойдет.

Произошло.

– Ада!

Обернулась.

Ветеринар, к которому ходили с Донькой. Сонечка называла его доктором Айболитом. Всех излечит, исцелит добрый доктор Айболит! Девочке ведь никто не объяснил, что ему привозят здоровых кошек и котов, а увозят кастрированных, с вырванными когтями.

– Адочка, а вам свобода на пользу. Какая вы!

Все всё знают. Приобнял за талию, а раньше ничего такого себе не позволял. Ухмыльнулся нагло.

– А не поужинать ли нам вместе, раз такая встреча?

Подумала, что вот оно, чудо.

– Отчего же нет? Пригласите меня в ресторан и закажите что-нибудь дорогое!

Сидели в углу, окруженные зеркалами.

Официант все время стоял рядом, глядя на свое отражение, поправляя бабочку, одергивая манжеты.

Айболит рассказывал смешные случаи из практики. Она хохотала.

Официантка, собирая пустые тарелки, низко наклонилась над столом, позволяя заглянуть в глубокий вырез. Он заглянул. Улыбнулся, будто извиняясь, мол, что поделаешь, мы – рабы инстинкта.

– Когда всю жизнь занимаешься случкой да усыплением, поневоле сделаешься романтиком.

Спросила, выпив шампанское до дна и подставив бокал, чтобы налил еще:

– Если всю жизнь любишь одного, разве можно полюбить другого?

– Да ты спрашиваешь это уже третий раз!

– В третий раз?

Только теперь почувствовала, что уже давно пьяная.

Ей казалось, что все кругом догадываются, куда и зачем она сейчас пойдет.

Уходя, в зеркало увидела, как официант лизнул блюдо.

Когда вышли из ресторана, Айболит стал целовать ее в губы. Она повисла у него на шее и попросила:

– Только не ко мне!

Пришли к нему, он, надевая тапочки в темноте, шепнул:

– Не беспокойся, жена с детьми на даче.

Когда Айболит стал стягивать с нее трусы, она заревела и призналась сквозь слезы, что уже годы не спала с мужчинами. Он подумал: «Хорошо, значит, ничего не подцеплю».

Сопел и тужился, но никак не получалось.

Ушел в ванную и заперся.

Она ждала-ждала, потом оделась второпях и выскользнула из квартиры.

В голове мелькнуло – была бы зима, можно было бы напиться до потери пульса и замерзнуть на улице.

Страшно было не от смерти, а от того, что наступит после. Голую, ее будут осматривать, вспорют живот, чтобы убедиться в чем-то и так понятном.

Всего-то дел – принять порошочек.

Почему-то подумала, что вот в последний раз в жизни спускает воду в унитазе. Спустила еще раз.

Набрала пригоршню таблеток, стала глотать. Забыла взять что-нибудь запивать – пошла в ванную и запивала водой прямо из-под крана.

Таблетки оказались такие большие, что не глотались – пришлось ломать. Сидела на краю ванны и ломала.

Вспомнила, что заперла входную дверь, нужно открыть. Пока шла через комнату, почувствовала, что ее уже качает.

Легла на кровать.

В голове началось гудение. Комната замерцала, поползла по кругу.

Пододвинула телефон поближе. Набрала номер.

Трубку взяла та, другая. Ничего не понимала спросонья.

– Позовите его, я хочу поговорить с моим мужем!

– Вы знаете, который час?

– Нет.

Он взял трубку.

– Что случилось? С ума сошла? Соню разбудила!

– Я наглоталась таблеток. Мне страшно. Я не хочу умирать. Пожалуйста, приезжай!

Язык у нее уже заплетался.

– Вызови себе скорую!

– Приезжай!

– Давай я вызову тебе скорую.

– Прошу тебя!

– Как же я тебя ненавижу! Сейчас приеду.

– Только без нее!

– Хорошо. Я сейчас. А ты постарайся вызвать рвоту.

– Подожди!

– Что еще?

– Я тебя люблю.

– Я еду, еду!

Та, другая, хотела спать. Ей рано утром было нужно на работу.

* * *

Сашенька моя!

Вот опять передо мной лист бумаги – моя связь с тобой. А с другой стороны, как может какой-то глупый лист соединять нас, когда все, что нас разделяет, кажется таким ничтожным и никчемным! Разве могут быть какие-то перегородки, разделяющие тебя и меня? Ты ведь тоже это чувствуешь, да?

Милая моя, хорошая! Если бы ты знала, как хочется домой!

Наверно, поэтому мне так важно писать тебе. Когда пишу, я будто возвращаюсь.

Сегодня Кирилл попросил, если с ним что-то случится, передать его сумку матери, и усмехнулся:

– Она в этом во всем ничего не поймет, конечно.

Он все время говорит о ней с такой нежностью.

Отсюда, из такой дали, и я начинаю понимать, что все мое непонимание с мамой, моя нелюбовь к ней – вздор.

Сейчас бы я простил ей все обиды и попросил прощения за все, что ей пришлось от меня вынести.

А начал бы с того, что признался в одной вещи, которая мучит меня все эти годы и в которой я никак не мог ей признаться тогда. Понимаешь, Сашенька, это очень глупая история. Я играл с монетами на подоконнике. Помнишь наш широченный подоконник? Или это он мне тогда таким казался? Так вот, я играл монетами — ставил на ребро и щелкал пальцем по краю так, что она крутилась, превращалась в звонкий прозрачный шарик. А потом взгляд упал на широкую хрустальную вазочку, в которой лежали мамины украшения — брошки, браслеты, серьги, и там я увидел ее кольцо. Обручальное кольцо, которое ей подарил слепой. И так вдруг захотелось запустить его кружиться по подоконнику, как монетку!

Несколько раз не получалось, оно выскакивало, прыгало на паркет, но один раз получилось! Это было очень красиво — такой сквозной полувоздушный золотой шарик выписывал круги по подоконнику и позвякивал. Особенно мне нравился звук, когда кольцо уже вращалось на одном боку и дробно билось, прежде чем замереть. А когда я щелкнул по нему ногтем еще раз, кольцо выпрыгнуло в окно.

Я побежал на улицу, искал его, искал, но так и не нашел. Может быть, кто-то поднял и унес.

Сперва я хотел все сказать маме, но не сказал, а она и не спросила. А потом, когда спросила, было уже поздно признаваться, и я сказал, что ничего не знаю. Мама ужасно переживала и все не могла успокоиться — кто мог ее кольцо украсть? Она подозревала совершенно невинных людей. Я слышал, как она говорила со своим слепым, что это наверняка соседка, а потом решила, что это врач, которого они вызывали, когда у отчима была простуда.

Мне было ужасно стыдно, но я молчал.

А теперь бы все ей рассказал.

Думаю о ней, а вспоминаются какие-то пустяки. Например, что мама спала всегда с черной повязкой на глазах, она не могла заснуть, если в комнату проникал свет.

В детстве я очень любил прокуренный запах ее вещей. Она курила какие-то особые пахучие папироски. Когда у нее было хорошее настроение, она поддавалась на мои просьбы и выпускала губами дым кольцами, проходившими одно в другое, и даже восьмерками.

А когда у нас поселился слепой, он запретил ей курить, и она курила иногда тайком, в окно, а меня просила, чтобы это осталась нашей тайной.

Помню, как я болел, а она пришла с мороза и, прежде чем дотронуться до меня, грела руки под мышками и прикладывала пальцы к своей шее, проверяя, согрелись ли.

Потом, когда у нас началась математика, она казалась мне смешной – требует, чтобы уроки были сделаны, а сама не смогла бы решить ни одной из задач.

А еще позже я нашел несколько старых фотографий, на которых она была с каким-то мужчиной, но не отцом, и в первый раз удивился тому, что на самом деле я о ней мало что знаю. А спросить ее о том, с кем это она навеки запечатлена под пальмой, – такая простая вещь, – оказалось почему-то совершенно невозможным.

И теперь удивляюсь, что такими были все наши разговоры! Она кричала:

– Здоровый верзила, а целыми днями бездельничает!

– Я не бездельничаю, я думаю.

И захлопывал перед ее лицом дверь.

Однажды она зашла ко мне поздно вечером, наверно, хотела поговорить о чем-то важном. Я лежал на диване и притворился спящим. Она только прикрыла меня одеялом, постояла немного и ушла.

Но главное, за что я теперь попрошу у нее прощения, – за слепого.

Один раз я прибежал со двора домой и застал его в моей комнате – он там все ощупывал. Я закатил маме истерику, чтобы он не смел ко мне входить и дотрагиваться до моих вещей. А она расплакалась и стала кричать на меня. У нее тоже началась истерика. Так и кричали друг на друга, не слушая.

Только сейчас понимаю, как ей было трудно с нами двумя.

То, что муж был слепой, ее совершенно не смущало. В кафе официант обращается к ней, что ему заказать. Для людей, привыкших к контакту глазами, это естественно – обращаться к сопровождающему. А она научилась, смеясь, отвечать:

– Спросите моего мужа, он вас не съест!

Мне кажется, наоборот, она чувствовала свою важность, оказавшись связанной со слепым. Помню, как к нам пришла дочка одной ее знакомой, я видел ее очень красивой девушкой, но потом случилось несчастье. В гостях она села в кресло с хозяйской собакой и стала играть с ней, а та не домашняя, ее подобрали на улице. Наверно, было какое-то неловкое движение, собака дернулась и укусила девушку прямо в лицо. Была красавица, а стала урод. Она пришла к маме просить ее, чтобы устроить знакомство с каким-нибудь молодым слепым.

Я, как мог, старался испортить им жизнь, а они, наверно, просто любили друг друга и не понимали, почему я такой жестокий.

Сейчас пытаюсь вспомнить, кричал ли он на нее хоть раз – не вспоминается. Наоборот, когда мама подвернула ногу и порвала связки, отчим очень нежно за ней ухаживал, приносил еду в постель. Как сейчас вижу – она неуклюже прыгает на костылях по коридору, а он идет рядом, готов подхватить ее, поддержать.

Помню, мама всегда смотрела в зеркало и сокрушалась, а он подходил, обнимал ее сзади, целовал и улыбался своей корявой улыбкой, что вот преимущество слепого – быть таким, какой ты есть, а не таким, как захочется зеркалу.

Еще помню, я готовился к экзамену по физике, бубнил что-то, а он вдруг сказал:

– Свет за одну секунду пробегает сотни тысяч верст – и только для того, чтобы кто-то мог поправить шляпу в зеркале!

Мне тоже в ту минуту стало как-то совершенно очевидно, что свет зря так торопится.

Он много читал – зайдешь к ним в комнату, вроде темно, пусто, включишь свет, а он сидит в кресле с толстой книгой на коленях. Он брал эти слепые рельефные книги в библиотеке и возмущался, что они зачитаны до дыр. Буквы, напечатанные шрифтом Брайля, стирались под пальцами.

А еще отчим писал стихи. Среди ночи выйдет на кухню, чтобы не мешать маме спать, сидит в темноте и быстро-быстро прокалывает шилом бумагу.

Мама часто повторяла свои любимые строчки:

– Тепло твое во тьме мне заменило свет...

У них в комнате ворохами лежала исколотая точками толстая бумага.

Мне он пытался привить любовь к нумизматике. Отчим собирал старинные монеты, мог перебирать их часами. У него было несколько редких, любимых – он любил их на ощупь.

Смотрю на его впалые глазницы, а он рассказывает мне про Пантикапей, столицу Боспорского царства. Помню те монетки с рельефными изображениями – на одной натянутый лук со стрелой, направленной на восток, на другой – грифон.

После его рук от монет шел кисловатый металлический запах. Я держал на ладони эти неровные легкие кружочки, и не верилось, что они – современники Архимеда и Ганнибала.

На маленьком медяке было изображение царя Рискупорида Первого, запомнилось странное имя, а на обратной стороне профиль римского императора Тиберия. Отчим объяснял, что боспорские цари носили титул «Друг цезарей и друг римлян» и на своих монетах чеканили изображения императоров Рима.

Еще он особенно ценил какую-то утрехтскую безглавую чеканку.

Говорил, что раньше, когда люди умирали, им в зубы засовывали монету – оплату за проезд. И однажды пошутил, что, когда он умрет, ему нужно будет положить за щеку вот эту монету безглавой утрехтской чеканки:

– Не хочу туда ехать безбилетником!

Сашенька, представляешь, в детстве для меня монеты были детками денег.

Отчим перебирал без конца свои сокровища, расплющенные, стертые, с зернышками, с остатками арабской вязи, а я смотрел на него и удивлялся – он будто видит и монеты, и прошлое, и кто эти монеты чеканил, и как эти давно исчезнувшие императоры выглядели, а при этом паутина в углу или далекая фабричная труба за окном для него вовсе не существуют.

Я тогда испытывал какое-то чувство превосходства над ним – вот он слепой, а я зрячий и вижу то, чего он не видит. А теперь мне кажется, что тот зрячий подросток все подмечал, но ничего не видел. Слепой по определению должен быть слабым, беззащитным. А он был сильным, жадным до жизни, и мама поэтому за него держалась. Отчим, кажется, вообще не чувствовал себя убогим или чем-то обделенным. Он не видел света совсем не так, как мы, если нам завязать глаза. Он не видел света, как зрячий не видит его коленкой или локтем.

Еще у отчима было весьма своеобразное чувство юмора. Например, ест яблоко с ножом, очищает кожицу, держит отрезанную дольку на кончике ножа и рассказывает, смеясь, как на улице немолодая женщина довела его до почтамта, а на прощание жалостливым голосом сказала: «Чем так, лучше уж совсем не жить!» Отчим не удержался и ударил ее тростью. Он так рассказывал, будто хотел, чтобы все над этой историей весело посмеялись.

А сейчас почему-то вспомнилось, как мы летом жили на даче, и он ходил по саду, нагибал и трогал ветки яблонь. Он запоминал, где какое яблоко висит, потом каждый день ощупывал, чувствовал, как оно растет.

А вот еще одно воспоминание – его обманули в магазине. Он хотел расплатиться, и ему какая-то сердобольная дама предложила свою помощь. Деньги у него из бумажника вытащили. Он устроил скандал, а бедная юная продавщица рыдала и уверяла, что она тут ни при чем.

Когда я в первый раз брился, отчим дал мне свой одеколон. В тот момент, наверно, мне впервые пришла в голову простая мысль: у него не было своих детей, и все эти годы он хотел почувствовать меня своим сыном, а я делал все, чтобы этого не случилось.

Кстати, этому я научился у него – если порежешься при бритье, оторвать кусочек газеты и приложить к ранке.

Я тоже все эти годы думал об отце. Почему он нас с мамой оставил? Что тогда произошло? Мечтал о том, как мы с ним встретимся. Почему-то думал, что однажды он просто придет встретить меня после уроков в школьном дворе.

Как-то я увидел, как взрослый учит своего сына кататься на велосипеде – бежит сзади и держит за седло. И так захотелось, чтобы меня отец тоже так учил кататься на велосипеде!

И помню, как на торжественном собрании в конце учебного года мне, уже подстриженному по-летнему коротко, директор вручает под аплодисменты всего зала похвальный лист, а я ищу глазами в толпе родителей его, моего отца, хотя знаю, что его здесь быть не может. Но вдруг он именно сейчас вернулся? И наблюдает за моим триумфом? Гордится мной?

Иногда я находил оставшиеся от него вещи, которые мама по какой-то причине не выбросила. Например, в детстве я играл его логарифмической линейкой. На чердаке остались его старые учебники, пыльные и невероятно скучные, полные каких-то расчетов и формул. Все фотографии его она выбросила, а там, где они были вдвоем, – отрезала так, что даже на карточке, на которой она сидит беременная мной, от отца остались лишь обрезанные пальцы на ее полном плече.

Один раз я спросил у мамы о папе, но в ответ получил только, что сейчас она не хочет со мной говорить об этом человеке:

– Вот вырастешь и все узнаешь.

После этого я боялся о нем спрашивать.

Эта нерастраченная любовь, усиленная ненавистью к отчиму, похоже, и доставалась нашему Виктору Сергеевичу. Уж не знаю, заслужил ли ее этот чудак.

На уроке он показывал нам в микроскоп простейших. Забрасывал галстук за спину, чтобы не мешал, а тот все время падал. Ничего толком не было видно, какие-то кляксы, а учитель вдохновенно убеждал нас, что мы видим реальное бессмертие. А чтобы до нас дошло, он почему-то привел в пример меня, что доставило классу море восторга, а мне было до слез обидно, отчего он не понимает, что издевается надо мной. Он стал смешить моих однокашников представлением того, как я делюсь пополам, при этом обе мои половинки остаются мною, каждая представляет собой молодую особь, оставаясь одновременно старой, и начинается жизнь сначала – и так длится миллионы лет.

– Представьте только себе! – он почти кричал от волнения. – Вот эта инфузория, на которую мы сейчас смотрим в окуляр микроскопа, видела динозавров!

Меня тогда поразило, что на свете есть реальное бессмертие, и смерть у этих простейших не естественная, а только случайная. Но еще сильнее поразило, что Виктор Сергеевич, мой любимый учитель, с такой легкостью выдал меня на поругание этим зверям. Я тогда еще подумал, плача от обиды ночью в подушку, что он меня не любит. Тогда и я не должен его больше любить.

Тювик.

А через неделю после этого у него случился припадок на уроке.

Саша! Пишу тебе, девочка моя, и забываю обо всем, что кругом! Как хорошо!

Тут все пропитано смертью и болью, и совершенно непредставимо, что где-то жизнь продолжается как ни в чем не бывало. Улицы, газеты, магазины, трамваи. Зоопарк. Рестораны. Можно запросто зайти на почту. Или в кондитерскую и купить пирожное.

Отсюда самые простые вещи кажутся странными. Ну разве не странно, что город мой живет без меня своей жизнью. Только сделался для меня невидимым. И у вас тоже сейчас лето. Неужели такая же духота и зной?

Так хочется зимы!

Схватить ртом морозного воздуха. Услышать хруст шагов по насту, будто идешь и грызешь сухарики. Увидеть наледь под водосточной трубой. И чтобы с утра снегопад был неспешный, задумчивый.

Ты знаешь, я помню мартовский лес, снег уже сошел, а там, где зимой кто-то прошагал по сугробам след в след, остались на сухой листве ледяные пеньки. Такой протянулся по лесу странный след из грязных нерастаявших пеньков. Для чего я это запомнил?

А еще помню, что забыли бутылку с водой на балконе, в морозную ночь стекло лопнуло, а вода в форме бутылки продолжала стоять.

Это все потому, что умираем тут от жары.

Сашенька, сколько раз я представлял себе, как вернусь домой! А там все еще на месте. Моя комната. Книги везде, на подоконнике, на шкафу стопками до потолка, на полу поленницей. Мой старый продавленный диван. Моя настольная лампа. Никакой стрельбы. Никакой смерти. Все на привычном месте. Часы тикают, а время остановилось. Все настоящее, домашнее, родное.

Ты знаешь, мечтаю, что вот вернусь и буду просто валяться и смотреть с умилением полдня на обои. Мне бы раньше и в голову не пришло, что такая малость может сделать человека счастливым.

Да-да, когда я вернусь, я буду совсем по-другому смотреть на самые привычные вещи – на чайный сервиз, на электрическую лампочку, на мягкое кресло, на полку с книгами. На фабричную трубу за окном. Мне кажется, все вещи теперь приобрели для меня совершенно новое значение. Уже только для этого должно было произойти то, что произошло.

Знаешь, что в мертвых удивляет? Что они все становятся похожи друг на друга. При жизни были разные, а потом у всех глаза одинаковые – зрачки глаз тусклые, кожа восковая, а рты почему-то всегда открыты. Особенно неприятно смотреть на волосы, не могу объяснить, почему. И на ногти.

И запах одинаковый. Не запах, конечно, а вонь. Смрад. Самый противный запах на земле.

Ты знаешь, сколько я в жизни видел мертвых рыб, птиц, зверей, но такой вони, как от человеческих трупов, никогда не было.

И привыкнуть к этому запаху невозможно. И не дышать нельзя.

По сравнению с этим фекальные ароматы с примесью извести, которой забрасывают ямы с нашим содержимым, кажутся ерундой. Или запах гнойных бинтов в перевязочной.

А запах соломы, пропахшей лошадьми, вообще хочется втягивать в себя, чтобы заглушить запах пота и грязных тел.

Иногда так и хочется взять да отрезать себе нос.

Ну да, отрезать и отправить его с оказией домой, чтобы он ходил по моим улицам и нюхал. У Гоголя сбежавший нос ни разу ничего не понюхал. А мой ходил бы и внюхивался в знакомые запахи.

Удивительно все-таки, что со временем запахи, которые запомнил когда-то, не слабеют, а становятся сильней.

Прохожу через парк, а там от цветущих лип после дождя не запах, а запашище!

Вот наша кондитерская – ваниль, корица, шоколад. Безе, марципан. Эклеры. Зефир. Пастила.

Сливочные помадки. Халва. Мои любимые пирожные-картошки.

Сырой сочный запах из цветочного магазина – мокрые белые лилии и парная прелая земля.

Запахи из раскрытых окон – свежемолотого кофе. А тут жарят рыбу. А там убежало молоко. Кто-то присел на подоконнике и чистит апельсин. А вот варят клубничное варенье.

Пахнуло утюгом, горячей материей, гладильной доской, паром.

Делают ремонт – краска остро щиплет ноздри.

А теперь пахнет кожей – обувью, сумками, ремнями.

Потом парфюмерный – благовония духов, кремов, одеколонов, пудр.

Рыбный. От рыбин на крошеве льда тянет свежим, морским.

Механические мастерские – запахи ржавчины и смазки, керосина, машинного масла.

Из киоска на углу веет типографской краской, свежими газетами.

А это кто-то вышел из котельной, и от него разит потом, мешковиной, углем.

Из булочной валит теплый вкусный аромат свежеиспеченных булок.

А это аптека! Как по-больничному пахнет аптека!

А еще дальше варят битум, кладут асфальт. Все заглушает сильный запах горячей смолы.

Так бы шел без конца и нюхал, нюхал.

* * *

Вот уже скоро месяц.

Пошла четвертая неделя, как это случилось с Сонечкой. Она так и не приходит в себя.

И неясно, как все тогда произошло. Донька, скорее всего, рванулась с поводка, дернула и потащила Соню за собой, а та поскользнулась на заледеневших ступеньках и ударилась затылком об острую каменную кромку. Лежала в луже под дождем со снегом.

Я перевела ее к себе в больницу. Чего мне стоило добиться, чтобы ей оставили отдельную палату!

Лежит высохшая, кожа да кости.

Руки и ноги в синюшных отеках от инъекций.

Водят показывать ученых гостей:

– А вот интересный случай. Та девочка, о которой мы говорили. После травмы находится в коме вот уже...

Родители приходят в больницу по очереди и сидят там часами.

Ведь нужно вынимать из-под нее тряпки, капать в сухие глаза чистую воду. Смачивать пересохшие губы. Переворачивать, мыть.

Прохожу мимо, заглядываю – он смотрит в окно и растирает ей исхудавшие неживые ноги.

В том, что случилось, он винит себя. Она – меня.

Ада все ходит к главному врачу, требует, плачет.

В коридоре слышно:

– Ну сделайте что-нибудь!

Когда она у Сони, я стараюсь не заходить.

Когда у меня ночное дежурство – захожу часто.

Очки с одним стеклом лежат на тумбочке. Ее часики. Завожу их.

В кровати игрушки, принесли из дома. Тигренок с разболтавшимися глазами-пуговками.

Тапочки под кроватью. Ждут терпеливо.

Однажды зашла, когда он был с ней, смотрю, водит беличьей кисточкой по руке. Увидел меня, смутился, спрятал кисточку.

Из школы пришли две ее подружки, посидели минуту, испуганно съежившись.

Он им:

– Не молчите, расскажите ей, что вы сейчас в классе проходите!

Еще больше съежились.

Почему-то вложили ей в кулачок желудь. Вышли из палаты и разревелись.

Среди ночи проснулся с криком – приснилось, будто он прищемил Сонечке дверью палец.

– Понимаешь, я иду впереди и не вижу, что она сзади там стоит и сунула руку в створ.

Весь мокрый, тяжело дышит. До утра ворочался у себя в комнате.

Мы спим отдельно.

В первый раз я ушла спать в другую комнату, потому что он храпел и вертелся и среди ночи в беспокойном сне заехал мне рукою в глаз.

Но теперь понимаю, что именно он тогда говорил о другом одиночестве. Однажды проснулась и увидела рядом на подушке лицо – старое, чужое.

Стала замечать в нем вещи, которых раньше не видела.

С одной стороны, невероятно брезглив – в людных гостях ставит свой бокал куда-то повыше, на шкаф, чтобы никто случайно не взял, а с другой – нечистоплотен. Разбираю белье для стирки – в трусах всегда коричневые пятна.

Меня стало раздражать, как он ест. Быстро, жадно, неряшливо.

Выходим от его старых друзей, и он начинает плохо о них говорить. Этот бездарь, тот холуй. Да у него и друзей-то не осталось. Старые семейные приятели, а скорее их жены, после того как он ушел от Ады, перестали приглашать, полагая, что дурной пример заразителен.

Он стареет и боится этого. И еще сильнее хватается за меня. И от этого чувствует себя еще более старым.

Все стал забывать – и важное, и неважное. Прибегает растерянный и спрашивает:

– Представляешь, не могу вспомнить, кто написал паркетчиков в Орсе? Мучаюсь с утра!

Иногда с ним очень хорошо, легко. А иногда накатывает такая темнота внутри.

Нам очень одиноко вдвоем.

Однажды, это было еще до того, как все случилось с Сонечкой, он сказал:

– Но ведь нам было когда-то хорошо друг с другом?

– Да.

– Что происходит?

И сам объяснил:

– Ты знаешь, мы с тобой – как зеркала Френеля. Взяли два зеркала, которые отражают свет. Соединили друг с другом. И под каким-то углом два световых луча породили тьму.

Время от времени мы устраиваем скандалы, как в плохом кино. Заводим друг друга по пустякам, потом кричим и хлопаем дверьми.

Иногда смотрю на все это будто со стороны: кто эти два человека на кухне? Что они говорят? Зачем?

Особенно раздражает она. Кто эта женщина? Неужели я? Нет, не может быть. А где тогда я? Что со мной стало? Куда я делась?

– Ты не так готовишь баранину! Знаешь, как делала Ада...

Неповинное мясо летит в помойку.

– Вот пусть она тебе баранину и делает!

Ведь не может быть, чтобы эта женщина на кухне была мной!

После несчастья с Соней скандалы поутихли, но и ближе мы друг другу не стали.

Он возвращается из больницы и пьет. Как-то, совсем пьяный, пробормотал:

– Ты знаешь, Саша, мне стало страшно, потому что я подумал: неужели ты – не тот человек, которого я ждал всю жизнь, неужели снова обман? Но ведь если я так подумал, то ведь оно уже так и есть?

Раздела его, уложила и допила что оставалось в бутылке.

В другой раз сказал:

– Мне показалось, что у нас с тобой – настоящее. Это когда мы вместе настоящие, а с другими только будем искать друг друга и не сможем найти. Наверно, только показалось.

Позавчера в больнице я встретилась с Адой. Она шла к дочке, тяжело поднималась по лестнице, остановилась на лестничном пролете у окна отдышаться. Мне нужно было пройти мимо нее. Она увидела меня и вдруг улыбнулась.

Я подошла.

Она вздохнула:

– Саша, я знаю, вы делаете для нашей Сонечки все, что можете. Спасибо вам. И, пожалуйста, не держите на меня зла!

Она стала медленно подниматься дальше.

Этой ночью у меня никак не получалось заснуть, и по его дыханию поняла, что он тоже не спит. Так мы оба лежали без сна, и я сказала:

– Помнишь, ты мне говорил, что совершил ошибку, женившись на Аде.

– Помню.

– Так вот, мне кажется, ты должен эту ошибку исправить и дожить с ней до конца.

* * *

Сашенька моя!

Как ты там? Что с тобой?

Знаю, что думаешь обо мне, ждешь, любишь, пишешь мне.

Раньше вычеркнул бы из этой фразы что-нибудь, чтобы осталось только одно «мне», а теперь все это кажется таким неважным!

Мне так не хватает твоих писем! Мы все ждем тут почту, но ее нет и, скорее всего, в ближайшее время не будет. Где-то твои письма колесят. И обязательно попадут ко мне – где бы они ни были. Жду и жду – и все равно дождусь. Получу, наверное, сразу целую охапку. Они где-то скапливаются, а потом хлынут, как через запруду...

Вот выдался часок – хочется побыть с тобой.

У нас тут хорошие новости. Ведь и здесь бывают хорошие новости! Представляешь, дипломатические миссии в Пекине еще держатся! Все думали, что люди те мертвы, а они живы. Оттуда прорвался посланный с письмом, сообщают, что они в осаде и ждут помощи. Несколько посланцев до него не дошли. Здесь готовится поход на Пекин, но сначала предстоит штурм укреплений Тяньцзиня. Нельзя оставлять китайскую армию у себя за спиной.

Вот еще новости – нас перевели в Восточный арсенал.

Штаб разместился в помещениях бывшей военно-инженерной академии, офицеров поселили в тех самых домиках, в которых жили немцы и англичане – профессора академии. Сейчас пишу тебе, усевшись в тени акации и закутавшись в газ от москитов. По-прежнему все изнемогают от жары. И у меня с носа капает пот на бумагу – прости за эту кляксу!

Когда мы пришли, тут везде был полный беспорядок. Видно, все жившие здесь бежали в последнюю минуту, когда арсенал уже был захвачен ихэтуанями. В комнатах и во двориках валялись кучи форменного платья студентов, китайские, английские и немецкие книги. Так странно было листать студенческие тетради, старательно исписанные чертежами, упражнениями. Повсюду разбитые чашки, перья, чернила, кисти для туши, безделушки из яшмы, шапки, китайские картины, изречения на длинных листах, разрытые сундуки и ларчики. Все брошено, порвано, побито, истоптано.

Мы с Кириллом нашли здесь богатую европейскую библиотеку. В основном книги по математике, физике, химии. Наши солдаты сразу вздумали рвать и жечь – никто их уже и не останавливает. Интересно, что все академические здания выстроены в китайском вкусе и следуют гуськом, одно позади другого. В первых зданиях помещались профессора, аудитории, лаборатории, ученые кабинеты, в следующих – общежития для студентов. Позади службы и кухня.

Посреди первого двора выстроена деревянная наблюдательная вышка. Я сегодня взобрался на самый верхний ярус, откуда открывался бы восхитительный вид, если бы не думать, что здесь кругом происходит. Прямо на север от арсенала виден Лутайский канал, по обоим берегам которого китайцы выстроили батареи. На западе – китайский Тяньцзинь и чуть дальше европейские концессии. На юго-запад от арсенала лежит наш лагерь. На юго-восток уходит в Тонгку железная дорога. На восток тянется необозримая равнина, поросшая гаоляном. Кое-где чернеются китайские деревеньки и рощи. Где-то далеко на севере и востоке в бинокль было видно движение китайских войск, по-видимому, подходивших из Лутая к Тяньцзиню.

С Кириллом бродили по арсеналу и поражались его богатствам. Тут оружейные мастерские, склады, лаборатории. Здесь же чеканили китайскую медную и серебряную монету. В огромных залах был целый завод, где изготавливали порох и делали ружейные патроны для винтовок Маузера и Манлихера самой последней модели. В подземных складах хранятся огромные запасы гранат разного сорта, фугасов, шрапнели. Кирилл переводил мне китайские надписи. Например, «Хранилище подземного грома» обозначает «Склад мин», а «Жилище водяного дракона» на самом деле всего-навсего «Депо пожарных инструментов».

Возле горнов, больших котлов и машин рабочие-китайцы ставили изображения божеств-покровителей труда и зажигали возле них курильные палочки. На машинах и котлах наклеены красные надписи с изречениями вроде «Завести машину – большое счастье», «Открыть котел – великое благополучие».

Положительное в нашем переселении уже то, что мы не соседствуем больше с лазаретом и не слышно днем и ночью стонов раненых. Плохо, конечно, что нет больше возможности заглянуть и поболтать с тем же Зарембой или Люси. Здесь очень быстро привыкаешь к людям.

В западной части арсенала на открытом месте выстроены пороховые погреба. Жутко проходить мимо и чувствовать, что в случае удачного выстрела здесь все взлетит на воздух. И хорошо, если сразу убьет, а не искалечит.

Нет, Сашенька, это я раньше так думал. А теперь я думаю об этом совсем по-другому. Раньше мне казалось, что жить уродом или калекой – несчастье. Никчемная бессмысленность червя. Быть в обузу себе и всем кругом – зачем? Мечтал об идеальной смерти, чтобы не заметить, что умер. Раз – и исчез.

А теперь я хочу жить. Как угодно.

Сашка, как хочется жить – калекой, уродом, неважно! Жить! Не переставать дышать! Самое страшное в смерти – перестать дышать.

В лазарете меня как-то поразила такая сцена – там был раненый, все у него было перебито, руки, ноги, ждал ампутации, а какой-то весельчак рассказывал что-то смешное, и вся палатка заливалась хохотом, и этот раненый тоже рассмеялся. Я тогда не понял, не мог понять, чему он смеется. А теперь понимаю.

Пусть меня ранят, пусть стану калекой. Я буду жить! Скакать на одной ноге. Подумаешь, одна нога, зато можно на ней ускакать куда угодно. Обе ноги оторвет – пусть! В окно буду смотреть!

Ослепну – пусть ослепну, но буду тогда слушать все кругом, все звуки, это же такое чудо! Язык? Пусть останется один язык – можно будет знать, чай сладкий или не очень. Останется рука – хочу, чтобы рука жила! Ею можно трогать, ощущать мир!

Сашенька, боюсь, что это письмо тебе покажется бредом. Прости меня, хорошая моя, за все, что тут несу. Бред не потому, что болен, а просто потому, что я – я.

И что самое удивительное – здесь каждый надеется благополучно вернуться домой.

И каждый, когда видит кого-то другого, знакомого или незнакомого, с пустыми тусклыми зрачками, восковой кожей, открытым ртом, думает невольно с радостью: он, не я! Стыдная непобедимая радость: сегодня убили его, не меня! А я сегодня еще жив!

И нельзя избавиться от мысли, что любое мое письмо, даже это, может оказаться последним. Или вовсе незаконченным. Это только в операх все заканчивается осмысленно, с последней нотой заключительной арии. А тут умирают как попало.

Сашенька, что может быть страшнее, чем умереть как попало?

Каждая минута может оказаться последней и каждое письмо, поэтому нужно обязательно сказать главное, а не писать о пустяках.

И именно потому, что каждую минуту это письмо может прерваться, мне необходимо рассказать тебе сейчас все, что не сказал или откладывал на потом.

А о чем писать? Все кажется пустяками.

Ты знаешь, есть одна история, которую я хотел тебе рассказать когда-нибудь, через много лет, когда она станет забавной. Но напишу сейчас. Вдруг потом не получится? Она никому, кроме меня, не интересна. Но мне это нужно. Она короткая.

А может, отсюда глядя, она уже стала забавной.

Я ведь встречался с моим отцом.

У мамы в серванте был ящик, который она всегда запирала. Я увидел, куда она прячет ключ. Когда никого дома не было, открыл. Там были разные документы, бумаги, квитанции. Оказалось, все эти годы мой отец регулярно посылал маме деньги. Я ничего об этом не знал. А главное, я нашел его адрес.

Маме я ничего не сказал.

Сперва хотел написать ему, но не знал – что. Потом решил сам к нему поехать. Ночь в поезде, и я стоял у его двери.

Стоял и никак не мог решиться позвонить.

Представь себе – столько лет жить и думать об этой встрече. А теперь я не мог себе объяснить, чего я хочу. Зачем мне это нужно? Всю ночь в поезде я не сомкнул глаз. Я ведь не был наивным подростком, чтобы думать, что обрету наконец близкого мне человека, о котором столько мечтал. Я знал, что встречу кого-то чужого. И я ему совершенно не нужен. Ведь он бросил меня. И за все эти годы ни разу мною не поинтересовался. Может, и на порог не пустит. Чего же я хочу? Получить ту любовь, которой был лишен всю свою жизнь? Это невозможно. Ту часть жизни, когда он был мне по-настоящему нужен, я уже прожил без него. Может быть, я мститель? Еду отомстить негодяю, бросившему жену с маленьким ребенком? Выплеснуть накопившуюся ненависть? Справедливый гнев? Ведь кто-то должен наказать его за подлость? Ударить его по лицу? Унизить? Может, мне нужно было его раскаяние, просьбы о прощении?

Странно, я испытывал ненависть скорее к матери и отчиму, чем к этому человеку, о котором ничего не знал.

А вдруг он испугается, что мне от него чего-то надо? Захочет откупиться? Ничего мне от него не надо! И будет давать – не возьму.

Мне было не по себе. И чем дольше я стоял перед той дверью, тем очевиднее становилось, что мне эта встреча, о которой мечтал с детства, больше не нужна. И он мне не нужен.

Я уже хотел идти, но тут дверь отворилась. Наверно, он почувствовал, что кто-то там стоит.

Одышливое рыхлое тело. Шумно втягивал воздух в заложенные ноздри. Я не ожидал увидеть тучного старика с набрякшими кругами под глазами, с обвисшими щеками. Это был он. Молча смотрел на меня.

Я сказал:

– Здравствуй! Я к тебе.

Меня поразило, что он сразу понял, кто я, будто тоже ждал этой минуты все прожитые годы.

Смятение на его лице было только первое мгновение, потом он поднял брови, вздохнул и просто сказал:

– Ну, проходи! Голодный с дороги?

Было странное ощущение, что происходит все не со мной, настолько это было одновременно невозможно и обыденно. Он представил меня жене и детям, сказав, что я сын Нины, его первой жены. Всем было неловко – никто к такому не был готов. Все молчали. Говорила за всех его жена, но говорила сдавленным хриплым шепотом. Объяснила, что у нее на нервной почве образовался нарост на щитовидке, давит на трахею. Странно, она чем-то напоминала мою мать.

Сестра моя оказалась девицей невероятных объемов. Она села, и кресло сразу оказалось переполнено ею. На меня она смотрела исподлобья, будто я хотел что-то у нее украсть.

А мальчишка, наоборот, льнул ко мне. Ему явно пришлось по душе, что с неба свалился старший брат. Он сразу спросил, знаю ли я какие-нибудь приемы, а когда я ответил, что нет, разочаровался. Наверно, в его мальчишеском мире наличие старшего брата, знающего приемы, сильно облегчило бы ему жизнь.

Это были мои брат и сестра, но я ничего к ним не чувствовал, да и почему я должен был почувствовать?

Брат затащил меня в свою комнату, ринулся показывать все свои богатства – модели кораблей, солдатиков, крепость из картона, а про сестру сказал, что она в гимназию не ходит, потому что там ее бойкотируют, никто не хочет с ней сидеть в классе и в столовой. Оказалось, что она так и торчит все время дома, не имея ни подруг, ни тем более друзей.

Странно было вдруг оказаться посреди чьей-то жизни.

Когда мы остались на какое-то время с ней одни, я совершенно не знал, о чем говорить, и стал спрашивать, что она читает. У меня и в мыслях не было ее чем-то обижать, но она вдруг заявила обиженным тоном:

– Женщине известно, что люди, которые смотрят на нее, не делают различия между ней самой и ее внешностью.

Я был рад, что позвали обедать.

За столом тоже все молчали, только жена отца сдавленным хрипом расспрашивала меня о моих жизненных планах.

Бедная девочка открыла супницу, чтобы налить себе еще щей, но тут отец сделал ей замечание:

– Может, тебе больше не надо?

Ее лицо сразу сделалось пунцовым, брызнули слезы, она выскочила из-за стола и неуклюже убежала к себе в комнату.

Отец тяжело вздохнул, скомкал салфетку и пошел за ней, но вернулся ни с чем. Она не открыла ему дверь.

После этого все доедали в молчании, глядя в тарелки. Я сидел и думал: «Что я здесь делаю?

Ведь для чего-то все на свете происходит? В чем-то должен быть смысл всего этого?» Мне этот смысл никак не открывался. И мог ли я когда-то представить себе, что моя встреча с отцом будет такой?

Я посидел с братом, помог ему решить задачки про поезда и пешеходов, поражаясь, как можно быть в его возрасте таким неразвитым. К нам заглянула сестра, швырнула на кровать брошенный в коридоре на полу шарф.

Он состроил рожу ей в спину и проканючил:

– Жирная бочка родила сыночка!

Я положил руку ему на шею.

– Не надо так говорить о ней.

Он скорчил презрительную физиономию.

– Она – моя сестра! Как хочу, так и говорю.

Я сдавил ему шею. По его лицу было видно, что больно.

– Она – моя сестра! И чтобы ты больше не смел так о ней говорить! Ты понял?

Он пропищал, что понял, и я его отпустил. Своим взглядом он показал, что иметь старшего брата больше ему совсем не нравится.

Вечером мы остались вдвоем с отцом. Он все время потягивал чай из большой чашки – сказал, что у него камни в почках.

Я спросил, чем он занимается. Оказалось, что мой отец – архитектор. Я даже этого про него не знал.

Я поинтересовался, что он сейчас проектирует, и получил в ответ:

— Вавилонскую башню!

Потом он сказал, что им заказали новую тюрьму.

Он сидел ссутулившись, нога на ногу, сложив руки на колене. Совсем как я. Только теперь мне бросилось в глаза, как мы похожи. Я стал замечать в нем мои интонации, жесты, ужимки. И нос мой был его, и разрез глаз, и губы.

Я спросил, помнит ли он, как я родился. Отец оживился, стал рассказывать, как увидел меня в первый раз. Сказал, что сразу после рождения у меня личико было как египетский барельеф, а на другой день все проступило — нос стал выпуклым, глаза углубились, губы стали губами. Я был морковного цвета от младенческой желтухи, и еще его поразило, что я появился на свет с длинными, отросшими ногтями.

Я спросил, помнит ли он, как мы ходили встречать на вокзал маму, и он посадил меня на шею, чтобы я ее высматривал? Он неуверенно закивал.

Он расспрашивал про маму, про ее слепого мужа, про мои университеты. Но я видел, что его это не очень интересовало. И меня тоже. Мы оба зевали. У меня до этого еще была бессонная ночь в поезде.

Мне постелили в его кабинете на диване у книжного шкафа.

Я все ждал, что он скажет мне что-то важное. Но услышал только:

— Спокойной ночи, завтра еще наговоримся.

В нем было что-то жалкое.

Перед сном я взял с полки наугад полистать книжку, это был какое-то старинное сочинение о строительных камнях. Оказывается, саркофаг – это название породы камня, который добывали в Троаде и который имеет свойство уничтожать без остатка тело и даже кости мертвеца, поэтому из него строили гробницы. Пожирающий мясо. Странно, что камень впитывал в себя человека.

Я проснулся рано утром, в темноте, когда еще все спали, и пошел на вокзал, ни с кем не попрощавшись. Уехал первым поездом.

Маме перед отъездом я соврал, что останусь ночевать у друга, а вернувшись, за чаем, когда мы остались вдвоем, признался, что ездил к отцу.

Она долго молчала, позвякивая ложечкой в чашке. И вдруг сказала:

– Зачем? Это не твой отец.

Я оторопел.

И мама рассказала мне, что в молодости за ней несколько лет ухаживал этот архитектор, но она его не любила.

– Пригласит на концерт, идем с ним в зале по проходу, все смотрят на нас, а я умираю от стыда за него – неухоженный, помятый, пахнет простым мылом.

Он звал замуж – отказала. А когда забеременела мною, вспомнила о нем и согласилась. Сказала, что на свадьбе старалась втягивать в себя живот, но никто и так ничего не заметил.

Я только и смог промямлить:

– Но ведь ты же его использовала!

– Да. Наверно, я поступила подло. Может быть. Но ради тебя я готова была пойти на все. Сказала себе: у ребенка должен быть отец! Думала, что получится полюбить его. Не получилось. Я говорила себе – так надо! И в конце концов поняла – не могу больше. Уговаривала себя быть благодарной ему, а выходило, что от каждого его прикосновения чуть ли не тошнило. Не семья это была, а пытка. И в какой-то момент я взорвалась. У него было тяжелое время – мост, который он проектировал, обвалился. И тут еще я ему все сказала.

Я, когда пришел в себя, спросил:

– А кто же тогда мой отец?

Она достала запрятанную от отчима пачку папирос и закурила в форточку. Я ждал.

Наконец она ответила:

– Какая разница? У тебя, может, вообще никогда не было отца. Ты еще только появился у меня в животе, а у тебя уже была только я. Считай, что непорочное зачатие.

И горько ухмыльнулась. Больше она не проронила об этом ни слова.

Вот, Сашенька моя, рассказал.

Ты знаешь, что действительно забавно? То, что тогда хотел написать об этом серьезный рассказ или даже повесть: юноша ищет отца и наконец находит. Не понимал, что на самом деле это очень смешная история. Господи, я хотел стать писателем! Быть писателем – это быть никем.

Сашка, тот я, прежний, мне сейчас смешон и отвратителен. Я зачеркнул его. Мне уже столько лет, а я все еще ничего про себя не знаю. Кто я? Чего я хочу? Я все еще никто! Я еще ничего в этой жизни не сделал! Этому можно найти сколько угодно оправданий, но я не хочу их искать. Я начинаю все с самых азов. Знаю, чувствую, что во мне растет кто-то другой, настоящий. И у него столько сил и желания сделать что-то важное! Когда я вернусь, я не буду тратить попусту ни минуты. Все будет не так. Я столько всего успею сделать, совершить! Я даже смотреть на небо буду совсем по-другому.

Знаю, что ты подумала, читая эти глупые строчки, что я и так ведь могу смотреть на небо...

Нет, Сашенька, все это не то, не то!

Знаешь, какая мысль мне тут пришла в голову. Ты будешь смеяться. Пожалуйста, не смейся, родная!

Когда я вернусь, я мог бы стать учителем.

Догадываюсь, ты сейчас припомнишь, как древние греки подбирали учителей. Раб сломает себе руку или ногу, станет непригодным ни к какой работе, тогда хозяева говорят: «Вот и педагог готов!»

Не знаю, какой из меня получился бы учитель, но мне кажется почему-то, что это – мое. Во всяком случае, я мог бы попробовать.

Да, мне почему-то кажется, что из меня мог бы получиться хороший учитель. Я мог бы преподавать литературу. Почему нет? Что ты думаешь?

Вообще мне теперь приходят в голову мысли, раньше совершенно невозможные. Например, хочу, чтобы у нас был ребенок. Удивилась?

Я сам себе удивился. И почему-то хочется, чтобы это был мальчишка.

Но представляю его уже подросшим. Я ведь совсем не знаю младенцев и, наверно, их побаиваюсь.

И думаю, например, о том, как займемся с ним шахматами – а чтобы приохотить его к игре, буду играть без ферзя.

Буду отмечать его рост, положив книгу на голову.

Будем рисовать вместе, мастерить что-нибудь. Покажу ему, как делать свистульку из стручка акации.

Представляю себе, как учу его кататься на велосипеде, он виляет во все стороны, а я бегу сзади и держу за седло. Но это когда он уже подрастет.

Все у нас будет, Сашка, родная, поверь!

А еще представляю себе, как ты куда-то уедешь, мы будем тебя ждать и пойдем встречать на вокзал. Там будет прорва народу. Я посажу его себе на шею и скажу, чтобы он тебя высматривал, а то мы потеряемся. Он увидит тебя и закричит:

– Мама! Мама! Мы здесь!

* * *

Вчера было ночное дежурство. Заглянула в детскую – перед сном им показывали диафильм на стене про Мальчика-с-пальчика. Он бросал крошки голодным птицам, будто знал с самого начала, куда его с братьями и сестрами вели и что хлеб ему все равно уже больше не нужен.

Потом пришла в палату к Сонечке.

Так и лежит с желудем в кулачке, все никак не хочет умереть, хотя сделать ничего невозможно.

Погладила ее по тощей руке.

Завела часики-кузнечики.

За окном снегопад. Тихий, медленный. Пористый, немой.

Прилегла на край кровати, обняла ее, прижала к себе. Стала шептать на ухо:

– Сонечка, послушай меня. Я скажу тебе сейчас что-то очень важное. Постарайся понять. Я знаю, что ты меня сейчас слышишь. В одной книжке я читала про смерть, что это как в детстве, когда ты играешь в снегу во дворе, а мать смотрит на тебя в окно, а потом зовет. Просто ты нагулялась и пора домой. Вывалялась в сугробах, мокрая, валенки полны снега. Ты бы еще играла и играла, но пора. И спорить бесполезно. Ты упрямая, и это здорово. От тебя осталась горстка, а ты все равно цепляешься за жизнь. Не хочешь уходить. Молодчинка ты! Крошечная молодчинка. Но пойми, ведь и жить ты не можешь. Тебе все равно, а родителей своих ты совсем замучила. Они тебя так любят! Им сказали, что надежды нет. Врачи, которые тебя смотрели и очень хотели тебе помочь, ничего сделать не могут. Ты на них не обижайся! Может, они в чем-то другом чего-то не понимают, но в этом они разбираются. Тебе кажется, что они взрослые, большие, сильные, умные, а на самом деле они ничего не могут. Поверь мне, если бы ты посмотрела на свое тело, то ты поняла бы сразу, что оно больше не может служить тебе. Тебе не нужно больше за него держаться. Понимаешь, если ты отпустишь свое тело, то ты сделаешь хорошо твоим родителям, ведь ты их тоже очень любишь, да? Они измучились. Когда хоть крупица надежды есть, то можно все пересилить. А когда нет – то просто очень-очень больно. Им будет лучше, если ты умрешь. Это трудно понять, но постарайся, малышка-худышка! Ты только посмотри на это тело, оно стало тебе совсем ненужным. Оно не может больше танцевать, никогда не сможет делать реверансы. Ни бегать, ни скакать, ни рисовать, ни на улицу выйти. Когда оно умрет – это будет здорово. Пойми, жизнь – это расточительный дар. И все в ней – расточительно. И твоя смерть – это дар. Дар для любящих тебя людей. Ты умираешь ради них. Это очень важно для людей, когда самые близкие уходят. Это тоже дар. Только так можно понять что-то о жизни. Смерть любимых, дорогих людей – это дар, который помогает понять то важное, для чего мы здесь. И потом, представь только себе, ты – маленькая девочка, которая ничего толком не знает, даже почему лампочка светит, не говоря уже о таких вещах, как зеркала Френеля, а это случится, и ты узнаешь то, чего никто из взрослых и самых мудрых людей здесь не знает, а тебе уже все это откроется. Если хочешь, я возьму твой желудь и весной закопаю его в землю. Из него вырастет деревце. Вот скажи, что может желудь, покидая свою желудевую жизнь, знать о существовании дуба? А тело – это просто тело. Ты же вырастаешь из своих балетных тапочек? Просто ты из него выросла. А главное, ты не бойся, что вдруг окажешься одна. Помнишь, ты рисовала, как от всех предметов и людей шла натянутая ниточка к одной точке? Так устроен мир. Вначале мы все были вместе, одним целым. Потом всех разбросало, но к каждому привязана эта нитка, за которую нас тянут обратно. И весь мир потом в этой точке снова соберется. Каждый туда вернется – сначала ты, потом Донька, потом твои папа и мама – это не так важно, кто первый. Мы там снова будем все вместе, потому это место так и называется – точка схода. Даже рельсы, и те там сходятся. И все трамваи туда едут. И тот змей, который вы запускали с папой, тоже туда летел, только зацепился в проводах. Представляешь, все еще висит. Помахал мне сегодня, когда я шла на работу. А сейчас уже поздно. За окном снег валит. Тихо. Все уже спят, набегались. Девочка моя, это тело твое уже ничего не может, а ты все можешь. Свернись калачиком!

* * *

Сашка моя разноглазая!

Ты мне сегодня приснилась!

Представляешь, сейчас уже не помню, что именно, мы с тобой куда-то ехали вместе. Потом ты пропала почему-то, и я за тобой бежал, но бежать не получалось, все движения тяжелые, будто по грудь в воде. Ну почему сны сразу забываются?

Ладно, неважно. Важно, что ты мне снилась, и мы были вместе.

А может, я тебе тоже снился? Представляешь, мой сон где-то встретил твой сон, они поцеловались, прижались друг к другу, обнялись.

Девочка моя! Любимая моя!

Через два дня будет штурм Тяньцзиня. По крайней мере, так говорят. Здесь все находятся в ожидании, и никто ничего толком не знает. Готовимся к походу на Пекин, но опять же говорят, что придется переждать дождливый период – а где они, эти дожди? – и раньше вряд ли удастся выступить. Слухи, слухи и слухи. Здесь все ими только и живут.

Я жив и здоров, хотя сильно похудел и на мне все висит, как на коле. В последние дни что-то опять не так с желудком. Ходил к врачу, но Заремба только посоветовал мне ничего пока не есть. Вшей еще не развел. Умываюсь, как и большинство, редко, бреюсь тоже редко, весь зарос. Решил сегодня побриться, привести себя в порядок. Сидел на ящике из-под снарядов и сбривал мою пятидневную щетину. Помазком послужил лоскут бинта. Мне не хватает маленького зеркала для бритья. Свое я разбил, пришлось одолжить у Кирилла. Хотя здесь редко бреешься, но время от времени это надо делать, не то совсем одичаешь.

Ты знаешь, смотрел в зеркало, когда брился, и вдруг увидел себя с открытым ртом. Понимаешь, я увидел себя мертвым. Я стал видеть всех такими, какими они станут после смерти, включая себя самого.

Но стараюсь гнать подобные мысли.

Сегодня с партией раненых уехала в Тонгку Люси. Их отправили на барже вниз по Пейхо. Сколько радости я видел в глазах у тех, которых наконец увозили из Тяньцзиня от этих пуль, гранат, операционных столов и страданий, и сколько зависти у остающихся!

Когда Люси прощалась с нашими, расплакалась и все прикрывала свою родинку на шее рукой. Кирилла наш новый полковник Станкевич – я тебе о нем не рассказывал, еще расскажу – отпустил проводить, он сейчас там, на пристани, но уже должен давно был вернуться. Надеюсь, что с ним ничего не случилось.

Мне так радостно от их счастья! Они искали друг друга всю жизнь и вот нашли – здесь, сейчас! Кирилл признался, что они решили пожениться. Она будет ждать его в Тонгку.

Хотя, конечно, я не очень понимаю, что Глазенап в ней нашел. Она милая, но для него слишком простая, что ли. И старше его намного. Но это неважно. Как это у Овидия? Сама девушка – лишь ничтожная часть того, что в ней нравится.

Вот Кирилл вернулся. Завалился, отвернулся к стене. Молчал, потом сказал:

– Мне теперь обязательно нужно вернуться живым.

Сашенька, там, где смерть, где посылают убивать, – всегда много лжи. Знаешь, что я теперь думаю про все это? На самом деле неважно, победить или быть побежденным, потому что единственная победа на любой войне – это выжить.

Но кроме вранья о борьбе добра со злом и красивых лживых слов про бессмертие, во всем этом есть какая-то очень важная правда, и я ее чувствую. Наверно, я для того и здесь, чтобы ее понять.

Здесь люди грубеют, но они и становятся мягче. В них открывается что-то, что пряталось. Заметил, что даже те солдаты, которых я видел грубыми животными, тоже начинают писать домой нежные письма. Там он, наверно, напивался и бил жену, а теперь пишет ей: остаюсь с поцелуями и объятиями, твой любящий Петя. Разве ради одного этого не стоило его сюда послать?

А меня? Разве без этого опыта я бы понял, что продираюсь сквозь жизнь через сложные вещи к самым простым? Простейшим.

Да, здесь столько зла кругом, столько жестокости, грубой, бессмысленной, безобразной, но тем сильнее хватаешься за человеческое в себе и вокруг. Тем важнее сохранить в себе крупицы человечности. Вот у меня никогда толком не было друзей. А тут делишь с человеком, может быть, последние дни и часы своей жизни, и все тепло человеческое вливается в него, как в воронку.

Мне теперь Кирилл дорог, как брат, и чем длиннее становятся списки убитых и раненых, тем дороже мне становится этот неуклюжий человек со своими толстыми очками. Вот сейчас он даже не подозревает, что я про него тебе пишу.

Снял очки, чтобы протереть, и взгляд его незащищенных близоруких глаз с припухлыми веками совершенно по-детски беспомощен. Снова к стене отвернулся. Даже спит в очках.

Мы с ним делим одни и те же мысли и страхи – как же это сближает! Все время в голове – только бы ничего не случилось еще день, и еще! И еще! И еще!

Запомнилось, как он смотрел на свои ноги и вздохнул:

– Какие некрасивые! Все равно жаль, если оторвет.

У него на одной ноге вросший ноготь. Кирилл пошутил, что его, может, по этому ногтю узнают, если убьют, а лица не будет.

Я впервые испытал это удивительное чувство, о котором столько наврано, – мужскую дружбу. Для нее на самом деле много не нужно. Просто знать, что он тебя не оставит и что ты поможешь ему всем, чем можешь. Есть всегда что-то чудесное в том, чтобы встретить друг друга живыми и здоровыми.

Вот и сейчас мне радостно, что Глазенап здесь, ничего с ним не случилось. Кажется, заснул. Уткнулся в свою китайскую подушечку, набитую чаем. Доносится сип и лепет. Бормочет что-то во сне. Наверно, снится ему его любимая. Счастливый! Нет, не спит, это он с собой говорил. Теперь встал и вышел.

Цикады в тополях так верещат, что в ушах от них звенит.

Отчего-то вспомнилось, как Кирилл рассказал, что играл в детстве в парикмахера – взял и подстриг коту усы. Кот потом наталкивался на ножки стульев и тыкался мордой мимо еды.

И к солдатам я стал относиться как-то по-другому. Чем больше их погибает, тем сильнее чувствую свою близость с ними. Переписывал вчера списки погибших и вдруг впервые назвал в душе этот батальон своим и ощутил себя самого его частью.

Мне раньше казалось, что жизнь – это подготовка к смерти. Ты знаешь, когда-то я почувствовал себя таким Ноем, которому открылось, что рано или поздно придет потоп и жизнь всех на земле прекратится. И поэтому он должен строить ковчег, чтобы спастись. Ной не живет больше, как все, а только ходит и думает о потопе. И вот я тоже строил мой ковчег. Только мой ковчег был не из бревен, а из слов. И вот все кругом жили сегодняшней жизнью, радовались мимолетному, а я мог думать только о неизбежности потопа и о ковчеге. Мне они казались несчастными, а я, наверно, им.

Мне казалось, что я все самое важное должен записать. Каждой твари по паре. События, людей, предметы, воспоминания, картинки, звуки. Вот кузнечик летел и ткнулся мне в коленку. И от меня только зависит, взять его с собой или нет. Что-то подобное я испытал когда-то в детстве с банкой, закопанной под жасмином. Только теперь я мог взять с собой вообще все.

Работа Ноя – осознанное мудрое приятие смерти.

Какой-то никудышный из меня Ной.

Сашенька! Чушь все это, не было никакого Ноя! И ковчег мой из слов уплывет, а я тут останусь! И не к смерти нужно готовиться, а к жизни! Я к жизни еще не готов, Сашка!

Я, Ной Ноев, дурак дураков, искал что-то важное, большое, недостижимое, и вот нужно было оказаться здесь, чтобы понять, что у меня есть ты. У меня ведь уже есть большое и важное – ты. Кругом смерть, а я ощущаю в себе лавину жизни, которая меня захлестывает, поднимает, несет к тебе.

Ночью такая тоска нахлынет – и спасаюсь нами, ведь то, что было, оно никуда не делось, оно живо, оно во мне и в тебе, мы из него состоим.

Помнишь, зимой я пришел к нашему памятнику после парикмахерской, в спине кололось, и уши сразу замерзли с непривычки, а к вечеру ударил мороз, и мы гуляли, завернувшись вдвоем в один твой шарф. Прямо вижу тот шарф – вязка крупная, рыхлая. Окоченели, пришли к тебе, разделись и лежали под одеялом, стуча зубами, – ты взяла мои ледяные руки и положила их себе между ног отогревать.

Или помнишь, как летом на даче катались на велосипеде, и твоя юбка запуталась в колесе.

Это ведь кусочки нашей с тобой жизни. Как много их, Сашенька! Вернее, еще так мало!

Когда у тебя в первый раз остался, ночью пошел в туалет и в темноте ничего не вижу, шарю по стенам, стукаюсь коленками о стулья, тебя разбудил.

А когда мне соринка попала в глаз, ты слизнула ее кончиком языка.

Скажи, ты все еще грызешь заусенцы? Родная моя, не надо, не грызи пальцы, они у тебя такие красивые, такие нежные!

Один раз ты задумалась о чем-то и ходила по квартире с зубной щеткой в углу рта.

А помнишь, как ты пришла ко мне, я поставил кофеварку на огонь – и забыл налить воды? Пришлось ее выбросить.

А в другой раз забыли про чайник, он так и кипел на кухне, превратив ее в парилку. А потом ты отхлебнула чаю и вдруг сказала, глядя в чашку:

– Смотри, у меня с сахаром и люстрой!

Ноги не влезали в новые туфли – натягивала их столовой ложкой.

А твой стромбус! Стромбус стромбидас, постоянно набитый окурками! Бугрист, рогат. Что с ним? Где он? Ждет меня?

Любимая моя, мы так давно с тобой расстались, а чувствую тебя так, будто прошло всего несколько дней.

Закрываю глаза и вижу: ты сидишь, как тогда, на кровати в моей сорочке, обхватив колени, положив подбородок на них, только что из ванной, мыла голову – сделала тюрбан из полотенца. Прямо перед моим лицом – твоя лодыжка с расчесанным комариным укусом. Целую твои лодыжки.

Обязательно пощупаю у тебя пульс на шее – как тогда. Мне так нравится, что он бьется именно здесь. Так люблю эти неуверенные прыжочки под тонкой кожей.

Увижу твои обветренные губы, буду целовать их без конца. Они меняют цвет по краям. А посредине нежная корочка.

Нахлынет такая любовь к тебе, к твоим губам, лодыжкам, ко всей тебе! Ночью в темноте шепчу тебе нежные слова, целую, ласкаю, люблю!

Ты моя, я никому тебя не отдам!

И так бешено хочу тебя! Мне так нужно твое тело!

Ведь я живой, Сашка!

* * *

Трамвайное утро. Сколько их!

За окном еще темно, а внутри вагона от тусклых лампочек у всех лица синие, как у утопленников.

Кто носом клюет, кто глаза пачкает о газету.

На первой странице война, на последней кроссворд.

Из столиц сообщают, что в публичной библиотеке с зелеными разводами на протекшим потолке нельзя сидеть – туда бездомные приходят досыпать, уткнувшись в журнальную подшивку, смердя.

Из Галлии пишут, что вечерами, в густых лучах заката на булыжнике мостовой нарастает кожица.

Из Иерусалима пишут.

Новости науки: ученые подсчитали, что за последние пять тысяч лет большинство людей сближается меж собой не по выбору, а как деревья, которые не выбирают ни своих соседей, ни опылителей, просто переплетаются ветвями и корнями, потому что разрослись.

Еще опытным путем выяснили, что со временем какая-то петрушка. События могут выступать в любой последовательности и происходить с кем угодно. Можно одновременно на кухне зудеть на гребешке с папиросной бумагой так, что чешутся губы, и в то же время на совсем другой кухне читать письмо от человека, которого больше нет. Вот ты у зубного, тебе иголкой залезли в канал и дергают нерв, а через восемь столетий бахрома скатерти на сквозняке колыхнулась. И вообще, уже древними подмечено, что с годами прошлое не удаляется, а приближается. А часы все только и могут, что верещать, как кузнечики, показывают кто во что горазд, тогда как давно известно, что без десяти два.

Вследствие варварской ловли в Альпах почти исчезли бабочки.

Чай, завернутый в газетку, заменяет сигаретку.

К вечеру еще, может, проведрится.

Происшествия. Шла и не знала, что жизнь короче юбки.

Письма читателей. Как это здорово, когда тебя ждут к ужину!

Снежная баба сокрушается, почему все жалеют «Титаник» и никто – айсберг?

Ищу марку с изображением голубятника, который ждет возвращения своих голубей из полета и смотрит не в высоту, а в таз с водой: так видней небо.

Одинокая, себе на уме, давно уже шатенка, без вредных привычек, ну, может, курю иногда, сама себе сестра, по гороскопу друидов – Горчичное Зерно, рост – уместится под мышкой, объема нет, глаза – озерки Есевонские, что у врат Батраббима. Вроде обеспеченная. Раньше работала в больнице за высоким кирпичным забором, утыканным сверху осколками стекла, чтобы царапать ветер. Там дети боялись не рака, а уколов – приходилось долго искать место на исколотой руке.

А теперь – повелительница жизни. Весть и вестник.

Ставлю запятые во фразе: казнить нельзя помиловать.

Петелькой выскребаю. На лоточке ручка, ножка, смотрю, чего еще недостает, – пока всего не выскребу.

Прихожу уставшая после работы домой, а это недом.

Ночами ворочаюсь на ветхом диване, а тот бормочет что-то на своем ветходиванном, полном шипящих. На кухне кран раззява. Купила новую подушку и мучаюсь – от нее несет чем-то куриным. И еще из форточки ночные крики, странные, нездешние, – живу теперь напротив зоопарка. Как соберусь пойти туда погулять – уже снова зима. Клетки пустые.

Однажды пошла, а снег еще не выпал толком, так только, перхоть. Из пруда спустили воду — на дне полно мусора.

Зашла в обезьянник, там натоплено и вонь. Смотрю, а они мочой ладони натирают и шерсть. Это их слова.

Потом пристроилась к школьникам, и нас повели куда-то на другой конец зоопарка, а там всего-навсего куры. Самые обыкновенные, домашние. Дохнуло моей подушкой. И вот там стали рассказывать, что курица, высиживая яйца, все время переворачивает их так, чтобы живительное тепло материнского тела достигало всех кусочков ее ребеночка, поэтому в результате ее постоянства и заботы вылупляются здоровые дети. Но это, оказывается, вовсе не пример осознанного материнства. На самом же деле происходит следующее. Живот курицы разогревается. Движимая дискомфортом, она ищет вокруг себя подходящий объект, чтобы охладить себя пылающую. Курица садится на яйца, потому что они прохладные. Через некоторое время она нагревает их и поэтому переворачивает так, чтобы прохладная сторона оказалась вверху. После того как она повторила это достаточное число раз, дети проклевываются, и она обнаруживает себя, к своему удивлению, перед лицом выводка цыплят. Вот, ребята, как природа за нас все продумала.

Вышла от кур и увидела зимнюю слониху, одинокую, неприкаянную. Мерзнет на улице, пока чистят ее недом. Раскачивается в ранних декабрьских сумерках. Переступает с ноги на ногу. Зябнет. Из хобота пар идет.

Вдруг почувствовала себя такой зимней слонихой. Стою и раскачиваюсь вместе с ней. Как я сюда попала? Почему так холодно? Что я здесь делаю? Мне домой надо! Мне тепло нужно!

Мама от одиночества после ухода отца завела кошку, та исправно каждый год рожала, и мама отдавала котят бесплатно перекупщикам на птичьем рынке, лишь бы не губить. Она за последние годы сильно сдала, и каждый раз, когда я к ней приезжала, у нее только и было разговоров, что о кошке и о котятах. Она каждый раз уговаривала взять одного, я все отказывалась. А тут, после слонихи, согласилась. Все равно теперь напротив зоопарка живу, будет что-то вроде филиала.

Долго не выбирала, взяла того, кто ко мне пополз. Назвали Кнопкой – из-за носа.

Везла к себе котенка за пазухой, он все время норовил вылезти, я дула ему в мордочку, он морщился и прятался обратно.

Кнопка играла без конца, и так здорово было за ней наблюдать. Когда она первый раз увидела себя в зеркале, стала бросаться на свое отражение, вздыбив шерстку на загривке и растопырив коготки. Ударилась несколько раз носом и потеряла к зеркалу раз и навсегда всякий интерес. Зато за веревочкой могла охотиться часами. А то, выспавшись, начинала носиться по комнате молнией – с кровати на кресло, оттуда на шторы, оттуда на шкаф, оттуда на диван и так колесом, пока не опрокидывала что-нибудь. Тогда забивалась под диван, и нужно было ее выманивать какой-нибудь прыгающей бумажкой.

Я решила обучить Кнопку пользоваться унитазом, но она свалилась туда и с тех пор панически боялась воды.

В песок почему-то ходить не хотела, но зато ей понравилось в коробке с шуршащими обрывками газет.

Ничего не стеснялась, дитя природы. Я ем, а она могла усесться передо мной на столе, вывернуться кренделем, закинув заднюю ногу в потолок, и вылизывать себе анальную розовую дырочку. Все-таки странно, что у египтян моя Кнопка пользовалась божественным статусом.

Изодрала все кресло, пока я не догадалась притащить ей целое полено. Она любила точить о него когти. Невозможно было себе представить, что моя Кнопка – зверь, что она может этими когтями разорвать кого-нибудь.

Как-то незаметно Кнопка выросла и стала Кнопой.

Где-то слышала, что кошкам все равно, есть дома хозяин или нет. Чушь. Кнопа всегда радовалась моему приходу. Увидев меня, вставала, выгибала спинку, сладко тянулась и шла ласкаться. Приму душ, натяну теплый махровый халат, намажу лицо кремом и устроюсь в постели с книжкой, положив к ногам кошку, как грелку. Читаю и глажу Кнопу ногой. Она вкусно урчит.

Ужасно только было, когда у нее начиналась пустовка. Бедная Кнопа терлась о мебель, каталась по полу, ползала на брюхе, принималась отчаянно кричать. Мама говорила, чтобы я кошку свозила к ветеринару и оперировала. А мне было ее жалко.

Несчастная Кнопа, хотелось утешить ее, приласкать, но только погладишь, она сразу становится в позу для спаривания. Все пыталась удрать на улицу, приходилось ее запирать.

Ночами было невозможно заснуть, глядя на то, как она мучается и как призывно воет. И постель такая льдистая. Лежу с открытыми глазами, все в луне, и думаю, что моя кошка – часть какого-то гигантского механизма, в котором участвуют и луна, и весна, приливы и отливы, дни и ночи, и зимняя слониха, и вообще все когда-либо рожденные и еще нерожденные кошки и некошки. И я вместе с ней начинала ощущать себя тоже частью этого механизма, этого непонятно каким образом заведенного порядка, требующего прикосновений. Хотелось вдруг тоже взять и завыть. За миллионы лет сколько таких было, как мы с Кнопкой, подлунных, покрытых и непокрытых шерстью и чешуей, которые так же мучились по ночам и могли думать только об одном – чтобы кто-то приласкал.

Днем помогаю природе, копаюсь в чужих органах размножения, а ночью ужмемся до единого тела и воем с Кнопкой.

Лунные ночи ведь нарочно созданы для того, чтобы мучить.

Да еще в открытое окно кто-то кричит на всю Вселенную:

– Да! Да! Да!

Потом Кнопка исчезла, не выдержала.

Я выскочила без пальто на улицу, оббегала все дворы кругом, переулки, звала, кричала, спрашивала случайных прохожих. Потом развесила по столбам объявления. Надеялась, что она погуляет и вернется. Не вернулась. Может, кто-то ее себе взял, может, под машину попала. Кнопочка моя.

На работе рассказала, меня утешили, что одни знакомые все время заводят кошку, а она убегает, тогда они заводят новую, а называют ее так же. Получается та же Мурка в новой шкурке. Кошачье бессмертие.

Мама тоже предлагала завести снова котенка.

Но я больше не захотела. Привыкаешь, а потом больно расставаться. И решила, что заведу себе лучшее зимнюю слониху. Она не убежит.

Соглашаюсь всегда на дежурство по праздникам, чтобы поменьше оставаться сама с собой. Днем еще ничего, а вечером возвращаюсь в это непонятное место, где стоит моя кровать, и выпиваю на ночь рюмку наливки, чтобы заснуть поскорее, избавиться от себя.

И радуюсь, когда Янка зовет по субботам посидеть с ее детьми.

Люблю приходить к ним. Костик, их старший, не дожидаясь, пока я у дверей разденусь, уже тянет меня за руку в свою комнату. Достает из огромной корзины игрушки и дарит мне. А я стою с вытянутыми руками с горой машинок и зверьков, и они уже валятся на пол, а он все накладывает.

Как-то поговорила с ним щипцами для орехов – ребенок теперь каждый раз, когда я прихожу, сует щипцы и просит, чтобы они еще с ним поговорили.

А теперь у них родился Игорек.

Янка не хотела знать до родов, кто родится, и ждала девочку, а родился мальчик. Расстроилась. Акушерка пошутила – щелкая ножницами, которыми отрезала пуповину, предложила ей:

– Ну, тогда отрежем?

После родов вся квартира опять превратилась в детскую фабрику, везде все набросано, на письменном столе детские весы, всюду стопки чистых пеленок, от которых разит лавандой, горы распашонок, на кухне от пара душно, как в бане, – в кастрюле кипятятся соски.

Янка в халате поверх ночной рубашки, мокрой от молока, разговаривает со мной и вяжет крошечный носочек, совсем кукольный. И быстро так. Связала один, принялась за другой. Заглянул ее муж – надел готовый носочек на палец и начал им ходить, скакать на одной ножке по столу, перепрыгнул на жену, поскакал по руке, на плечо, на голову. Янка рассмеялась, отняла у него, прогнала, мол, давай иди, мешаешь разговаривать.

Яна переживает, что после вторых родов фигура изменилась, раздалась, лицо подурнело. Молоко перегорает, вся грудь в буграх, соски в трещинах.

Сказала, что нравилось быть беременной только потому, что могла себе позволить любые капризы. Придумывала себе желания, и приятно было, что муж среди ночи отправляется на поиски ананаса.

Она вертит им как хочет. Все его так и называют – Янкин муж.

Но если что-то надо сделать по дому серьезное, Янка за все берется сама, он у нее зубной техник, бережет руки.

У него неприятная привычка оттопыривать нижнюю губу и теребить ее кончиками пальцев.

Вообще он замечательный отец, все время возится с детьми. Но смешной. Со старшим разговаривал, пока тот еще был в колыбельке, повторяя одно слово:

– Папа! Папа!

Все хотел, чтобы первое слово сына было не «мама», а «папа».

А тот внятно произнес:

– Дай!

Первые роды у Янки были очень тяжелые, и помню, как она тогда сказала:

– Никогда больше! Сашка, не рожай!

А потом, когда снова забеременела, говорила совсем другое, что все страшное, связанное с болью, забывается и снова хочется жить и рожать:

– Как это природа хорошо придумала – забвение! Понимаешь, ужас забывается, а разве можно забыть, как держишь на руках новорожденного? Вся спинка на ладони, кожица бархатная, пузичко по бокам распирает.

Янкин муж важно объяснил, когда однажды пошли все втроем гулять с коляской, что родовые муки необходимы для появления материнского инстинкта. Прочитал где-то, что проводили опыты: обезьяны рожали под действием анестезии, потом перегрызали пуповину, съедали послед, но вскармливать детей не желали.

– Так что боль нужна. Научно доказано. Без боли не будет жизни.

Мне с Яночкой моей хорошо. Всегда вспомним что-нибудь.

Однажды она ночевала у нас на даче. Сколько же нам было? Тринадцать? Четырнадцать? Мама послала повесить белье на веревках между березами, и мы стали в шутку хлестать друг друга мокрыми полотенцами по голым ногам. Сначала в шутку – игра. А потом с остервенением – до слез.

Какое счастье, что у меня есть Яна! И ее Костик. А теперь еще и Игорек.

У малыша объем груди на два сантиметра больше головки – признак здоровья. Сосет с усердием.

Молока сколько угодно. Янка мучается, не знает, что с ним делать, мужу дает отсасывать.

Когда я остаюсь посидеть вечером с детьми, Яна нацеживает бутылочку.

Уходя, она засовывает в лифчик ваты.

– Кошмар какой-то. Каждый раз я вся мокрая. Почему нельзя было создать женщину сразу с краном?

Они уходят, а я так люблю кормить малыша. Пока старший играет в кубики на полу, подогреваю остывшую бутылочку в теплой воде на плите. Устраиваюсь в кресле с голодным чудом. Опрокидываю несколько капель на кожу у локтя, слизываю сама, потом начинаю осторожно кормить. Он корчит умилительные рожицы, пускает пузыри, а я чувствую себя совершенно счастливой. Что-то не так, хнычет. Из бутылочки плохо течет. Иду на кухню, раскаленной иглой пытаюсь увеличить отверстие. Теперь льется слишком сильно. Приходится сменить соску. Потом хожу с ним на плече по комнате, похлопываю по спинке, чтобы срыгнул. Ласкаюсь к этому крошечному существу, остро пахнущему молоком и мочой.

Затем укладываю Костика, читаю ему перед сном.

В последний раз, когда читала, прилегла рядом с ним, обняла и чувствую, что Костик от меня отодвигается.

– Что такое?

– У тебя плохо пахнет изо рта.

Я знаю. У меня что-то не в порядке с желудком. Нужно сходить на обследование, а я боюсь. Вдруг что-нибудь найдут?

А потом возвращаюсь ночью к себе. Посылаю в окно воздушный привет невидимой слонихе. Залезаю в холодную постель.

Просыпаюсь утром за несколько минут до звонка будильника, смотрю на потолок, а он весь в пожелтелых разводах и похож на пеленку новорожденного.

Без боли нет жизни.

Как это природа хорошо придумала – забвение.

А в это воскресенье выспалась всласть и проснулась от яркого солнца. И в открытую форточку крики животных через улицу, клекот, рев, мычание. Визг жизни.

Сладко потягиваюсь и вслушиваюсь в непонятные голоса. Пронзительные вскрики, чьи-то радостные вопли, может, райских птиц? Будто проснулась в тропическом лесу. Или в раю. И кричат они все от восхищения этим солнечным утром. Не могут сдержаться. А те, кто не могли завопить от счастья, те просто замерли, онемели от восхищения – дерево, окно, солнечный отблеск на потолке.

* * *

Сашенька!

Мне что-то нехорошо сегодня.

Здесь вовсю хозяйничает дизентерия, а вчера еще открылся тиф.

Дикость – запретили пить воду, так они ее не пьют, но зато моют ею котелки, посуду. Тут начинается настоящая эпидемия – солдаты не вылезают из нужников.

Страшнее всего понос у раненых, к тому же еще нельзя нигде достать сена или соломы.

Здесь по-прежнему стоит жара, голова болит, мысли путаются.

Знаешь, я давно по-настоящему не писал ничего осмысленного, поэтому у меня такой сумбур в письмах. А главное, совершенно невозможно остаться одному. Вот это больше всего раздражает.

И конечно, донимает жара – за все это время не было ни одного дождливого или облачного дня. В голове гул, и мысли не соберешь, а мне нужно хоть иногда о чем-нибудь думать настоящем, а не только о поносе и списках потерь.

Все утро писал буквы и цифры – это то, во что на самом деле превращаются люди.

Мне нужна тишина, одиночество, а тут кругом всегда суета, шум, грубые шутки, тупой хохот, ругань, идиотские разговоры, доклады, донесения, приказы.

Хочется уйти ото всех подальше и одиноко побродить. Невозможность остаться одному угнетает.

Поругались сегодня с Глазенапом – он приставал с разговорами, не понимая, что мне просто иногда нужно поразмышлять, послушать тишину, побыть одному. Теперь вот он хмуро и зло ходит маятником по комнате.

Иногда приходится много писать – как вчера. Рука устает, болит, суставы кисти ноют. Стараюсь писать мельче, чтобы не так уставала, но на меня кричат, чтобы писал крупнее. А при этом от жары пот капает на бланки, размывает буквы. Бумаги прилипают к руке. Размажешь буквы, приходится снова все начинать. Опять ругань.

Еще неприятно, что от письменной работы в темноте, а писать приходится много по вечерам, когда уже стемнеет, очень болят глаза. Пишешь при свете огарка, напрягаешь зрение, и все начинает мерцать, двоиться. Когда вернусь, придется пойти к врачу, наверно, выпишет мне очки.

И все никак невозможно привыкнуть к этим спискам. Переписываю фамилии и представляю их семьи, матерей. И никто им не сможет объяснить, зачем это все было надо.

От войн все равно остаются только фамилии генералов. А об этих, моих, никто и не вспомнит никогда.

Читал когда-то переписку Абеляра и Элоизы, и меня тогда впервые поразило, что есть известные жертвы и есть неизвестные. Вот с Абеляром произошло несчастье, его грубые жестокие люди оскопили. И весь мир с тех пор сотни лет его жалеет. И еще сотни лет будет жалеть. А в том же письме он рассказывает, что тех, кто его истерзал, схватили, причем один из них был его слуга, который жил у него годы. Представить только, как же по-скотски надо было относиться к своему слуге, чтобы он так тебе отомстил? Так вот, этих не только оскопили в отместку, но еще и ослепили. И никто их не жалеет и не вспоминает о них, хотя им еще больше страдать пришлось.

Переписываю эти списки и думаю — этих ведь тоже никто никогда не пожалеет.

Помнишь, как назвали своего сына Элоиза и Абеляр?

Астролябий.

И что потом с этим Астролябием стало? Тоже ведь, наверно, хватило бы на целого Гамлета. Но никто не напишет. Кому он нужен? Кто его вспомнит?

Ну вот, я вспомнил его и пожалел. Может, он умер, не мучаясь.

Вспомнил сейчас мою бабушку. Это она вот так всегда переживала за умерших. Когда кто-то рассказывал о том, что какой-то человек, знакомый или даже незнакомый, умер, она всегда хотела узнать, как именно он умер, – хотела, чтобы у него была безболезненная легкая смерть, желала ему, чтобы он поменьше мучился. Мне это тогда казалось смешно и глупо: человек уже умер, Бог знает когда, а кто-то желает ему вдогонку легкой смерти.

Глазенап вывел меня сегодня из себя. Разве не смешно тонуть в дизентерийной яме, в которой в любую минуту тебе могут оторвать голову, и размышлять о своем бессмертии?

Сидит и убеждает себя:

– Вот меня не было – и это была не смерть, а что-то другое. А потом меня тоже не будет. И это тоже не будет смерть, а то самое – другое.

А я сказал:

– Хлоп по ушам!

Он ничего, конечно, не понял, а я не стал объяснять. Все равно не поймет.

Он не понимает, что все на свете религии и философии просто пытаются заговорить смерть, как бабы заговаривают зубную боль.

Наверно, так: тело борется со смертью болью, а мозг, сознание – мыслью. Ни то ни другое в конце концов не спасет.

И самое главное – то, что я теперь знаю: и у Христа, и у Сиддхартхи из рода Гаутамы был открыт рот – как у всех мертвецов. Очень хорошо теперь представляю их мертвыми. Запросто. И мух очень хорошо представляю себе гудящих во рту.

Вот эти мудрецы всю жизнь учили о том, что смерти нет, о воскрешении, о реинкарнации, а им – хлоп по ушам! И Спаситель никого не может спасти, потому что никогда не воскресал и никогда не воскреснет. И Гаутама сгнил, как все, и никем не стал – никаким Буддой! И до этого миллиарды лет никем не был. И мир – это не сон, и я – это не иллюзия. Я – существует, и нужно сделать его счастливым.

У кухни стояла сегодня привязанная тощая лошадь – на мясо. Ждала, пока ее забьют. Обмахивалась хвостом, мотала головой. Все глаза были засижены мухами. Привязанное к двери кухни животное не знает, сколько ему еще осталось жить. И вот разница, которая делает человека человеком: мы – единственное живое существо, знающее о неизбежности смерти. Поэтому нельзя откладывать счастье на будущее, нужно быть счастливым сейчас.

Как же мне быть счастливым, Сашенька моя?

Я сейчас в любую минуту должен буду прерваться – едем на рекогносцировку, планы наступления на Тяньцзинь опять поменяли. Здесь все время все меняют, и ни в чем нельзя быть уверенным. Но раз штурм отложили, значит, кому-то посчастливилось пожить еще день-другой. Знать бы только, кому именно. Ничего, скоро узнаем. И что же они, наслаждаются подаренными двумя днями жизни? Вряд ли. Все на что-то надеются.

Приехал доктор с фельдшером, тоже поедут с нами, хотят посмотреть, откуда придется доставлять раненых. Слышу, как Заремба рассказывает что-то смешное, и все хохочут.

Вот видишь, нет времени спокойно поразмышлять. А так хочется подумать о чем-нибудь далеком, подальше от всего этого!

О чем я? О том, что нет времени.

Ну да, есть часы и минуты, а время – это ведь мы. Без нас время разве существует? То есть мы лишь форма существования времени. Его носители. И возбудители. Получается, что время – это такая болезнь космоса. Потом космос с нами справится, мы исчезнем, и наступит выздоровление. Время пройдет, как ангина.

А смерть – это борьба космоса со временем, с нами. Ведь что такое космос? Это ведь по-гречески порядок, красота, гармония. Смерть – это защита всеобщей красоты и гармонии от нас, от нашего хаоса.

А мы противимся.

Время для космоса болезнь, а для нас – древо жизни.

Странно только, что космосом назвали именно космеи – такие земные цветы, ничего в них особенного.

Что-то у меня живот крутит, прости за такие подробности. Боюсь, как бы не заболеть тифом. И голова раскалывается.

Ну вот, зовут, вечером допишу.

Саша!

Я вернулся. Уже ночь.

Руки все еще трясутся, прости. Я никак не могу прийти в себя. И в ушах все еще звенит от разрывов.

Не нужно тебе все это рассказывать, но не могу. Я слишком много сейчас пережил, чтобы держать в себе.

Там были наш новый батальонный командир Станкевич, глухой Убри, я тебе о нем рассказывал, наш доктор Заремба, фельдшер, еще один офицер, Успенский, совсем молодой, только сегодня пришел приказ о его производстве в прапорщики. Еще несколько штабных и солдат.

Этот Успенский болтал без умолку, но все время заикался. Говорливый заика. Его распирало от счастья, что его произвели. Даже Станкевич велел ему помолчать.

У меня скрутило живот – я отошел от них в овражек, присел, а в это время начался обстрел. Снаряд упал прямо туда, где они стояли.

Я подбежал к ним. То, что я увидел, не могу тебе написать.

Прости, меня опять начинает трясти.

Вижу, Убри лежит шагах в десяти, ближе всех ко мне. Руки и ноги как будто отсечены. Их нет! Сапог с остатком ноги валяется рядом. Лицо в серой копоти. Я наклонился, и мне показалось, что он еще жив. Рот открыт. На моих глазах его зрачки плавно закрылись какой-то шторкой. Он умер в этот самый миг, как я над ним наклонился. Не знаю почему, я понял, что должен это сделать – протянуть руку и закрыть ему глаза. Протягиваю, но дотронуться не могу.

Иду дальше. Кругом кричат, стонут, копошатся в крови.

Вижу Станкевича, нашего командира. Лежит на траве, такое впечатление, что он просто устал и решил полежать. Подбегаю к нему. Лицо спокойное, глаза приоткрыты, словно подглядывает. А кисти рук будто пропущены через мясорубку. Беру за плечи, пытаюсь приподнять. Его тело легко поддается ко мне, а затылок остается на траве.

Рядом раненая лошадь дергает задними ногами, за ней наш фельдшер Михал Михалыч – лица нет. Месиво из зубов, костей и хрящей.

Слышу стоны, бегу туда – там доктор Зaремба. Он еще жив, смотрит на меня. Он в сознании, что-то мычит и булькает кровью. У него разорван живот, и на дорогу в пыль вывалилась груда кишок. Заремба лежит в луже черной крови, стонет, а я не понимаю, почему он еще жив и что можно сделать. Кричу ему:

– Что? Что сделать?

Он только мычит, но я в конце концов понимаю, чего он хочет. Чтобы я его убил.

Слышу еще крики, вскакиваю и иду дальше.

Вижу одного из штабных – мертвый. Ноги так подогнуты, как у циркового акробата. И рот – опять, как у них у всех, – открыт. Глаза смотрят, но ничего не видят. На бороде сгустки крови.

Наконец нахожу одного живого – заику Успенского. Непонятно, куда его ранили, но кровь хлещет горлом. Обмундирование на нем дымится, брови, ресницы, волосы опалены, сквозь разорванные галифе видны кровоточащие ссадины на ногах.

Я совершенно растерялся, не знал, что делать. Сидел рядом и успокаивал его:

– Держись, все обойдется!

Прибежали другие солдаты, санитары. Я вместе с ними потащил Успенского в лазарет. По дороге он начал захлебываться собственной кровью, санитар сунул ему в рот свои пальцы, чтобы кровь могла беспрепятственно вытекать наружу.

В лазарете я просидел с ним целый час, все никак не мог уйти. Он был в сознании, и я без конца повторял:

– Держись, все обойдется!

В палатке было очень жарко, духота, тучи мух, запахи гниения. Я обмахивал его и отгонял мух. Больше я ничего не мог для него сделать.

А когда он умер, я протянул руку к его лицу, провел ладонью и закрыл ему глаза. Оказывается, в этом нет ничего такого.

Его нужно было переложить, и я помог его поднять. Мертвец намного тяжелее себя живого. Я и раньше об этом от других слышал.

Саша, мне очень нужно быть сейчас с тобой!

Я очень устал.

Мне нужно прийти и положить голову тебе на колени. Ты погладишь и скажешь:

– Ничего, любимый мой, все уже хорошо! Все уже позади. Теперь все будет хорошо, ведь я с тобой!

* * *

С утра собиралась и уже знала, что останусь у этого звездочета. Ноздри вспомнили дразнящий аромат его одеколона.

Смотрела на себя в зеркало и не узнавала. Серое лицо, черные круги под глазами.

Тело тускнеет.

Перебирала волосы и выдернула несколько седых.

Глаза по-прежнему: левый – голубой, правый – карий, но веки немного набрякли.

На шее кожа начинает морщиниться.

Наклонилась над раковиной – умыла груди холодной водой, а они свисают студенистые, унылые, в синеватых прожилках.

Выдергивала пинцетом волоски вокруг сосков.

Пальцы ног узловатые.

За кофе принялась подпиливать ногти, а нужно подпилить жизнь.

Встретились у входа в парк, засыпанный тополиным пухом. Там старуха играла на гармошке.

Погуляли немного. Потом повел к себе домой.

По дороге чуть помедлила перед витриной, в которой было выставлено зеркало. Просто поправила прическу – и вдруг поймала на себе взгляд какой-то проходившей мимо девчонки. И прочитала в ее насмешливых глазах, кем я была для нее – старой, увядающей, которой не поможет никакая на свете прическа.

У окна телескоп на треноге.

Ужин при свечах. Музыка. «Дон Джиованни».

Перечисляет спутники Сатурна:

– Титан, Япет, Рея! Диона! Мимас! Гиперион! Феб!

Восхищенно улыбаюсь, хотя он забыл Тефию и Энцелада.

Сокрушается, что в прошлое лунное затмение дождило.

Он закрыл окно, чтобы не летели ни комары, ни пух. В стекло бился все время какой-то мотылек.

Стал рассказывать о своем телескопе, ласково поглаживая его по спинке:

– Это, между прочим, единственная реальная машинка времени. И она у меня в шесть раз мощнее, чем была у Галилея!

Потом обещанное представление – он взял телескоп, и мы пошли на крышу.

Когда поднимались по лестнице, наклонился, чтобы завязать шнурок, и вдруг стало видно, что у него лысина.

На последнем этаже дверь на чердак – отпер своим ключом огромный висячий замок. Мы вылезли на крышу.

Теплый ветер. Залитый огнями низ. Забрызганный звездами верх. Пух лежит сугробами даже на крыше.

– Вот, у меня здесь свое собственное небо.

Стал показывать созвездия.

– Смотрите, Плеяды. А там, – обнял, – Альдебаран. Свежо. Вы не простудитесь?

Обнял крепче.

– Но на самом деле все созвездия – ерунда. Ничего не говорящая мгновенная констелляция. Все равно что назвать созвездиями случайных прохожих или пролетающих птиц. Вообще давать имена звездам – это как заносить в реестр гребешки волн на море.

И объяснил, что все дело в несоответствии времени. У тех звездных прохожих одно время, а у нас другое.

– Понимаешь?

– Понимаю.

– Все эти шаровые скопления и диффузные туманности для нас как фотокарточка, чик – и навсегда. Вот был когда-то большой взрыв. Ба-бах! Все разлетелось. Но это для нас разлетелось. А на самом деле – быстро разлетелось и быстро собралось обратно. Снова ба-бах, опять разлетелось, опять собралось. Опять ба-бах. Как бы тебе это попроще объяснить? Ну вот как ребенок берет кусок пластилина, лепит из него зверушек, человечков, деревья, домики. Потом скатывает, сминает все в один ком. А завтра опять принимается лепить. Или, вернее, так: помнишь ту старуху у парка? Это для нас вечность, а на самом деле это просто как аккорд на гармошке – развел руки, сжал. Развел, сжал. Понимаешь?

– Понимаю.

Пока устанавливал телескоп на треноге и долго настраивал, нагнало обрывки облаков. Когда прильнула к окуляру, чтобы посмотреть на Луну, он стал гладить по голове:

– У тебя пух в волосах.

Спустились. В спальне был открыт шкаф, и поразило, как много у него висит костюмов и сколько обуви.

На стене фотографии его детей, мальчик и девочка, близнецы: то в коляске, то уже в школу идут, то уже ее заканчивают.

Везде в квартире следы других женщин. Наверно, специально метят. В ванной на полке пачка прокладок. Лак для волос. Среди одеколонов – губная помада. В мусорнице сверху клок черных волос, а на темном кресле в комнате до этого бросился в глаза длинный рыжий волос.

Я спросила:

– У тебя много женщин?

Он рассмеялся:

– Одна. И она меня любит. Слышала о метампсихозе? Любящая женщина – это одно существо. Оно умирает, превращается в нелюбящую, а ее душа переселяется в другую, любящую. Это одна любящая женщина с разными телами.

Думала, что меня разденут, как, вроде, полагается, но он проворно разоблачился первым и улегся, заложив руки за голову. В коридоре горел свет, и в полумраке комнаты все было видно. Я постеснялась своей груди и не сняла лифчик.

Он возится на мне, а я задаюсь вопросом, на который не знаю ответа: почему я сплю с человеком, которого не люблю?

Вспомнила притчу про мудреца, который говорил своим спутникам делать что-то странное, необъяснимое. А потом их глупым действиям находился какой-то глубокий, не видимый им, но внятный мудрецу смысл. Сначала он приказал продырявить лодку бедных рыбаков, и она утонула, потом велел убить встречного прохожего и напоследок, не взяв никакой платы, восстановил разрушенную стену в селении, жители которого отказали ему в крове и пище. А потом он объяснил смысл этих поступков. Лодку затопили, чтобы ее не захватил гнавшийся за ними и отбиравший все суда царь-тиран, прохожий шел убить своего сына, а стена принадлежала сиротам, и там был клад, который они потом найдут.

Помню, однажды я встретила на улице человека с ведром снега. Удивилась, куда можно нести ведро снега, хотя кругом сугробы. Но мудрец, пославший его, наверняка знал, зачем это нужно. Так и меня тот мудрец послал в эту несвежую постель, а смысла еще не открыл.

Звездочет все еще усердствовал, весь вспотел.

Потом откинулся на спину, закурил и спросил довольным тоном:

– Ну как?

Ответила:

– Как Донна Эльвира, которая узнала, что это Лепорелло.

– Что?

Он даже не понял.

Ловко завязал презерватив узлом, прежде чем выбросить его в помойное ведро. Ухмыльнулся, позевывая:

– Чайная ложечка вот этой жидкости хозяйничает человеком – заставляет его делать, что она захочет! Какое унизительное рабство!

Он почти сразу засопел.

Попыталась заснуть – не вышло. Кровать неудобная, мягкая, проваливаешься, как в перину. И что за постельное белье? Кто здесь спал до меня?

В голову все время лез тот насмешливый взгляд в зеркале. Снова и снова глаза той девчонки повторяли, что мне не поможет никакая прическа. И если меня видят такой, значит, я и на самом деле такая.

И всю ночь бился мотылек в окно.

Испугалась увидеть этого человека утром. А еще больше увидеть себя с ним. Тихо оделась, подняла с пола его вещи, брюки, рубашку, аккуратно сложила на стуле и ушла.

Уже рассветало. Город был тихий, пустой, гулкий. Даже тополиный пух замер вдоль тротуаров залежами.

Прошла сквозь строй заночевавших у депо трамваев.

Когда подходила к зоопарку, открылась картина, как из притчи. По трамвайным путям вели мою слониху. Шла куда-то, не торопясь, раскачиваясь, похлопывая ушами, обнюхивая хоботом мостовую и рельсы, вздымая вихри пуха. Мудрец знает, куда и зачем ее вели.

Вернулась домой, и ужасно захотелось помыться. Сначала приняла душ, потом налила ванну. Легла отмокать.

Лежала и смотрела, как волоски на коже по всему телу покрываются пузыриками.

Вдруг захотелось уйти под воду совсем, с головой. Стать водяной обезьяной.

Достала из шкафчика трубку для подводного плавания, которую купила когда-то и ни разу не пользовалась. Погрузилась, замерла.

Под водой такая странная тишина, что скорее шум. Все слышно, даже то, чего так не слышишь. Только все доносится через какую-то плотную перепонку. И громче всего пульс стучит.

Подумала, что вот так, наверно, было у мамы в животе.

Не знаю, сколько под водой просидела с трубкой в зубах, может, десять минут, может час, пока вода не остыла. Я совсем замерзла.

Вылезла, натянула халат, подошла к зеркалу и долго смотрела на себя.

Потом все утро меня рвало.

* * *

Сашенька!

Тяньцзинь взят.

Я только что закончил сводки.

Убитых только у нас 150 человек. Раненых в три раза больше. Ранен и наш бригадный командир генерал-майор Стессель, но после перевязки он вернулся в штаб.

Всего у союзников потери свыше 800 человек. Больше всех пострадали японцы. Они ринулись на лобовой штурм и взорвали городские ворота. У американцев убит генерал Бутлер.

Союзники атаковали китайский город с запада, а наш отряд наступал с востока у Лутайского канала и штурмовал укрепления Лихунчжана. Китайские войска частью разбежались, частью отошли к Янцуну и Бейцану.

Так что писал победную реляцию. Здесь все радуются. Штабные ходят именинниками.

Особенно, наверно, радуются те, ставшие моими буквами и цифрами.

Это было вчера, а сегодня мы отправились смотреть захваченный город.

Вот тебе, Сашенька, моя победная реляция.

По дороге заехали сперва в импани — укрепления, которые вчера брали наши. Китайский лагерь был брошен со всем своим добром. Увидел разбросанную колоду китайских карт, хотел взять на память и передумал. Какая уж тут память. Рядом лежали еще неубранные тела убитых китайских солдат, которых уже объедали мухи и собаки.

Крестьяне под охраной занимались уборкой трупов. Крючьями зацепляли и тащили в большие ямы. Поднялось солнце, начало палить, и вонь от мертвецов стала нестерпимой. Крестьяне работали, заткнув себе ноздри пучками травы.

Всю ночь в городе бушевал пожар, и теперь развалины дымились. Даже не верилось, что этот миллионный город был живой. Везде валялись разбитые повозки, тачки, рикши, дохлые животные, мертвые люди. Пахло дымом, пригорелым жиром.

Мертвые встречались на каждом шагу, некоторые еще одеты, но больше почему-то голые. Одна старуха лежала на спине, и груди сползли у нее по бокам к подмышкам. Кое-где уже сгребали трупы в кучи и куда-то вывозили. Всюду рои остервеневших мух, которые не разбирают, кто уже мертвый, а кто еще живой.

Приходилось перелезать через завалы. В одном месте нога на чем-то поскользнулась, чуть не упал – под обломками я увидел исковерканное обгоревшее лицо.

На всех проходящих рычала собака. Передние лапы у нее были целы, а задние перебиты, и рана в боку кишела червями и мухами. Она уже не могла лаять, только передними лапами пыталась ползти. На нас она тоже хрипло зарычала.

Все шли мимо. А я остановился и пристрелил ее.

Вот, Сашенька, это было мое первое убийство. Плохой из меня воин.

На пожарище под дымящимися балками и стропилами копались перемазанные золой свиньи. Они копались в каких-то поленьях и головешках, и я не сразу понял, что это обугленные трупы. Там была черная истлевшая рука, и я видел, как от толчка пальцы осыпались. И от всего этого шла ужасная вонь. В голове еще пронеслось – вот я увидел, как свиньи едят жареных людей, а зачем мне нужно это видеть?

Один обугленный труп меня поразил – то ли человек так скукожился от огня, то ли это был ребенок.

Снова встретился тот американец с фотоаппаратом.

Уцелевшая часть города занята японцами. На домах и лавках – японские флажки. Предусмотрительные японцы запаслись огромным количеством флажков и, заняв Тяньцзинь, сейчас же раздавали их жителям.

Сам китайский город – уродлив. Китайцы мостят и метут дворы, а улицы для них – помойные ямы. Улицы узкие, пыльные, в дождь, наверно, грязь непролазная. Шли по извилистым переулкам, иногда совершенно безлюдным, так что становилось не по себе. Везде выломанные двери домов, выброшенные на улицу вещи.

Китайцы бежали или попрятались, а те, которые нам встречались, при виде европейцев бросались на колени. Они трясли протянутыми кусками белой материи или белой бумагой с какими-то иероглифами. Те же иероглифы были на стенах. Кирилл объяснил, что это «шунь ман» – мирные люди.

Банки, магазины, лавки разгромлены. Под ногами битая рухлядь. То и дело встречали солдат и офицеров союзных войск, нагруженных награбленным добром. В городе идет настоящий погром. Чего не могут унести – то рвут, топчут, разбивают.

Видели и наших – идет солдат с узлом и набирает меха, шелк, статуэтки. Заходит в соседний двор. Там находит что-то гораздо лучше. Вытряхивает все в пыль и напихивает новые вещи.

Отовсюду крики, выстрелы.

Женский визг раздавался совсем рядом, истошный, дикий. Мы ринулись в тот двор, но нам навстречу уже выходили сипаи, нагруженные мешками, а один из них натягивал на ходу штаны. Они знаками показали нам, что в тот дом уже не нужно входить. Да и не кричал теперь никто.

Калека-нищий сидел посреди улицы и, увидев нас, закланялся, приговаривая:

– Католико – шанга, католико – шанга!

Команды союзников ищут ихэтуаней и китайских солдат, которые, переодевшись, смешались с населением. После краткого следствия – расстрел. Следствие заключается в том, что с человека срывают одежду – след ружейного приклада, который остается на плече от отдачи при стрельбе, является поводом к казни. Расстреливают на месте. При нас расстреляли нескольких китайцев. Сперва им отрезали косы, потом избили в кровь прикладами. И затем уже только пристрелили.

Перечитал и задал себе вопрос: зачем я записываю все эти ужасы?

На самом деле единственное, что хочется, – это поскорее забыть. Но я все равно буду записывать все, что здесь происходит. Ведь кто-то должен это сохранить. Может, я здесь для того, чтобы все увидеть и записать.

Если я не запишу того, что сегодня увидел, – ничего не останется. Будто этого не было.

А может, и не нужно ничего записывать. Зачем? Кому это нужно?

У меня теперь ужасно болит голова. Раскалывается.

Сашенька, я не понимаю больше, кто я и что я здесь делаю.

* * *

Приснился сон. Мы с мамой и папой на море. Пляж. Мама идет купаться. Надевает резиновую шапочку, прячет в нее волосы. Я вдруг понимаю, что она голая, и кричу:

– Мама!

Она смеется:

– Никого же нет!

Оглядываюсь, и действительно, пляж пустой, кроме нас, никого. Она идет в море и зовет за собой на глубину. Мы с папой остаемся в прибое. Она плывет легко, сильными движениями рассекая воду, только прыгает на волнах ее белая шапочка.

Проснулась от какого-то странного сухого звука. Лежу еще в остатках сна и не могу понять, что это было. Это стеклянный шар упал с высохшей елки.

Прихожу в себя и вспоминаю – мама же умерла.

Ночью тихо все – даже слышно, как сыплются на пол сухие иголки.

В горле першит. Заболеваю. Больно глотать. Нос заложен, ничего не чувствую. В голове творог.

Уже третий раз за зиму.

И устала вставать затемно.

И вообще устала.

Мама отмечала тогда день рождения, я забежала только на минуту, у нее были гости, и мне не хотелось оставаться надолго. Она в последние годы работала вечерами в опере, продавала программки, у нее появились какие-то новые подруги, я их не знала. Она попросила меня зайти с ней в ванную.

– Посмотри, что здесь у меня! Чувствуешь бугорок? Сашенька, дочка, я боюсь!

У нее было уплотнение в груди.

– Мама, ну мало ли у кого какие бывают бугорки.

– Сначала был маленький, как чирей. А теперь он стал расти. Или это я придумала? И под мышками тоже опухли железки. Чувствуешь шишку? И на голове за ушами.

– Мама, у нас у всех полно маленьких опуxолей с самого рождения. Ничего страшного! У всех женщин есть такое. Просто тебе нужно провериться. Больно?

– Вроде нет.

– Не бойся, все обойдется!

Не обошлось. Выяснилось, что у нее злокачественная опухоль и поражен яичник. Вообще болезнь развивалась очень быстро.

Начались мамины больницы, операции.

Я ездила к ней почти каждый день.

Ей тяжело было в больнице, хотела домой, говорила, что в палате стены покрыты хворями, как на кухне копотью.

В первой клинике соседкой по палате была старуха, совсем высохшая. У нее из черепа торчали клочья волос. Она все время красилась. И чем хуже было ее состояние, тем ярче становился ее макияж. Своих губ у нее почти не осталось, и она алой помадой выводила большие жирные круги вокруг ввалившегося рта. От ее стонов мама не могла уснуть всю ночь. Когда я пришла к ней, она взмолилась:

– Сашенька! Забери меня отсюда! Я глаз не могла сомкнуть. Я не выдержу!

– Мамочка! Но тебе нужно потерпеть! Здесь тебя лечат!

Она стала на меня кричать, что мне нет до нее дела и мне наплевать, что она здесь сходит с ума. Мама всегда была такая сдержанная, но болезнь ее совсем изменила. То врачи ей казались плохими специалистами, то неправильные ей назначают анализы и питание. Больше всего доставалось сестрам. Мама жаловалась, что их не дозовешься, что все они грубые и им плевать на страдания больных. Возмущалась громко, чтобы в коридоре было слышно:

– Они только берут деньги и ничего не делают! Думают лишь о том, как бы убежать поскорее домой да радоваться жизни!

А медсестры жаловались мне на маму, что она не дает им работать, стоит только выйти из палаты, как мать снова жмет на звонок и зовет их, а когда они приходят, она уже забывает, что хотела, и ругается, что ей не дают ни минуты покоя.

Мне каждый раз было больно и стыдно слышать все это.

Ее раздражение и злость выливались на меня. Она будто ждала моих приходов, чтобы выплеснуть всю горечь и обиду, будто это я была виновата, что рак у нее, а не у сестер, у прохожего за окном или у меня самой.

Потом успокаивалась, и мы с ней просто молча сидели, я поглаживала ее по руке, а она вдруг начинала плакать:

– Лежу тут и думаю, вот бабка-уборщица моет полы, старая, жилистая, крепкая, еще лет двадцать будет тут полы мыть. Почему я, почему не она? И сама себе удивляюсь: как мне такие мысли в голову приходят? Прости меня! Иногда мне кажется, что я – это уже не я. Я тут в кого-то превращаюсь.

Маму уже мучили сильные боли, она все время просила обезболивающих уколов.

– Уколы и то сделать не умеют! Места живого не осталось!

И показывала мне свои исколотые руки и ноги.

Я сама делала ей очередной укол, и она успокаивалась.

– Сашенька, ты хорошо колешь, совсем не больно.

И впадала в забытье.

Я уставала ужасно – приезжала после работы и ухаживала за мамой, помогала ей мыться, причесывала, стригла ногти, массировала спину от пролежней, смазывала кремом ноги, придвинула кровать к окну, чтобы она могла смотреть на деревья. Но еще больше я уставала не от дел – мне трудно было все время находиться с ее мыслями, с ее разговорами, с ее молчанием. С ее страхом перед концом.

После первой операции хирург сказал мне:

– Мы не все удалили.

А я убеждала ее, что она идет на поправку.

Иногда вместо маминой больницы я оставалась сидеть с Янкиными детьми, и это было моей отдушиной, я будто приходила в себя, восстанавливала в себе то, что отбирала мама с ее раком.

Я их так и называю – Янкины дети. Им нравится.

И не перестаю удивляться, как же они быстро растут – еще только что Костик стоял в перевернутой табуретке, потом все время хотел идти на мост через железную дорогу смотреть на чу-чу, а теперь уже пошел в школу! Ужас! Я ходила покупать ему тетрадки, пенал, ручки, карандаши, ранец. Янка счастлива была от всего этого избавиться.

Они меня любят. Один раз Костик подарил мне спичечный коробок:

– Только открывай осторожно!

– Что там?

Приложил мне к уху, внутри что-то шебаршилось. Он поймал мне жука.

– Тетя Саша, возьми его себе домой, он будет у тебя жить, чтобы тебе не было одной скучно!

Чудо мое! Заботится, чтобы мне не было одиноко.

Я с ними забывала обо всем, о маминой болезни, о клинике, о том, что на свете есть рак. Достаю из сумки продукты, кладу на стол молоко, сок, печенье, а они кричат:

– Ура! Молоко! Ура, сок! Ура, печенье!

И я начинаю кричать с ними:

– Ура! Ряженка! Ура! Сгущенка! Ура! Бублики!

И мы счастливы от ничего, просто так.

В туалете я приспособила старшему маленькую скамеечку, чтобы он писал не в горшок. Он ужасно гордился тем, что писал в унитаз, как взрослый, приподнимаясь на носки и заливая мне пол. Теперь скамеечка по наследству перешла младшему. У него помимо прочих детских болезней еще и фимоз. Долго надеялись, что обойдется без хирургии, но невозможно смотреть, как ребенок каждый раз мучается.

Люблю мыть их – особенно летом, когда они прибегают с улицы грязные, потные. Отмываю их в ванной, оттираю мочалкой от грязи ноги – загорелые, в белых перепонках от сандалий. Они безобразничают, разбрасывают пену по ванной, брызгаются. Я вся мокрая. Мы хохочем. Мою им головы шампунем, они визжат, волосы под пальцами шелковистые. Смываю душем.

После ванны растираю их полотенцем, и мы смеемся от того, как звонко скрипят под пальцами чистые волосы.

Устану, прилягу отдохнуть, а Игорек устроится рядом и ездит по мне машинкой – как по горам. Урчит, изображая мотор. Так приятно!

Разумеется, не обходится без ссор, и слез, и криков. Ссорятся и дерутся из-за любых пустяков. Кончается все всегда победой старшего. Однажды не могли поделить игрушку, я сказала отдать ее младшему, тот через минуту прибегает в слезах.

– Игорек, что случилось?

Захлебывается, не может ничего сказать.

Зову Костика, тот удивленно разводит руками:

– Ты сказала отдать ему, я и отдал!

А Игорек:

– Да, но сначала окунул в унитаз!

Один раз застала их за игрой в доктора – измеряли друг у друга температуру пальчиком в попке. Ну что с этим делать!

Янка тогда снова забеременела, хотя до этого рожать больше не хотела, жаловалась:

– Что это за грудь? Как яйцо всмятку! А было как вкрутую! И кожа на ногах как карта! Смотри, вся в речках!

А я посмотрела на ее грудь – прозрачную, в голубых прожилках, с темно-коричневыми сосками – живую, работающую, нужную – и позавидовала.

Янка всерьез думала о перевязке труб:

– Ну куда мне еще?

Я вспоминала, как Янка рассказывала о Костике, которому сказали, что у него будет братик – детский ужас, что он не единственный во Вселенной:

– Зачем вам мальчик? У вас уже есть мальчик!

А когда Игорек родился, Костик так был восхищен появлением младенца в доме, что даже не ревновал. Однажды он попросил меня завернуть его в одеяло и поносить, как новорожденного. Я завернула и стала ходить с ним по комнате. Он засунул большой палец в рот и закрыл глаза. Потом расхохотался и стал брыкаться:

– Отпусти! Отпусти!

А я не хотела отпускать.

У Янки в семье все уже начало рушиться, и мне казалось, что этот ребенок поможет им снова сблизиться.

До этой беременности мне приходилось выслушивать:

– Лежит молча, отвернувшись лицом к стене, потом встает, приходит на кухню и сбрасывает на пол ужин!

Жаловалась на мужа, что он в детстве один был у мамы в семье и вот теперь ведет себя как избалованный ребенок – придирается, орет, просит прощения, закатывает истерики.

– И посуду ни разу не помыл!

Утешаю ее:

– Но у тебя такие чудесные дети!

Она ответила:

– Сашка, поверь, дети – не заменитель любви.

Как-то сказала с горечью:

– Наконец поняла по-настоящему, что такое семья – научиться жить в аду и скрывать это ради детей.

Они давно уже начали ругаться. Один раз Янка после скандала прибежала ко мне с мальчиками и осталась ночевать. Утром муж приехал просить прощения, звонил, стучал, грозился высадить дверь – Янка не хотела пускать, но дети завыли.

Я отворила, он уже опять в ярости, что не хотели ему открывать. Снова крик. Бедные мальчишки! Они бросались с кулачками то на папу, то на маму. Кончилось все совершенно водевильной сценой примирения и отправлением семейства восвояси, а я осталась лежать с мигренью.

Потом Янка еще начала меня жалеть:

– Сашка! Я тебе кого-нибудь найду! Тебе нужно замуж!

– Зачем?

– Не знаешь, зачем выходят замуж?

– Нет.

– Чтобы заполнить пустоту. Вот мы ругаемся, даже на людях, орем, хлопаем дверьми, бьем посуду, он сжимает кулаки, у меня слезы. А потом, после этой разрядки, опять любим друг друга. Я без этой ярости не смогла бы.

Теперь, когда Янка снова ждала ребенка, они вроде успокоились. Когда приходила к ним, он обнимал жену и клал руку на растущий живот, улыбался по-детски:

– Ну вот, теперь у меня будет наконец дочка. Мы ведь постарались, да?

Янка разглядывала свой живот перед зеркалом, задрав кофточку, и мы все, и дети, и Янкин муж, смотрели на него, и каждому хотелось провести по вертикальной коричневой черте и нажать на выступивший пупок, как на звоночек. Так и нажимали по очереди:

– Бип! Бип! Мы тебя ждем!

Когда выпал первый снег и завалило весь город, мы пошли лепить во дворе снежную бабу, катали огромные комки. А когда баба была готова, Игорек подошел к ней, погладил варежкой по выпяченному снежному животу и сказал:

– Как мама!

А моя мама перед второй операцией месяц провела дома, и мне пришлось взять отпуск, чтобы ухаживать за ней.

Готовила ей травяные чаи и протертые супы.

Поймала себя на том, что боюсь пить после нее – хотя понимаю, что рак – это незаразно, и назло попробовала суп с ее ложки.

Мама незаметно превратилась в истощенную болезнью старуху. Было больно смотреть, как она, вставая с постели, долго нашаривала босыми скрученными ступнями тапочки, а потом медленно, шаркая, брела в уборную, придерживаясь за стену засушенной рукой. И говорила уже засушенным голосом.

Помню, как она, причесываясь перед зеркалом и вынимая из щетки сбежавшие от нее волосы, вздохнула:

– Что от меня осталось?

Я мыла ее в ванной и удивлялась – неужели это мама?

Волосы она давно не красила. Сверху каштановые, а у корней – все седое. Огромные безобразные шрамы вместо груди. Внизу, между ног, серые безжизненные клоки. На ногах выпирали варикозные вены – вереницы синих и багровых шишек.

Она теперь часто вспоминала что-нибудь из своего детства и из молодости, чего раньше мне никогда не рассказывала.

Сказала, что девочкой она мечтала о длинных белых бальных перчатках.

– Представляешь, такие узкие лайковые перчатки до локтя?

Так мечта и не исполнилась.

Когда папа еще за ней ухаживал, они гуляли допоздна по улицам. Подходил трамвай, на котором им нужно было возвращаться, они по очереди говорили друг другу:

– Давай пропустим еще один?

И так пропустили последний, и им пришлось идти через полгорода пешком.

Мама вздохнула:

– Ну кто бы мог подумать тогда, что жизнь проскользнет, а вот это, как пропускали трамваи, останется?

Про своих родителей она раньше ничего мне не говорила, а теперь стала о них говорить: «твой дед» или «твоя бабушка», хотя я их никогда в жизни не видела, они умерли задолго до моего рождения.

Мама часто стала вспоминать своего первого ребенка, моего старшего брата. Вдруг на ее столике появилась фотография, которой я раньше никогда не видела, – тучный младенец с налитой попкой улыбался беззубым ртом.

Однажды мама в забытьи стала звать:

– Саша! Сашенька!

Я подошла к ней.

– Мама, я здесь.

Она открыла глаза и как-то странно на меня посмотрела.

Я поняла, что звала она не меня.

Для нее жизнь стала сжиматься, прожитое делалось прозрачным, одно проступало сквозь другое.

Вытирала ее после ванны, и мама вспомнила, что я, когда еще играла с куклами, сказала ей:

– Вырасту, и тогда я буду большая, а ты – маленькая!

Улыбнулась, будто извинялась в чем-то:

– Вот все так и произошло. Поменялись.

Мне необходимо было время от времени вырываться из ее болезни, и мама меня понимала, сама прогоняла, чтобы я куда-то сходила, развеялась, не сидела все время с ней.

– Мама, но тебе же будет скучно. Что ты будешь делать?

– Знаешь, сколько у меня дел! А вспоминать!

Уходила вечерами к Янке. Там смотрела, как ее муж клал руку ей на живот и подмигивал:

– Ну теперь-то уж девчонка! Я заказал!

А я знала то, чего он не знал.

Я у Янки в наперсницах. Знаю все ее тайны, хотя иногда лучше бы не знать.

Янке показалось, что она забеременела. Муж был в отъезде, и она позволила себе с любовником не предохраняться. А потом поняла, что ошиблась в сроках и дата зачатия приходится как раз на то время, когда мужа не было.

Янка изменяла мужу чуть ли не с самого начала. Часто, когда я сидела с ее детьми, она была в чьей-то постели, а я должна была что-то врать мужу, если спросит. Он не спрашивал.

Второго любовника Янка завела, чтобы забыть первого. Третьего, чтобы забыть второго.

Мне кажется, она всегда такой была, и в юности – никого не любила, но ей нравилось в себя влюблять, сводить с ума, а потом смотреть, как они бесятся, как дерутся из-за нее.

Последний любовник – музыковед. Кроме тайных встреч иногда сталкиваются в гостях у общих знакомых.

– Представляешь, сидели на диване рядом, забылась за разговором и стала по привычке теребить ему волосы! Хорошо, никто не заметил!

Смеется, что любовник совершенно по-детски ревнует к мужу.

Однажды оставляет мне детей и собирается к своему музыковеду, подкрашивает губы перед зеркалом:

– Муж ничего не понимает в моем теле! А он понимает!

У нее тогда был насморк, раздражение на губе, кашель.

Я спросила:

– Янка, ну куда ты торопишься вся в соплях? Выздоровей сначала!

А она рассмеялась:

– А ему как раз нравится, когда он во мне и я кашляю. Говорит, что там у меня внутри все резко сжимается!

Спросила Янку, как же она может в один день с двумя мужчинами? Ответила, что ее это мучило, пока она не научилась их разделять, будто проводит символическую черту – тщательно принимает душ, промывает волосы другим шампунем, бреет ноги, душится другими духами.

– Не знаю, как это объяснить. Пойми, Сашка, семья только на этом и держится. Вот я прихожу домой от любовника умиротворенная. После измены снова нежна к мужу. Снова появляются силы на дом, на детей, на его любимые фаршированные перцы. И муж думает: «Какая она у меня все-таки замечательная!»

Ее музыковед мне с самого начала не пришелся по душе. Я не понимала, что Янка в нем нашла, – от него всегда несло потом с гнильцой. И мне не нравилось, как он на меня смотрит. Однажды, еще летом, они поздно вечером заявились ко мне домой, оба голодные, а на столе – ничего. Янка отправилась на кухню готовить, а он поставил какую-то свою музыку и стал приставать, чтобы я с ним потанцевала. Прижимается, трется. Руки полезли. И косится на кухню – не идет ли.

Потащила его на балкон и там в темноте обвила шею руками и стала целовать в губы. А он засопел, в меня впился и все время настороже – где там Янка? Не видит ли нас?

Я отпихнула его, расхохоталась.

Он, испуганно:

– Что с тобой?

– Ничего, просто люблю все приятное, веселое, вкусное и красивое. Я для этого и родилась! А у тебя слишком длинный нос, близко посажены глаза, редко расставлены зубы и живот будто пристегнут!

Про запах я промолчала.

Он меня теперь, наверно, ненавидит.

От Янки возвращалась к маме, к ее раку.

Я долго не решалась, наконец спросила:

– Мама, почему ты изменяла отцу?

– Ты не можешь мне простить?

– Дело не в этом. Я давно поняла, что не имела никакого права тебя ни в чем винить. И прощать не имею никакого права. Просто думаю, как тебе было тяжело, ведь все время нужно изворачиваться, лгать.

– Я не лгала. Это не ложь. Просто приходишь домой, забываешь одну правду и вспоминаешь другую. Из одной женщины становишься другой.

– Ты в них влюблялась? Как в папу?

– Я влюблялась и до замужества, и потом – с браком это же никак не связано. Бывает, что влюбляешься за ночь. Просыпаешься и понимаешь, что влюбилась, пока спала. А мужа любишь совсем по-другому.

– Ты все скрывала?

– Зачем делать ему больно, заставлять мучиться? Он ведь мне родной. Зачем заставлять страдать близкого человека?

Потом несколько раз она хотела продолжить тот разговор. Мне показалось, что она хочет передо мной оправдаться, и перебила ее:

– Мама, не надо ничего мне объяснять.

– Нет, послушай. Мужчина делает женщину другой. Я видела себя их глазами и чувствовала себя их чувствами. С одним – уставшей, вялой, никакой. А с другим – настоящей, желанной. У женщины потребность быть щедрой – и если тебе не дают этой возможности, то щедрость ищет выхода.

Один раз мама сказала после долгого молчания – я думала, что она задремала, а она была там, в прошлом:

– Ты знаешь, я ведь всегда стригла папу сама. И вот когда в первый раз подстригла того, другого, только тогда по-настоящему почувствовала, что изменила мужу.

Ждала, что я что-то скажу. Не дождалась.

– И вообще, какое глупое слово – «измена». Ты же ничего ни у кого не отнимаешь. Это просто другое, тоже необходимое. И ничье место это другое не занимает. Этого другого в жизни не было, оно заполняет собой пустоту, которая оставалась бы незаполненной. Без этого ходишь, будто из мира изъяли здоровый кусок и из тебя. Это помогает почувствовать себя цельной, настоящей, живой. Я была с другими счастлива как женщина, понимаешь? И они говорили мне такие вещи, которые твой отец никогда не говорил.

И добавила, смутившись:

– Я – старая дура? Да? Мне лучше молчать?

– Мама, говори со мной обо всем. Ты ведь никогда со мной об этом не говорила. Не стыдись!

– Я не стыжусь. И не оправдываюсь, мне нечего стыдиться и не в чем оправдываться. По-настоящему ужасно совсем не то, что это было, а то, что самым близким – мужу, дочери – нельзя сказать о самом сокровенном, о том, что так мучит, что делает счастливой.

А потом ни с того ни с сего принималась рассказывать как что-то очень важное, как в детстве на даче украла у своей подружки красивую кофточку для куклы. Девочка ревела, а мама испугалась и хотела вернуть, но понимала, что вернуть уже невозможно, и вместе с ней искала эту кофточку, которую спрятала себе в трусы, а потом выкинула в заросли крапивы, когда никто не видел.

– Мама, и ты все эти годы носила в себе это, чтобы мне сейчас рассказать?

– Больше я никогда в жизни ничего чужого не взяла.

– Мамочка моя, как я тебя люблю!

В такие минуты мне снова становилось с ней так уютно, так легко, как когда-то давным-давно, когда мы забирались с ногами на диван и шептались обо всем на свете.

Если бы не мамин рак, я бы не испытала никогда больше этой близости.

Мама была дома, а в больницу тогда, в конце осени, попала Янка. Она шла по коридору в своей школе на перемене, а младшие школьники носились, и один угодил ей с разбега головой в живот. Сначала она испугалась, но потом показалось, что все обошлось.

Через какое-то время Янка сказала мне, что не чувствует больше в животе никаких движений. Муж повез ее в больницу, а я осталась с детьми. Он вернулся один, подавленный:

– Спрашиваю врача: «Это опасно?» А тот отвечает: «Если плод живет – нет, а если умер и разложился, то опасно. Но вы не переживайте!»

Он все не мог понять, как его долгожданную дочку можно вдруг назвать разложившимся плодом.

Ребенка Янка потеряла, начались осложнения, и ее пришлось оставить в больнице.

В те дни я разрывалась между мамой и Янкой с ее детьми. Мама понимала, что там я нужнее, и мне вовсе пришлось переехать к Яне домой, чтобы смотреть за мальчишками. Взяла отпуск за свой счет.

Те несколько дней, которые я прожила у них, были одновременно и тяжелые, и чудесные. Чудесно было чувствовать себя нужной. Я спала на раскладушке в детской. Утром вставала пораньше, чтобы привести себя в порядок, чтобы не ходить по квартире с заспанным лицом и всклокоченными волосами. Готовила завтрак. Янкин муж уезжал на работу. Я отводила старшего в школу, младшего в детский сад. Ходила по магазинам. Возвращалась, занималась уборкой, стиркой, готовкой. Все, что так ненавидела делать у себя дома, здесь стало радостью. Потом встречала детей, кормила, занималась с ними, делала с Костиком уроки. Приходил Янкин муж, кормила его. Он хвалил все, что я готовила. Было приятно.

Янкин муж стал смотреть на меня совсем по-другому. Я это почувствовала. Раньше он будто вовсе не замечал меня. А теперь помогал по дому, запросто мыл посуду. Один раз, увидев, как я сижу, сгорбившись, сделал мне массаж спины. У него очень нежные руки. В другой раз подарил без всякого повода цветы. Обнял и смущенно поцеловал:

– Спасибо тебе! Что бы мы без тебя делали?

Я будто играла в игру – это моя семья, это мой дом, это мой муж, это мои дети. А они все мне подыгрывали.

Почти каждый день мы еще успевали сходить в больницу к Янке – это совсем рядом.

Мы шли по улице, взявшись вчетвером за руки, и со стороны можно было подумать, что мы – вместе, принадлежим друг другу.

Яна выглядела плохо, щеки ввалились, заплаканные глаза горели. Она температурила.

Говорила мужу:

– Не смотри на меня, испугаешься!

Она и вправду была страшной со своим заячьим прикусом, лопоухая, с немытыми жирными прядями.

А мне:

– Сашка, ты прямо расцвела!

Ей объяснили, что у нее больше не будет детей.

Я не знала, что на это сказать.

– Но ты ведь этого хотела?

– Да, хотела.

И Яна снова расплакалась.

Мы сидели у ее кровати, и она видела, что мальчишки сторонятся ее, страшную, зареванную, больную, и ластятся ко мне, прижимаются. Видела, что ее муж со мной ведет себя совсем не так, как с ней. Один раз спросила с горькой усмешкой:

– Ну что, хорошо вам без меня?

Потом Янку выписали, моя игра закончилась, и я вернулась домой.

Маме сделали вторую операцию.

Помню тот разговор с врачом, который отнял у меня последнюю надежду.

Я спросила:

– Скажите, сколько ей осталось жить? Год?

– Нет, что вы! Сейчас все пойдет быстро.

– И ничего больше сделать нельзя?

– Нет.

Он извинился, что ему нужно идти, и добавил:

– Скажите ей об этом. Мне всегда кажется, что лучше, если об этом говорят близкие, а не врач.

Я возвращалась в палату, зная, что там ждет меня мама и спросит:

– Ну что? Что он сказал?

Перед тем как пойти к ней, я спустилась во двор, чтобы собраться с силами. Захотелось глотнуть свежего, небольничного воздуха. На улице шел легкий снежок, и дворник лопатой сгребал его в сугробы. Пробежала кошка, и мне на минуту показалось, что это моя Кнопка, позвала ее, но это была Кнопка в новой шкурке.

Помню, что я подумала о враче, который сообщил мне эту весть.

Весть и вестник.

Он мог бы предложить мне сесть, сказать то же самое каким-нибудь другим тоном, чтобы я услышала хоть немного сочувствия.

Наверно, это его защита от таких вестей – холодный сухой тон.

Дворник улыбнулся мне и высморкнулся, будто хотел похвастаться, мол, смотри, сколько в этой ноздре соплей, а теперь смотри, сколько в этой!

Старая пара, проходя мимо, переговаривалась:

– В этом смысле рак печени лучше других...

Не знаю, почему все это так отпечаталось в памяти.

Когда я вернулась в палату, мама спросила:

– Ну что? Что он сказал?

– Все будет хорошо.

Мама задремала, получив укол болеутоляющего.

Я сидела рядом, смотрела за окно, на снежинки, темные на фоне светлого неба. Только мама заснула, как тут же дернулась, открыла глаза. Обвела взглядом палату, увидела меня и сказала:

– Я все время верила, что произойдет чудо. И ты знаешь, кажется, чудо произошло. Я готова к этому. Я больше ничего не боюсь.

В ее болезни начался какой-то новый этап. Мама вдруг обрела покой и покорность. То она боялась оставаться одна, а теперь, наоборот, будто ждала одиночества. Раньше просила читать ей газеты, чтобы отвлечься, а теперь будто боялась любого вторжения в свой сузившийся мир. Раньше она просила меня звонить ее знакомым, чтобы ее навещали почаще в больнице. Жаловалась, что когда человек болен, его начинают избегать:

– Если ты ничего больше не можешь дать людям, они уходят.

А теперь попросила, чтобы меньше было посетителей. И если кто-то приходил, то больше отмалчивалась и ждала, когда гость уйдет.

В последние дни мы с ней молчали и иногда только говорили друг другу какие-то незначительные слова.

Один раз она протянула мне заклеенный конверт и сказала, что продумала все о своих похоронах и написала мне, что делать.

– Только обещай мне, что не потратишь ничего лишнего! Не надо на меня тратиться. Обещаешь?

Я кивнула.

Она внешне сильно изменилась. Маму съедал рак. Она высохла, скукожилась. Ее стало легко переворачивать в постели. Веки почернели, впали.

Ее мучил голод, но она уже ничего не могла есть, после каждого приема пищи организм все возвращал обратно. Сначала мама стыдилась этих приступов рвоты и не хотела, чтобы я видела ее такой, а потом у нее уже не было сил на стыд. Я сидела рядом и гладила ее по плечу, а она стонала от только что прошедших рвотных судорог и от страха, что скоро начнет рвать опять.

Я старалась все время поддержать в ней надежду, уверяла, что все будет хорошо, и мне казалось, что она за эту надежду цеплялась. Но одна ее подруга, встретив меня в коридоре больницы, сказала:

– Саша, мама все про себя знает, что ей осталось жить недолго, и просила не говорить об этом тебе, чтобы не расстраивать.

И расплакалась:

– Бедная, она так страдает! Быстрей бы уж!

Мама жаловалась:

– Если всем выпадает смерть, то за что именно мне такая мучительная? Почему я должна так страдать? Хочется прожить последние дни с достоинством, но о каком достоинстве может идти речь, когда такие боли! Ужасно не то, что теряешь человеческий облик, а то, что становится все равно.

Она боялась ночей и требовала двойную дозу обезболивающего. Иногда просила лекарство уже через полчаса после очередного укола.

Так хотелось что-то для нее сделать, но я ничего не могла, кроме каких-то мелочей: поправить лишний раз подушку или нагреть холодное судно, прежде чем подсунуть под нее.

Потом уходила домой и оставляла ее одну.

Однажды, совсем незадолго до конца, мама стала просить меня остаться с ней на ночь. Она услышала разговор в коридоре, и ей показалось, что говорили о ней, что эту ночь она не переживет. У мамы началась паника. Она так просила меня, что я договорилась с дежурным врачом и осталась с ней, хотя наутро должна была рано вставать и ехать на работу. Мне постелили на пустой кровати, продавленной, скрипучей, на которой не только больной, но и здоровый не сможет заснуть.

Мама лежала беспокойно, я все время делала ей холодные компрессы.

Мама мучилась, а я сжимала ее руку и вспоминала, как мы усыпляли ее кошку. Кошка долго болела, а когда мы привезли ее к ветеринару, тот посмотрел на нее и сказал:

– Зачем вы мучаете животное?

Надежды на выздоровление не было, и решили усыпить. Мама взяла ее на руки. Сделали укол. Кошка свернулась, заурчала. Было видно, что ей так уютно, так хорошо засыпать в любящих руках.

Я тогда еще подумала – так странно, что мы жалеем кошек и помогаем им прекратить поскорее мучения, а людей жалеем и делаем все, чтобы их страдания продлить.

Казалось, в такую ночь мы с мамой должны были сказать друг другу что-то важное, а говорили только обычное.

Я очень хотела спать.

Так ничего главного мы друг другу тогда и не сказали.

Ей давали сильные снотворные, но уколы перестали помогать.

Она уже потеряла голос и шептала:

– Когда такие боли, я больше не человек.

Я видела, как сестры пытались понять, что она говорит, и наклонялись, но отодвигались от ее дыхания, будто рак можно вдохнуть в себя.

Мама все чаще шептала:

– Скорее бы.

В последний раз, когда я ее видела, ей было очень плохо, она стонала, во рту пересохло, капли пота высыпали на лбу. Рвота даже от глотка чая. Дыхание было хриплое, затрудненное. Это опухоли выталкивали ее из тела.

Мне позвонили на работу и сказали, чтобы я приезжала, что мама умирает. Позвонила отцу.

Он долго не брал трубку. Когда ответил, я сразу поняла, что он пьян, хотя был полдень.

– Зайка! Угадай, что я вчера достал!

– Папа, послушай, это важно!

– Валенки! С галошами! Как новенькие!

– Папа, мама умирает.

Сказала, чтобы приезжал в больницу. Он что-то пробормотал.

Трамвая долго не было, пришлось ждать, потом ехать в переполненном.

У вокзала в вагон влез отец, он меня не заметил. Я хотела окликнуть его, но он уже с кем-то ругался. Мне стало стыдно. Не хотелось, чтобы все знали, что это – мой отец.

После нашего разговора по телефону он, похоже, выпил еще.

Я давно его уже не видела и поразилась, как он постарел и опустился. Небритый, полезла седая щетина. Осунувшийся. В какой-то дурацкой вязаной шапочке. В грязном пальто с оторванной пуговицей. При этом все время повторял громко на весь вагон, будто со сцены:

– Видите ли, она умирает! А мы, значит, не умираем? В трамвае едем! А куда мы едем? Туда и едем! Подумаешь, умирает она! Зайчиха-пловчиха!

Потом пристал к кому-то:

– Что вы на меня так смотрите? Валенки с галошами? Очень даже практично! Конечно, старье, но от мороза невонюче!

Стал нести что-то про галоши и шоколад.

Подойти я так и не решилась. Он заметил меня, уже когда сошли у больницы. Бросился ко мне, хотел поцеловать. Я его отпихнула:

– Посмотри на себя!

Он поплелся за мной, обиженно бормоча себе под нос.

Мы опоздали, мамы уже не было.

У меня было чувство, что случилось непоправимое. Не потому, что мама ушла, – за время ее болезни я была к этому уже готова.

Все эти месяцы я испытывала чувство вины перед ней, сама не знаю за что, может быть, за то, что она уходит, а я остаюсь. И мне казалось, что это чувство пройдет, если в минуту смерти я буду рядом. Мне хотелось быть с ней и держать ее за руку. А я опоздала.

Она была все время болезни со мной, а умерла в одиночку. Мне было особенно больно именно от этого.

Лицо у нее впервые за много месяцев стало спокойное, умиротворенное. Отмучилась.

Отец стоял над ней и плакал, закрывшись руками. А я еще обратила внимание на то, как они покрылись пигментными пятнами, и подумала, что у него не в порядке печень.

Хорошо, что самой пришлось заниматься бумагами, устройством похорон, – все эти связанные со смертью дела отвлекают.

Вечером я сидела у телефона с маминой записной книжкой и звонила ее знакомым сказать, что она умерла. Было странное чувство – с каждым новым человеком, которому я звонила, она будто опять становилась живой и умирала только после моих слов:

– Мама умерла.

Все было так странно. Венок, ленты, гроб. Неподвижное тело, из которого я появилась на свет. Когда-то я была в ней, и меня нигде больше не было. А теперь она во мне. И ее больше тоже нигде нет.

Когда собирала маму, подушила тело ее духами и положила флакончик в гроб.

Оказалось, что мама заранее за все заплатила. У нее уже было место на кладбище. Это старая могила ее матери, и в этой же могиле был похоронен ее первый ребенок. Она меня на кладбище с собой почему-то никогда не брала. Теперь она хотела лежать с ними вместе. Фотографию на памятник она подобрала давнюю, на которой была молодой и красивой. Преимущество родителей – уходя, они не видят своих детей в старости. Мама никогда не увидит меня плаксивой раздражительной старухой, какой увидела ее я.

Еще вспомнила, как мы с ней ругались, когда я была злой и беспощадной девчонкой, ненавидела ее и один раз даже пожелала ей смерти – и вот это произошло.

С утра в день похорон валил густой снег и превратил кладбище в мир снежных статуй – деревья, кусты, ограды, надгробные камни перестали быть самими собой.

Все смахивали то и дело мокрый снег с пальто и шапок, папа вытирал кустистые брови концом шарфа.

По дороге у входа мы встретились с другими похоронами, и нам пришлось ждать. Из гроба торчала борода – вся в снегу. Тоже перестала быть бородой, а превратилась в маленькую снежную статую. Те похороны были с музыкой. Музыканты стряхивали снег с инструментов, выбивали слюну из мундштука, недовольно ежились, перетаптывались под снегопадом. Кто-то украдкой глотал коньяк из маленькой бутылочки.

Кое-где на кладбище жгли костры, чтобы разогреть землю. Через падающие мокрые хлопья доплывал дым.

У меня было странное ощущение, что мы хороним не мою маму, а кого-то еще.

Я знала, что это не она, что это тело в гробу – пустое, что мама не может лежать заваленная снегом в неудобном холодном ящике с голыми посиневшими руками на ввалившейся груди, но сходство этой мертвой женщины в гробу с моей мамой в какие-то минуты становилось нестерпимым, и у меня начинали литься слезы. Особенно оттого, что снег у нее ни на руках, ни на лице не таял, мне приходилось смахивать его перчаткой.

Когда я наклонилась над ней, перед тем как закрыли крышку, я понюхала ее в последний раз – аромат духов смешался с запахами обивки гроба, снега, костра, цветов, мертвого тела. Но все это не было запахом мамы.

Отец наклонился и прикоснулся лбом ко лбу. Потом подошел ко мне, у него на волосках из ноздрей висели капли. Хотел что-то сказать, но только затряс головой, будто купался и вода попала в уши. Я вытерла платком ему под носом и обняла его, прижалась головой к его мокрой голове.

– Папа, надень шапку, простудишься!

Рабочий просовывал веревку, чтобы опустить маму в могилу, – будто всем в эту минуту захотелось обняться – и он обнял гроб.

Меня поразило, что на похороны пришли кроме ее ближайших подруг какие-то люди, которых я совсем не знала. Одна женщина, целуя меня, сказала:

– Саша! Как же ты стала похожа на маму!

Обратно возвращались по дорожке между умершим кладбищем, на котором давно не хоронят, и нашим, живым, и в голову пришло, что я теперь никогда не смогу обнять маму, а какое-то дерево – сможет, обнимет корнями, прижмется.

Янка на похороны не пришла, хотя я ее ждала. Вообще после той своей больницы, когда я жила у них, с ней что-то произошло. То были лучшие подруги, а теперь не звонит, не приходит, не зовет сидеть с детьми. На Новый год я притащила домой елку, нарядила, купила мальчишкам подарки, хотела пригласить их, устроить им и себе праздник, но Яна детей ко мне не пустила, сказала, что они оба простыли. А я слышала, как они кричали в трубку, что хотят пойти к тете Саше.

После смерти мамы я разбирала ее вещи, документы, фотографии и встретилась с отцом, чтобы передать часть ему. Он заявил, что начал писать мемуары и ему все это может понадобиться. Просила дать что-нибудь почитать, он отказал:

– Все в свое время.

Говорили с ним о маме, о том, как тяжело ей было умирать.

– Ты, зайка, еще маленькая и ничего в этой жизни не понимаешь! Болезни необходимы – они помогают! Когда такие мучения, то не так страшно уходить.

Выпил немного, быстро захмелел и стал возмущаться:

– Набьют покойнику в рот тряпки, чтобы щеки были пухлые, как у младенца, раскрасят, напомадят, изобразят счастливую улыбку! А я как представлю, что мне будут этот последний клоунский грим накладывать – уже тошно! И вообще не могу представить себя в земле. Не хочу! Хочу, как моряк, – бултых в океан!

– Папа, тебе нужно снова жениться!

Кончились изматывающие поездки в больницу, должно было бы стать легче без рака, уколов, уток, рвоты, стонов, запахов гниющего тела, но поймала себя на том, что привыкла ездить к маме и по дороге думать о том, как расскажу ей вечером свой день, и хорошее, и плохое, как находилась, настоялась, намучилась, как мне было тяжело – и как все в конце концов удалось.

Перебирала мамины вещи. Расчески, пудреницы, зеркальца, кремы, одеколоны, заколки, баночки, тюбики, пинцеты, ножнички, щеточки – все, что не может существовать без женщины, – в пакет с мусором.

Наткнулась в шкафу на ее старые платья. Разбирала, вспоминала, где и когда в том или этом платье я ее запомнила. Иногда ничего не могла вспомнить, а иногда сразу вставала живая картинка: вот мама собирается в своем синем бархатном в театр, расчесывает волосы, разговаривая по телефону перед зеркалом, и уверяет трубку, что такие брови сейчас уже не носят. А потом нашла ее китайский халатик с голубыми драконами – скомкала его, окунула в струящийся шелк лицо, но он пах только старой стиркой.

Бумажные конвертики. Все аккуратно подписано: «Первый зуб Сашеньки».

И думаю, это мой или его?

«Сашины волосики – 1 год и 3 мес.»

Опять не понимаю – мои?

Нашла самодельный веер из картона, который я ребенком сделала ей когда-то на даче, чтобы отгонять ос. Она его зачем-то сохранила.

Рассматривала фотографии и удивлялась – мама действительно в молодости очень была похожа на меня. Неужели, если доживу до старости, буду такая же, какой она стала во время болезни?

На обороте каких-то фотографий стояли написанные маминой рукой даты. На одном снимке папа обнимал маму где-то среди сугробов. Странно, что в октябре уже сугробы. Оба в старомодных лыжных костюмах, но лыж нигде не видно. Обратила внимание на дату. Подсчитала – получилось, что снимались они как раз в те дни, когда я была зачата. Мама улыбается, но глаза какие-то серьезные. А папа заливается во весь рот – ничего еще тогда не знал, ни про себя, ни про маму, ни про меня. На старых фотографиях вообще никто ничего никогда про себя не знает.

Мама когда-то рассказывала, как они раньше предохранялись: на шейку матки надевался металлический колпачок, смазанный вазелином. А на время менструаций его нужно было снимать. Мама не всегда надевала колпачок, а предохранялась кислыми тампончиками – перед тем как лечь с отцом, она растворяла немного лимонной кислоты, смачивала кусок ватки и засовывала себе.

А в ту ночь они захотели меня.

Почему-то очень хорошо представляю себе ту, мою, ночь.

Они вернулись домой поздно, под снегопадом, таким же, какой был в день ее похорон, и свою черную каракулевую шубу мама повесила сушиться.

Вижу, как папа хочет снять с мамы чулки, а она шепчет:

– Осторожно! Еще нитку зацепишь!

Мама рассказывала, что на вокзале была мастерская по подъему петель на чулках – там всегда стояла очередь из женщин.

Наверно, папа нетерпеливо целовал ее, а она аккуратно скатывала чулки, затем засунула их в щель между матрасом и спинкой кровати. Потом еще ведь должна была, откинувшись назад и выгнув спину, стянуть с себя пояс с резинками. Или на любовь ее обстоятельность не распространялась?

Ничего я про нее не знаю.

Знаю только, что потом, когда я уже началась, папа встал покурить, открыл еще не заклеенное на зиму окно.

– Смотри, снег опять повалил! Иди сюда!

Мама набросила на голое тело свою каракулевую шубку и подошла босиком, придерживая воротник у горла. Высунулась, еще горячая после любви. Зачерпнула в горсть мокрый снег с подоконника, стала его жевать.

Стоят в темноте у открытого окна и смотрят на снегопад.

Папа обнимает ее одной рукой, а другой отводит папиросу подальше в сторону и выпускает дым струйкой вбок углом рта. Мама в мокрой шубе прижимается к папе и проводит пригоршней снега ему по распаленной коже на шее, а рука, голая до локтя, от снежного заоконного света белая-белая, будто в длинной бальной перчатке.

* * *

Сашенька моя!

Тут дожди зарядили. Льет почти без остановки.

Мы опять в лагере. Вот и сейчас барабанит над головой по крыше палатки. Смотрю, как по тропинке ползет желтая грязь. И на лужах пузыри.

В палатке все отсырело, и грязно до невозможности. А снаружи, наоборот, парусина чистая, белая, смыло всю пыль.

Вначале, как полило, все радовались, подставляли под дождь котелки, ведра, раздевались, мылись, бегали голые, стирали форму, белье. Дожди здесь южные, парные, крепкие.

Постирали, а сушить негде — теперь все развешано по палатке и пахнет гнилью.

Эта дробь по парусине доводит меня до отупения.

И с утра озноб. Похоже, я подхватил лихорадку. Какое-то странное ощущение. Вроде все вижу и слышу, но как-то со стороны.

И иногда вдруг теряется связь, то есть перестаю понимать очевидные вещи. Вот не понимаю, откуда взялись в моей жизни эти люди вокруг. Почему я сейчас в этой отсыревшей и прокуренной палатке с ними – гогочут, снимая портупеи, от них разит ханьшином, один выдул из ноздрей два дымных клыка, у другого по лбу красная полоска от фуражки, у третьего на черепе ни единого волоса, кожа блестит, как тонкая папиросная бумага. А теперь они ругаются, обсуждая действие мелинитовых снарядов.

Или это просто температура? Я, наверно, заболел, вот и получается из потока жизни каша.

Кашевар сетует, что за неимением коровьего масла все приходится жарить на бобовом.

Шел мимо адмиральской кухни, а там клетки с мокрыми курицами под дождем. Непонятно.

Что тут не понять? Курицы, клетки, дождь, кухня, адмирал – а все равно ничего не понимаю.

К приезду адмирала Алексеева устроили смотр – готовились, чистились, занимались фуражками, блеском блях, спозаранку выстроили всех под дождем, два часа ждали, потом прибыл корпусной командир, поздоровался, посмотрел винтовку у одного стрелка, та оказалась грязной, устроил всем разнос. Но какое я имею к этому отношение?

Непонятно, кто мы, где и зачем мы вместе. Необъясним этот дождь, какие-то далекие выстрелы. Немыслимы эти бумаги, которые я должен переписывать бесконечно. Не может быть, чтобы та же рука, которая пишет тебе эти письма о моей любви, потом выводила буквы, которые принесут в чей-то дом горе, будто я вестник, приносящий плохую весть. Я не вестник.

Кирилл на мертвом ихэтуане нашел амулет – на шее на веревке в маленьком мешочке желтый листок. Записка с заклинанием, написанным красной краской, которое должно было сделать его неуязвимым. Повесил себе на шею. Непонятно.

Мы с ним опять в ссоре. Еще более непонятно.

Солдаты – никогда не читали Шекспира и не прочитают, но знают, что перед боем не надо много есть, это осложнит состояние при ранении в живот. Знают, что промыть грязную рану можно мочой или дезинфицировать прижиганием – в крайнем случае для этого годится порох из патрона. Что им монологи датского принца? Быть или не быть? Смешно. И непонятно.

Сверху на палатке вода собралась в лужицы, и Кирилл сливает ее, тыкая бамбуковой палкой в провисшую под тяжестью воды парусину. Зачем я это пишу? Непонятно.

В городе идет неудержный и ненасытный грабеж. Грабят все. Комендантом назначили английского капитана Байли. Чтобы остановить мародерство, он тут же публично расстрелял одного из английских солдат – сипая. Наше начальство решило не упасть в грязь лицом и велело расстрелять двух русских. Схватили первых, кто под руку попался, и расстреляли. Узнав об этом, генерал Фукусима приказал расстрелять троих японцев.

Я заполнял на тех двух солдат бумаги. Зимин Василий Александрович и Локтев Александр Михайлович. Одному двадцать лет, другому двадцать один. Три дня назад, кстати, только исполнилось.

Я видел, как расстрельная команда чистила ружья дорогими шелковыми тканями. Вообще ничего непонятно.

От этого дождя с ума сойти можно.

А того Локтева я знал – светлоглазый и беловолосый, почти безбровый.

Пока писал сейчас, Глазенап побежал под дождем за кипятком, а на обратном пути поскользнулся на грязи и ошпарил себе левую руку. Сидит и тихо воет, кожа вздулась красными волдырями. Все лезут с советами, что делать. Побежал в лазарет.

Послезавтра выступаем на Пекин, несмотря на дожди. Сегодня переписывал походный план на чистовую бумагу. С потолка штабной палатки капало. Мне все время приходилось беречься от капель сверху.

Какой такой Пекин? Есть ли он вообще на свете?

И как можно куда-то идти по такой непролазной грязи?

Мне трудно сосредоточиться. У меня страшно испорчен желудок. Когда ничего не ем, еще куда ни шло, а как съем что-нибудь – сразу понос и рвота. В лазарете дали какой-то порошок – не помогает.

Все время хочется есть.

Хорошо, что ты меня не видишь, сейчас я небритый и дохлый. Здесь все такие. И в грязи. Все палатки в желтой глине, и койки, и одежда. Хотя, кажется, я писал тебе уже об этом. Не понимаю, писал или нет? И главное, зачем?

Зачем пишут? Пока пишут, значит, еще живы. Раз ты прочитала эти строчки – смерть отодвинулась. Чем я не Шахразада с ее историями? Только она богачка по сравнению со мной. Тысяча ночей, подумать только – это же целая вечность! А сколько же мне еще ночей отпущено? И где-то ведь есть эта цифра, существует, дожидается меня, как неоткрытая Америка.

Иногда я не бываю самим собою, родная моя, и ты мне нужна, чтобы снова найти себя, обрести, восстановиться. Нужно ухватиться за что-то настоящее, я хватаюсь за тебя.

Раз я пишу тебе, значит, все хорошо, я еще живу. Пишу – живу. Странно, ведь это именно то, от чего я хотел убежать. Не получается.

Иногда происходящее кажется каким-то сном, в котором все необъяснимо, несуразно, но реально до боли, до звуков, до запахов. Наверно, нужно просто проснуться в реальность, но куда проснешься от этих неровных ударов капель по палатке, от запаха плесени на невысыхающей одежде?

Попытался, наоборот, если не проснуться, то хотя бы заснуть, не получилось. Голова тяжелая, сумбурная.

Выпил воды – песок скрипит на зубах.

Глазенап вернулся с забинтованной рукой. Сел на свою койку, полюбовался на свежую белую перевязку и произнес задумчиво:

– Ведь все на свете знак чего-то. Все имеет смысл и говорит о чем-то. Может, это мне знак, что обойдется?

Хорошо, что его никто, кроме меня, не слышал.

Взять бы да поверить глупому Глазенапу, что можно заснуть и проснуться в другом мире в другое время и жить, забыв все, как дурной сон.

И наконец, совсем непонятно, что такое смерть. И, наверно, никогда не будет понятно.

Никогда ничего не понять!

Наверно, все-таки я сплю и вижу сны. Когда-нибудь я проснусь. Я проснусь. Только бы проснуться!

Я больше не могу.

Сейчас какие-то люди вокруг меня пьют чай.

Я не знаю, кто эти люди кругом. Не понимаю, что они мне говорят.

Я не понимаю, что я здесь делаю, почему я не с тобой?

Сашенька моя! Мне кажется, все, что я должен был понять, я уже понял. Мне достаточно. Я хочу домой. Я хочу к тебе.

А нас погонят куда-то по грязным непроезжим дорогам.

Саша, каждый мой шаг здесь имеет смысл только потому, что это шаг к тебе. Любимая, куда бы я ни шел, я иду к тебе.

Слушаю, как дождь барабанит, выбивает мозги из головы, и вспоминаю, как дождь барабанил когда-то на даче – какой это был приятный звук дачного дождя, шуршащего с утра по крыше веранды!

Как я любил такие дождливые дни, когда можно лежать на диване, слушать шелест мокрой листвы в открытом окне и читать.

И сейчас удивляюсь, что я в то лето мог не чувствовать себя счастливым.

Конечно, я был счастлив, только не знал об этом. А мне казалось, что все знаю и все понимаю.

Помню, читаю в «Гамлете»: «Распалась связь времен».

И мне все было ясно. Что тут не понять?

А по-настоящему здесь только понял. Теперь знаю, что он имел в виду.

Знаешь, о чем на самом деле писал Шекспир? О том, что эта связь восстановится, когда мы снова встретимся и я положу тебе голову на колени.

* * *

Любимый мой, единственный!

Так давно тебе не писала.

У меня все хорошо.

Только очень устаю.

Не подумай, я не жалуюсь. Я сильная. Вернее, это она, моя сестренка, сильная, а я могу взять и расплакаться ни с того ни с сего. Ты же знаешь. Мне это ничего не стоит.

Ну вот, опять я что-то придумываю, какую-то сестренку.

Все никак не могу к себе привыкнуть. Всю жизнь привыкаю и не могу. И к жизни привыкнуть никак не получается, хотя пора бы уже.

Очень трудно расставлять запятые про казнить и помиловать. Все знаю, все понимаю, а трудно.

И вставать каждое утро затемно. И потом одной домой возвращаться снова в темноте.

А она совсем не такая, ей все легко. И видит все по-другому, и чувствует. Никому это объяснить невозможно, а ты поймешь. Вот, например, утром еду на работу. Жду трамвая, и от ледяного ветра на глаза навернулись слезы, щеки обожжены. Замерзшая толпа на остановке угрюмая, молчаливая. Не то люди, не то тени. Трамвая все нет, а может, и не будет вовсе. Приплясывают, отхаркиваются, досыпают стоя. Тоже закрываю глаза, чтобы на все это не смотреть.

А она смотрит, но видит что-то другое.

Поземка раскоса. На снегу звездки. Деревья и провода за ночь обросли инеем на палец. Помойка – и та заневестилась.

А вокруг толпы на остановке густые клочки – душа разлетается самосевом. Трамвай подходит гремя, кренясь, тенькая. Пером соскабливает с проводов искры.

Тени на остановке засуетились, ринулись.

Кое-как втиснулись. Кондукторша ругается, трясет сумкой с мелочью. У нее очки – запотели.

Ухватилась за петлю, раскачиваюсь. Кожа ремня пахнет кислятиной. Трамвай на стрелках месит свою человечью начинку.

От тусклой лампочки вчерашняя «Вечерка» будто утопленница. На первой странице война, на последней кроссворд. Вероломно напало на нас царство попа Ивана. Точка пересечения линий в перспективе, пупок мироздания, горстка букв.

Новости все те же. Иных зарезали, а тех стоптали. Гробницы разграблены еще при жизни. Окот возвещает конец зимы. Одеснели вы, а мы ошуяли.

Вот сейчас, в это самое мгновение, гондольер отталкивается ногой от скользкой, обросшей плесенью и водорослями стены.

Ученые сообщают, что мы – теплокровные, надышали, поэтому в вагоне становится тепло и сыро. Но на каждой остановке мороз из дверей лезет под юбку.

И время все никак не дает исследователям покоя. Ведь давно опытным путем выяснили, что оно заполняет собой пространство не до краев, как жидкая каша, а с горкой, как густая, но теперь проблема возникла с его хранением. По последним данным, сохранить его могут только зимописцы и только последовательно, одно за другим, в линию, которая уходит туда, куда уходят трамвайные пути, и там с ними соединяется, но для удобства это линейное время порезали на строки, как бесконечную макаронину.

Письма читателей. Есть детская игра для совсем маленьких – в доске вырезаны круг, квадрат, домик, разные предметы, и нужно эти формы туда правильно вкладывать. Потерял фигурку – нечем закрыть дырку. Вместо домика – сквозная пустота. И вот у меня ощущение, что моя жизнь – это такой набор пустот: дом, муж, любовь, сегодняшний вечер – и нечем заполнить. Дыры в мироздании – из них сквозит. И дыр этих с годами все больше и больше – люди уходят.

Погода за морем: солнышко, тепло.

Завтра по гороскопу сикось-накось.

Ищу.

Одинокая, счастливая несмотря ни на что, глаза больные, красные, ночью не могла заснуть, все время задыхалась – нос заложен, спала с открытым ртом, просыпаясь от собственного храпа, ходит целыми днями с соплями и тяжелой головой, сморкается до разрыва ноздрей, платок сушит на батарее, и с каждым разом платок становится все жестче, берет его, а он похрустывает. Все видит и все про всех знает. Получила свою порцию счастья и просит добавки.

Повезло, вот я уже у окна, варежку ухватила зубами, дышу на стекло и протираю пальцами в намороженном инее лунку.

Вагон швыряет на стрелках. Гремит по мосту.

Прильнула к глазку и смотрю на рассветающую реку, разлинованную лыжнями. У нас тут тоже были уроки физкультуры – вспомнила то странное ощущение, когда шла на своих стареньких лыжах под мостовым пролетом – над головой ржавые железные конструкции, громыхает невидимый трамвай, а я парю над пустотой, под лыжами – глубина. Так чудесно неумело идти над водой, отталкиваясь палками.

Каждый раз, когда грохочем по этому мосту, вспоминаю орущий кулек на льдине. Может, это та самая река?

Смотрю в лунку, а в ней луностояние. Зимний дым над фабрикой башковит. Долго проплывают газгольдеры, увенчанные сигнальными огнями, потом остановка у школы – там уже начался за заиндевелыми окнами первый урок, и еще заспанных, зевающих учат, что нельзя долго смотреть на луну, а то лунатиком станешь, что мальчики – это будущие солдаты, а девочки – санитарки, и что *я* у гусеницы и *я* у бабочки – совсем разные, но это одно и то же.

Мне почти до конечной, вагон пустеет, снова набирается мороза.

Выхожу, иней на кустах булавчат, по дороге у забора в снегу золотые вензеля. Собачьи? Человечьи? Не перестаю удивляться: и что мне в голову лезет?

С крыльца поликлиники спускается хромая в ортопедическом ботинке, на каждом шагу ввинчивая в себя ногу. Она работает в библиотеке, не любит читателей за то, что те берут книжку, а возвращают засаленную лепешку с выпадающими страницами, и в отместку им пишет карандашиком на первой странице детективов, кто убийца.

В регистратуре невидимка за окошком тараторит мелко, будто грызет слова, как кролик морковку.

Поднимаюсь к себе на второй этаж направо, там на двери кабинета табличка: такая-то, повелительница жизни, хозяйка женщин. А те сидят в очереди, во всех озимые, разговоры про муть в моче, ребенком больше – зубом меньше, живот дынькой – пацан, арбузиком – девка.

И все про всех знаю.

Вот у этой ночи бесконечные, а годы трусцой. И жизнь завивается нескончаемой картофельной кожурой.

Той хочется, чтобы все было по-людски, муж, ребенок, чтобы утром завтракать вместе, а не умеет. В прошлом году взяла путевку на речной круиз, решила, все, отступать некуда, поеду в отпуск на корабле одна, а вернусь счастливая. И вот в последний вечер сидит на палубе и смотрит на чайку, которая сидит на поручне и смотрит на нее. И чайка думает: «А ведь мы сестры. Ты, я и вот эта пристань, к которой никто не пристает».

А эта вот – глаза тяжелые, овечьи – горе-художница, которая дарит всем знакомым на дни рождения свои картины, а те мучаются, куда их деть, так в прошлом году одна пара, он крупный губошлеп и везунчик – когда спрашивают: в какой руке? – всегда угадывает, а она работает в собачьем салоне, купает и стрижет собак, жара, все закрыто, потому что после ванны песик может простудиться, поэтому она выбегает покурить потная, вся в собачьей шерсти, так вот, они при художнице повесили подарок в столовой, а потом сняли и забыли снова повесить к ее приходу. Она приходит, а на том месте, где висел ее натюрморт, – часы. Теперь сидит на банкетке у окна, задумавшись, и подсчитывает что-то на пальцах.

Захожу, снимаю платье, вешаю его на плечики за дверью, надеваю хрустящий халат.

И начинается.

– Следующая!

Стягивает с себя рейтузы, трусики, утирая запястьем текущий нос, лезет на холодное кресло. Гусиная кожа высыпала на посинелых тощих бедрах, на ягодицах с красными полосками от резинки. Курчавится рыжее.

Казнить нельзя помиловать.

А сегодня утром, когда снег и сумерки еще были единым целым, на трамвайной остановке шмыгала носом простуженная, вся в соплях отроковица.

Я рядом стояла. Трамвая долго не было.

Потом кто-то выдохнул:

– Идет!

Остановка затопталась, защурилась.

– Пятерка? Или двенадцатый?

– Пятерочка!

Трамвай все ближе, а отроковица вдруг бегом от него, заскочила за остановку и, захлебываясь, согнулась пополам в рвоте. Снова увидел свет бабкин соленый огурец и еще что-то рубленое, винегретное.

Пока отдышалась, отплевалась, трамвая след простыл. Я тоже уехала.

Я осталась.

Еду в трамвае и стою на остановке.

Над рвотной кляксой – пар. Прилетела галка, подскакала кособоко, клюет горячее.

Я подошла совсем близко, наши клочки дыхания сцепились, съежились вместе. Спрашиваю:

– Все хорошо?

Она вытирает снегом губы и косится на меня, мол, отстань.

Я:

– Сколько тебе лет?

Она:

– Какое вам дело?

Я:

– Никакого. Просто когда-то у меня не случилась дочка. Смотрела на тебя и вдруг подумала, что она могла бы сейчас быть как ты.

Она:

– Что вам от меня надо? Кто вы?

Я:

– Какая разница. Просто трамвая жду. Короче, я – повелительница жизни. Весть и вестник. Не важно. Не бойся меня.

Она:

– Я и не боюсь.

Я:

– Я все знаю.

Она:

– Ничего вы не знаете.

Я:

– Понесла непорочно, а никто не верит?

Она:

– Не ваше дело!

Я:

– А откуда ж тогда взялось? В пруду, что ли, искупалась – и готово?

Она:

– Но ведь ничего же такого я не сделала! Честное слово!

Я:

– Ну, девочка моя, всякое бывает. Могла взять на палец и – туда. А птицы вовсе умудряются ввести сперму на лету.

Она:

– Да при чем здесь птицы?

Я:

– Птицы тут ни при чем. А человек, ты еще не знаешь, вообще одинок. Единственное состояние, когда человек по-настоящему не одинок, – это когда женщина ждет ребенка. Радуйся, дуреха! Ты думаешь, ты одна такая? Эка невидаль! Чего только не бывает. Не ты первая, не ты последняя. Дети же не от семени. Считай, что непорочное.

Она:

– Я боюсь.

Я:

– Все будет хорошо. Вот увидишь. Не переживай так! Ты здоровая, красивая, справишься! И ребенка родишь здорового и красивого.

Она:

– Я не хочу. Я решила, что не буду.

Я:

– А это вот не тебе решать, хочешь или не хочешь. Кто тебя спрашивает? Ты теперь о животе своем думай. Если арбузиком – то пацан, если дынькой – то девка. В общем, как получится.

Она:

– Нет!

Я:

– Успокойся и будь умницей! Иди и благодари тот пруд за подарок и проси его, как Аленушка у омута, чтобы ребеночек родился нормальным и с как можно более огромными глазами, и чтобы все у него было на месте – руки там, ноги, голова, а то ведь всякое бывает!

Она:

– Я все равно не буду рожать!

Я:

– Будешь!

Она:

– Нет!

Я:

– Будешь! Возьми себя в руки! На, держи платок, высморкайся. И послушай. Жила-была одна девочка, совсем как ты, такая же простуженная, так же шмыгала носом, так же понесла непорочно. Никто ей не верил. И в ее отроковичной голове было то же, что в твоей. Как раз начался ледоход. Она пришла ночью на реку и положила свой кулек на льдину. Ребенок уплыл вниз по течению. Она, горько плача, пошла с берега в свой недом, но поняла, что там будет нежизнь. Бродила по улицам до утра. Из груди у нее текло, потому что женщину создали, а кран забыли. В ушах все время стоял детский крик. Наконец она не выдержала и пошла обратно к реке. А крик раздавался все громче и громче. Она подошла к берегу. Детский плач все ближе. И тут она увидела свой кулек на льдине, которая медленно опускалась с другой стороны реки, сверху по течению. Она бросилась в реку, побежала по льду, проваливаясь в воду, схватила дитя, выбралась, еле живая, на берег. Села в сугроб, выпростала горячую сиську, сунула. Всосался, зачмокал. И началась жизнь, горласта, благоухающа, нетленна.

* * *

Сашенька моя!

Уже несколько дней мы в походе.

В голове только обрывки, вот и пишу тебе обрывками.

Сейчас дождь перестал, кое-как разожгли костры. Ночь кругом густая, ничего не видно, только лица освещены.

Ночью все какие-то другие, незнакомые. Все уставшие, злые.

Костер иногда вспыхнет — вдруг видны и повозка и лошадиная морда, потом снова темнота подступает со всех сторон.

У меня все-таки лихорадка. И в голове — то просветы, то тьма кругом. То совсем какие-то далекие мысли лезут.

Помнишь, ты спрашивала, что я думаю про Джоконду. Теперь я точно знаю, о чем ее улыбка.

Она улыбается потому, что она уже там, а мы еще здесь. Она улыбается нам оттуда. И не улыбка это вовсе. Она уже знает то, чего мы еще не знаем. Мы все надеемся, вдруг там что-то есть, а она уже знает, что там ничего нет, вот и усмехается над нами, дураками.

У меня жар, все мешается в голове! День прошел, снова дождь, да еще с ветром. Хлещет все сильнее, и полог палатки хлопает. Голове жарко, а ногам холодно.

Все целый день ходят мокрые, а сушиться негде.

Со мной творится что-то неладное. Опять то и дело перестаю понимать, где я, что со мной? Это я?

То темнота кругом, то вдруг прорывы.

Мокрая парусина бьется, а сделать с ней что-то сил нет.

От дождей снова появились комары. Мои лицо и руки сплошь распухли от укусов. Вот и сейчас писать приходится, зажмурив глаза и беспрерывно мотая головой.

Дороги размыло, в колеях воды по колено. Липкая грязь висит гирями на ногах, облепляет колеса, лошадям очень тяжело.

Пить хочется нестерпимо. Несколько раз пил воду из луж, хотя понимал, что этим еще более расстраиваю и без того больной желудок. Но жажда мучила ужасно.

Рисовые поля залило водой, там полно змей. Они извиваются у самой поверхности, и на воде подолгу видны их следы.

Идешь, и все время кажется, что рядом шевелится трава, и слышишь шорохи.

Вчера устроили дневной привал, все так устали, что повалились кто где стоял. Потом один стрелок всем показывал мертвую змею, на которой он, как оказалось, спал:

– А я думаю, что за веревка под боком мешается!

Неразбериха полная. Части отстают, перемешиваются. От страха начинают палить друг в друга. Вчера русских стрелков, захвативших деревню в стороне от дороги, английские артиллеристы приняли за китайцев и начали обстреливать шрапнелью. Несколько человек ранено, один умер уже по дороге в лазарет, потерял много крови.

Планы наступления без конца меняются. Сейчас первыми идут японцы, за ними мы, за нами американцы.

Сегодня проходили несколько деревень, покинутых жителями и опустошенных японцами.

Из одной деревни стали стрелять по нашей растянувшейся колонне. Генерал Стессель приказал развернуть батарею – от деревни за несколько минут ничего не осталось.

Мы идем по правому берегу реки Пейхо. Китайская армия отступает в полном беспорядке. По деревням встречаются места стоянок, брошенных как попало: они все оставляют – ящики со снарядами, патроны, ружья.

Где проходили японцы, там деревни совершенно разорены. Они забирают все съестное, а оставшихся китайцев заставляют идти с собой как носильщиков. Для острастки расстреливают. Таких трупов убитых жителей много набросано по деревням.

Грабеж продолжают наши, хотя много с собой не унесешь. Рыщут по деревням и тащат оттуда арбузы, дыни, овощи, кур.

Хлеба у китайцев нет – заменяют его вареным рисом, лепешками, все без соли.

Солдаты перестали есть свиней, их везде огромное количество – те пожирают трупы, которыми теперь завалены окрестные деревни. Убирать мертвецов некому.

У всех отрядов много отставших. Мы все время натыкаемся на японцев, которые бесконечной вереницей тянутся позади своих войск или возвращаются в Тяньцзинь. И всех, без национальных отличий, мучит дизентерия. Всюду по краям дороги сидят со спущенными штанами и измученными лицами и японцы, и русские. Самых слабых отставших японцев наши подбирают и сажают на свои двуколки, лазаретные фуры, орудия.

Сегодня день жаркий, ни ветерка. Но дорога все равно не просыхает, хотя и идет по насыпи, возведенной для ограждения полей от разлива Пейхо. Повсюду лужи загнившей воды, и ужасная вонь поднимается со всех сторон. Следы извержений испорченных желудков повсеместны.

Все боятся засад. То и дело из зарослей раздаются выстрелы. Гаолян густой, непроходимый и такой высокий, что легко скрывает даже всадника. Иногда у солдат нервы не выдерживают, и они начинают просто так палить по зарослям. Все время кажется, что там кто-то затаился.

Снова взялся записать несколько слов. Те же деревни, тот же гаолян. Заросли такие густые, что за несколько шагов человек исчезает. Солдатам запретили бегать туда по нужде. Уже было несколько случаев, что людей находили со вспоротыми животами.

Извини, дорогая моя Сашка, у меня уже давно не получается написать тебе письмо, настоящее, хорошее. Записываю на привалах что придется.

Сейчас от всего, что тут происходит, хочется спрятаться, но я все равно пишу – а вдруг когда-нибудь эти мои записи кому-то понадобятся?

Может, кто-то захочет что-то про нас узнать. Про то, что я сегодня видел. Про то, как шли допоздна и остаток ночи проспали на мокрой земле, не разбивая палаток. Все валились как попало. Дожди превратили глинистую дорогу в жидкое месиво. Обоз и передки орудий тонули по ступицы, и солдаты вытаскивали их на руках. Вытягивал сегодня ногу из жидкой глины и оставил там сапог.

Хотя кому может быть интересен мой сапог?

Все равно буду писать.

Опять ночь. Устроились в разрушенной деревне. Белье и кители мокрые, хоть выжми. Нет возможности сушить портянки. Огарок свечи вставили в китайский бумажный фонарик, едва мерцает. Глотаем мутную душистую жидкость – китайский зеленый чай, сваренный в солдатском походном котелке. Заставил себя съесть три яйца. Москиты, духота, одуряющие испарения из луж и канав.

Из колодцев боятся пить, заставляют сначала пить эту воду китайцев – старики не убежали из оставленной деревни. Вода бурая, густая, как гороховый суп.

Я уже писал, что перед нами идут японцы – сейчас прошли мимо дерева, на котором висят повешенные за косы – завязаны узлом вокруг шеи.

Днем то палящая жара, от которой люди опять валятся с солнечным ударом, то тропические дожди за какой-то час затопляют всю местность. Вода не впитывается в глинистую почву и образует в котловинах целые озера, а канавы и ручьи превращает в не проходимые вброд реки.

Люди падают без сил – их оттаскивают в стороны, на высокие сухие места, иначе они могут захлебнуться в лужах и жидкой грязи.

Сейчас начальник передовых постов расставлял в сторожевую цепь свою роту. Дождь хлестал, и часовым пришлось стоять прямо по щиколотку в воде. Посты специально ставят в низинах – ночью виднее снизу вверх.

Купы деревьев над гаоляном – то ли кладбища, то ли деревни.

Ночлег под открытым небом. Все в кучке, настороже. Шелест гаоляна похож на шорох, будто кто-то подкрадывается.

Как только небольшой привал – колонна моментально ложится. Люди так устают, что засыпают на голой земле в самых разных положениях.

Шли всю ночь, кругом горели соседние деревни. От зарева на небе все было видно. Потом опять дождь начался, но зарево сквозь него пробивалось. Какой-то красноватый дождь, такого не бывает.

Дорога по-прежнему невыносимая, то и дело приходится помогать лошадям вытаскивать из грязи застрявшие повозки.

Устал до того, что свалился замертво, – так и проспал, не раздеваясь, в грязных сапогах. Забились в какую-то мазанку, солдаты заснули на полу, используя друг друга в качестве подушек. От всех несет плесенью, потом и въевшейся грязью.

Мой собственный запах мне невыносим.

Снаружи было тихо, а потом из полей донеслись какие-то то ли крики, то ли стоны. Кирилл спросил:

– Это птица?

– Нет. Наверно, раненых не подобрали.

Поспать не дали – под утро часовым в тумане померещился кто-то, и они открыли пальбу. Оказалось, собака. Нервы не выдерживают, люди срываются по любому поводу, кричат друг на друга.

Все озлоблены до дикости. Зверства повсюду.

Китайские солдаты стреляют из засады, скрывшись в зарослях гаоляна, а в случае опасности сбрасывают свои куртки, кидают оружие, вылезают, кланяются, выдают себя за мирных жителей. И японцы, и англичане, и наши убивают теперь всех, кого встретят.

При мне казаки изрубили нескольких человек, на которых наткнулись в поле. Может, это крестьяне прятались от проходивших войск, кто теперь разберет? И кого это волнует? Ни о смерти этих людей, ни об их жизни никто никогда не узнает.

Я видел, как прикалывают человека штыком, а он еще хватался руками за этот штык, пытался отвести его.

В одной деревне захватили парня и при мне его допрашивали, а Кирилл переводил. Пленный сидел на полу, запрокинув голову назад, потому что руки у него были связаны за спиной его собственной косой. Кожа да кости. И глаза, полные ненависти и страха. Грязное, изможденное лицо. На все вопросы парень отвечал «мию», что значит «нет». Ему выстрелили в ступню, он завизжал, закрутился на полу, брызгая кровью, но все равно отвечал «мию». Его вытащили на двор и бросили в колодец.

Сашенька, я устал, смертельно устал.

Мне дает силы только то, что ты меня ждешь.

Пишу на следующий день.

Кирилл убит.

Вот как это произошло. Несколько наших солдат послали в соседнюю деревню, с ними пошел Кирилл. Их долго не было. Послали еще людей, те вернулись и сказали, что в деревне была засада. Мы бросились туда.

Я не сразу понял, что я увидел.

Вернее, сразу понял, но не хотел понимать.

Все погибли. Но сначала их замучили. Тела были изуродованы. Я не хочу писать о том, что я увидел.

Наши стали поджигать дома, но под дождем ничего не горело.

На другом конце деревни нашли старика и притащили его волоком, за щиколотки. Он весь был в желтой грязи. Когда его бросили, он так и остался лежать лицом вниз. Но он был жив. Сапогом его перевернули на спину.

Старик с длинной седой косой, обмотанной вокруг шеи.

Его стали бить сапогами и прикладами.

Я вступился, попытался удержать их, но меня отпихнули так, что я поскользнулся и упал в жидкую глину. Ему наступили каблуком на кадык, и я слышал хруст горла.

Сейчас мы пьем чай. Хорошо попить горячее.

Какой был смысл у этого дня? Какой глупый вопрос. Я всю жизнь задаю себе глупые вопросы.

Наверно, если был смысл у этого дня, то лишь в том, что он прошел.

Еще один день закончился и приблизил нашу встречу.

* * *

Володенька!

Ты мне очень нужен, потому что только с тобой я – настоящая.

И ты все во мне понимаешь, даже если я сама чего-то не могу понять.

И так хочется делиться с тобой только хорошим, но мне так важно делиться с тобой всем!

Я вовсе не собираюсь жаловаться, наоборот, мне нужно поделиться с тобой моим счастьем.

Я почувствовала себя счастливой – в тот момент, когда остальные испытывают горе.

Я никому не смогу это объяснить. Только тебе. Ты поймешь.

Вот я узнала, что такое дежавю: казалось, только что получила в руки свидетельство о смерти мамы, а уже оформляю документы на отца. Те же бумаги, те же слова. Та же суета с похоронами, странные ненужные обряды, ненастоящие церемонии – никак с настоящими мамой и папой не связанные.

Папа умер дома. Так и хотел.

Похороны были какие-то бестолковые.

Лифт маленький, пролеты лестниц узкие, и грузчики намучились, спуская папу с пятого этажа. Края гроба то и дело бились о стены и перила. Грузчики перекрикивались. На шум из открытых дверей выглядывали соседи. Несколько женщин стояли у подъезда, прикрыв рты ладонями.

Во дворе мальчишки играли в футбол, кричали, потом сбежались смотреть на похороны. Мяч выскочил, подскакал к самому гробу.

Поехали в крематорий.

Папа лежал в гробу, сложив руки, как паинька. Я гладила его спокойную грудь, которая не ходила больше ходуном, как в последние минуты перед смертью.

Убрала ему прядь со лба и увидела слезы на неумело выбритых мною щеках – мои слезы.

Жара, на папу садились мухи, я отгоняла их.

В крематории, пока ждали на скамейке, видела только костяшки пальцев. Папин живот вздулся от таблеток, возвышался над краями гроба. Я невольно сравнила взглядом его сложенные руки на груди с оконным шпингалетом за ними, и вдруг мне показалось, что папа дышит.

Среди пришедших были какие-то женщины, которых я не знала. Любовницы? Сожительницы? Любимые? Любившие? Ничего не знаю.

Когда целовала папу в последний раз, заметила, что ему на плечо села божья коровка. Смахнула ее, а то еще сгорит.

Краем уха услышала, как кто-то поинтересовался, какая температура в печи.

Когда закрывали крышку, я видела, что папа улыбнулся.

Сейчас сижу и читаю тетрадь, в которую он записывал что-то в последнее время и не показывал.

Отец давно говорил, что собирается писать мемуары. Может, он и действительно хотел. А получилась тощая тетрадка, в которой выдранных страниц больше, чем исписанных.

Шутил, что пишет книгу жизни.

– Это, зайка, моя брошюрка бытия. Вот допишу до конца, до самой последней точки, тогда прочитаешь.

После инсульта я много времени провела у его кровати. У него парализовало правую сторону. Угол рта и века перекосило, вместо слов была каша, но я кое-как научилась его понимать. Он еще не вставал, но уже снова стал делать в тетрадке записи левой рукой. Я предлагала ему записывать – не хотел.

Вообще он довольно быстро восстанавливался. В больнице пробыл совсем недолго – не хотел там оставаться. Говорил, что медсестры некрасивые, заглядывают редко и делают только то, что положено делать с тяжелобольными.

Патронажная сестра, которая приходила домой, чтобы заниматься с ним восстановительной гимнастикой, возмущенно выговаривала мне, что он хватает ее здоровой рукой за все выступающие части.

Я отвечала:

– Ну, значит, дела идут на поправку.

– Но я ничего не могу делать, потому что ваш отец хватает меня за грудь!

– Дайте ему по руке! Она же здоровая.

Отцу я говорила:

– Что ты творишь? Не можешь потерпеть?

Он мямлил что-то искривленным ртом.

И вот теперь я листаю его записи, а там – ничего. Вернее, ничего из того, что я хотела найти. Почти ничего про меня, про мое детство. Про меня на самом деле только одно упоминание:

«Иногда думаешь о своей жизни: все коту под хвост. А иногда: да нет, вот Сашку сотворил. Вот ею спасаться и буду. Мне за нее, может, вся моя чумовая жизнь и простится?»

Я, наверно, ждала, что узнаю что-то про себя, про ту сторону жизни, которая была скрыта от взгляда ребенка. Вместо этого какие-то разорванные записи обо всем на свете и ни о чем.

«Прислушиваешься ночью к часам – как они забирают жизнь. Одиночество – это когда у тебя все вроде есть, чтобы не быть одиноким, но на самом деле ничего нет. И вот среди бессонницы стоишь в ванной голый, стареющий – перед зеркалом. Смотришь на тело – предающее. Под бесцветными глазами набрякшие мешки, из ушей торчат космы. И чешешь себе между лопатками зубной щеткой. И думаешь – скоро умирать. Как так получилось?»

«К смерти нужно относиться легко: поспел – выдернули, как морковь с грядки. Не выходит».

«Время опять перевели. Вроде только что переводили. Надо торопиться что-нибудь написать, а то, не успеешь оглянуться, вообще отменят».

«Юношей я думал о том, как когда-нибудь состарюсь и буду писать мемуары, и поэтому записывал в дневник что-то, что может потом понадобиться. И вот теперь, по другую сторону жизни, через много лет вспоминаю, как юношей писал дневник, который должен мне теперь помочь вспомнить важные события и переживания из моей жизни. Но теперь выходит: то, что казалось тогда важным, – ерунда. А что было на самом деле важным – на то не обращал внимания. Получается, что мне сейчас писать о том себе – вранье».

«Вот вспомнил, как в детстве отец купил мне черепаху в зоомагазине. Я был счастлив. Был холодный зимний день, и я спешил домой, потому что боялся, что черепаха моя замерзнет. Зоомагазин и сейчас, через полвека, в том же доме. Я проходил мимо и зашел на минуту. Что я хотел? Поймать себя того, счастливого? Что общего между тем мальчиком, которому отец пытался втолковать, почему Ахиллес никогда не обгонит черепаху, шуршавшую в коробке из-под обуви, и этим угрюмым и не совсем трезвым прохожим? Да ничего!»

«Читал о реинкарнации, потом решил побриться. Смотрю на свою седую щетину и понимаю, что переселение душ происходит постоянно, просто мы переселяемся сами в себя. Был мальчик, стал старик, и душа переселялась из тела в тело бесчисленное количество раз – каждое утро. Тело незаметно за ночь становится другим».

Я помню отца молодым, сильным, как он делал зарядку. Мы играли в качели – он вытягивал руку, а я цеплялась за его запястье и раскачивалась. А теперь после инсульта на него было страшно смотреть. Объяснялся полусловами, правая рука не работала, похудел, кожа на шее провисла.

Папа и раньше болел, но никогда мне не говорил. Наверно, он боялся быть передо мной слабым. Однажды он даже лег с язвой желудка в больницу на операцию и мне ничего не сказал. Не позвонил. О том, что был болен, сказал только после выздоровления.

А в этот раз ему пришлось смириться со своей слабостью.

Особенно тяжело было в первые дни. Только я отмучилась с лежачей мамой, теперь приходилось ездить каждый день к отцу.

Жил он неухоженно, совсем без быта. Сковородку за отсутствием подставки ставил на пепельницу. О занавески руки вытирал. Пришлось все покупать или нести из дому.

Снова судно, массажи, пролежни, кормление с ложки. Сразу после инсульта у него было недержание. Подкладывала пеленки, как под младенца.

Потом, наоборот, начались запоры, и пришлось регулярно ставить ему клизмы.

Один раз убираю за ним разлившееся по простыне содержимое желудка, меняю постель, морщусь от вони, он шамкает что-то. Не понимаю.

– Что, папа? Что ты хочешь?

А это он просил прощения.

– Ну что за глупости, папа! Ты же мне попу подтирал?

При этом вел себя как ребенок. Мою его, а он капризничает – то вода горячая, то холодная. Намыливаю детским мылом губку – ноет, что губка дерет кожу. Приходилось намыливать ладонями. Кожа дряблая, болтается, будто соскальзывает с тела. Промываю ему все складки, морщины.

Массирую его больную руку и думаю – а куда же делась та крепкая мускулистая рука, на которой я когда-то раскачивалась обезьяной? Наверно, у рук тоже бывает реинкарнация, если она вселилась в эту парализованную плеть, покрытую вялыми веревочками вен и бурыми пятнами.

Стригла ему волосы, ногти. Вымачивала ноги в горячей воде, отпаривая мозоли, вросшие в пальцы желтые ногти, корявые наросты на шишковатых пятках. У него к старости пальцы на левой ноге скрестились – второй с третьим. Он шутил, что на удачу.

Везде ему мыла – жидкие ляжки с обвисшими ягодицами и в паху. Неужели я когда-то была вот здесь – в этом свалявшемся, сморщенном, потерявшемся в седых космах?

Он боялся, что у него тоже рак – простаты. Ощупала ему предстательную железу.

– Папа! Ты выздоровеешь и еще мне братьев и сестер нарожаешь!

Отец стал читать медицинские книги, спорить с врачами, объяснять им, как надо правильно его лечить.

Ему запретили курить – он продолжал дымить как ни в чем не бывало. Я махнула рукой.

Варю ему кашу – недоволен, звякает обиженно ложкой, сопит, вяло ковыряется в тарелке, хмыкает, морщится.

– Селедки бы с лучком!

– Ешь, а то опрокину кашу тебе на голову!

Вспомнил, как когда-то вылил на меня кефир, и послушно стал жевать манку.

Я сидела у его постели, и мне было приятно вспоминать с ним детство. Было странно, что какие-то вещи, такие яркие для меня, ему совсем не запомнились.

Зато вспомнили гавайский танец – руки в карманах.

Как я научилась завязывать галстук и сменила маму – всегда завязывала ему галстук сама.

Однажды он принес мне в подарок японскую гравюру, я даже не успела толком ее рассмотреть, а мама увидела, вспыхнула и отняла. Я так и не увидела, что там.

Вспомнила чудесный запах кожи, когда он был полярным летчиком и надевал на меня шлем, огромные очки, как я влезала в его унты.

Я потом посмотрела этот фильм и удивилась, вернее, очень расстроилась. Не потому что фильм был дрянь, а потому что впервые тогда поняла, что папа был плохим актером. Ненастоящим.

А когда завязывал тюрбан на голове, садился по-турецки, и кругом, сколько хватало глаз, простиралось царство попа Ивана – тогда он был настоящим.

И что это были за львы белые и червонные, грифоны, ламии, метагалинарии?

Еще вспомнила и рассказала ему то, чего он и не мог знать:

– Я вошла в вашу комнату, а ты спал. Свернулся калачиком, как ребенок. Меня это тогда так поразило, что мой папа спит как ребенок!

И еще я попросила у него прощения за те годы, когда я топтала и уничтожала его, будто мстила за что-то. За что я мстила? За то, что он оказался не господином господствующих, не царем нагомудрых, не повелителем всех повелителей? Не жил в столице всех столиц, главном граде всех земель обитаемых и необитаемых? Не путешествовал по своим землям в теремце на слонихе?

Зачем я говорила, что презираю его и маму? Неужели действительно презирала?

– Папа, прости меня за то, что я так себя вела тогда! И за все мои слова, от которых тебе было больно. Попросила бы прощения и у мамы, но не догадалась при жизни, а теперь уже и просить некого.

Папа ответил:

– Ну что ты, Сашка! Я тебя тогда уже простил. Это просто у людей такой способ взрослеть.

На полке взяла книжку полистать, открыла, а на развороте – стриженые волосы. Поняла, это, наверно, мама когда-то в давние годы его стригла, а он сидел и читал.

На шкафу среди разного хлама я нашла коробку с шахматами.

– Хочешь сыграем, как тогда? Мы ведь тысячу лет не играли!

Стали играть, и я вдруг выиграла.

– Ты поддавался?

Он улыбнулся, но я поняла, что он не поддавался, просто проиграл. Он и в шахматы играл плохо.

«Ну вот, уже давно стал узнавать в себе отца. Чувствую в себе его движения, ухмылки, жесты. Как он в меня проник? Когда-то больше всего на свете хотел быть на него непохожим, и вот на тебе, обхитрил меня, и тут я ему проиграл».

Папа мне никогда ничего о своих родителях не рассказывал. Говорил только, что они уехали куда-то далеко и там умерли. Так я и выросла без бабушек и дедушек.

Однажды он сказал:

– Что там было на самом деле – никто не знал уже тогда, когда событие произошло. Оно становится событием только тогда, когда его записал мемуарист. И знаешь, что главное в мемуарах? Умолчание!

Каким-то своим врагам и обидчикам грозился отомстить тем, что вообще их не упомянет:

– Ни единым словом! Будто их не было! Вычеркнуть из жизни! Сашка, скажи, разве это не идеальное убийство?

В тот день, когда он со мной первый раз вышел на улицу, и мы медленно, шажочек за шажочком, обошли вокруг дома, он записал в своей тетрадке: «Как я съежился! Воротник сорочки слишком велик для черепашьей шеи. Тогда никак не мог понять про Ахиллеса и черепаху. А теперь понял. Это я – черепаха, это меня Ахиллес никогда не догонит».

А это какие-то старые записи:

«Прожитые годы должны ведь накапливать мудрость, а я, старый дурак, чего накопил? Накопил ответы на все вопросы, которые когда-то были так важны, а теперь стали совершенно неважными. Даже то непреложное, что скоро меня не будет, осознаю как-то неотчетливо».

«По радио говорили о растениях и птицах, которым грозит уничтожение. Какие-то несчастные животные скоро должны исчезнуть. Да это я, я – то животное, которое скоро должно исчезнуть!»

А вот это, когда он уже сам стал выходить:

«Спустился вечером пройтись вокруг дома. Как хорошо – просто пройтись в одиночку! Трахнет инсультом – и поумнеешь сразу, начнешь разбираться в хорошем. Остановился передохнуть – смотрю, сверкнуло что-то на асфальте, отразило свет фонаря. Это прополз червяк или слизень – оставил свой след в жизни, да и то не в своей, а в моей. И попал даже на эту страницу. И никогда об этом не узнает. Почему-то стало от этого весело. Захотелось запрыгнуть на скамейку и станцевать чечетку, как тогда. Сколько же мне, балбесу, было?»

Я думала найти что-то в его тетради о маме, но там о ней ничего. Про семью нашла у него только одну фразу, похоже, выписанную откуда-то:

«Семья – это ненависть людей, которые не могут обходиться друг без друга».

Я как-то спросила, не жалеет ли он, что ушел тогда от мамы.

Папа ответил:

– Нет. А то мы, сцепившись, как звери, кромсали друг друга. Как только теряешь человеческое достоинство – нужно расставаться. Представляешь, после очередной ссоры она высунулась в окно отдышаться, а я шел мимо на кухню, и меня так и подмывало ее схватить за ноги и выпихнуть!

Один раз отец спросил:

– Ты хочешь знать, почему мы с твоей мамой расстались?

– Нет.

А в другой раз стал ни с того ни с сего рассказывать, как он когда-то уверял маму, что у него там, с другой женщиной, все закончено, и она поверила, а ничего закончено не было.

– Глядел ей в глаза и чувствовал себя ужасно, скотом, палачом!

– Зачем ты говоришь это мне? Тебе нужно было сказать это маме.

– Именно поэтому и говорю тебе, что ей не сказал.

– И чего ты хочешь?

– Сам не знаю. Чтобы она меня простила?

– Именно за это?

– И за это, и за остальное. Но больше всего, да, именно за это.

– Хорошо. Все хорошо. Она тебя за это простила бы. И за все остальное тоже. Какие вы у меня оба бестолковые, даже после смерти без меня договориться друг с другом не можете!

«Проснулся утром, забыл – зачем. Потом вспомнил. Стал думать – как все-таки выглядит смерть? Ведь не скелет же с косой? Когда-то я спросил отца, почему он лжет. Он ответил: "Вырастешь, поговорим". И вот я давно вырос, и теперь даже расту обратно, и спросил бы его совсем другое: "Отец, как выглядит смерть? Скажи, ты же знаешь!" Наверно, смерть выглядит очень просто – потолок или окно. Узор на обоях. Лицо, которое видишь последним».

Со мной он шутил, старался быть веселым, а в тетрадке сам с собой готовился.

«После смерти люди, наверно, просто возвращаются, становятся тем, чем они всегда были, – ничем».

«Где-то читал описание, как сжигают человека в Индии на погребальном костре, и череп у него лопается, как каштан. Что-то не верится. А вот один знакомый рассказывал, что его мать сожгли – одной из первых – в новом крематории, который тогда только открыли. И тогда еще родственники могли смотреть через стекло, как горит труп. Непонятно только, зачем – чтобы убедиться, что не подменили, что ли? И вот он увидел, как его мать в огне приподнялась».

Папа часто говорил о том, что не хочет, чтобы его похоронили в земле.

– Ну что за радость знать, что ты не исчез вовсе, а лежишь где-то под двумя метрами песка и гниешь потихоньку? Да еще под камнем! Камни ведь клали на могилы, чтобы покойники не вылезали!

К маме на могилу он со мной ни разу не поехал, говорил, что терпеть не может кладбища. А из его тетрадки я узнала, что он там, оказывается, был еще весной.

«Захотелось купить цветы моей зайчихе, везде продают тюльпаны – при жизни ей букеты не дарил. А потом подумал, что все равно украдут с могилы. Камень глупый дочка заказала. А умных, наверно, на могилах и не бывает. Присел, помянул. Хорошо было, тихо, грустно. Снег уже почти сошел. Прошлогодней листвой пахнет. Надо бы поставить ограду, но нынче это ужасно дорого стоит. Приехал туда поздно и возвращался последним, за мной ворота закрыли. Шел вдоль ограды и смотрю – какие-то старики и старухи перелезают через забор. Забавно – беглецы с кладбища».

Он просил, чтобы его сожгли, а прах развеяли где-нибудь на природе.

– Папа, ну что ты говоришь!

– А что такого? Я же не прошу, как Нострадамус, чтобы меня стоя похоронили! Просто прошу сжечь, а пепел развеять. Исчезнуть хочу, раствориться! Ну, высыпи куда-нибудь на грядку! Обещаешь?

– Обещаю.

«Какой умник сказал, что страдания возвышают? Чушь собачья. Страдания унижают».

Он часто говорил мне, что не хочет так мучиться, как мама. Он хотел сам уйти.

«Я ведь столько раз и раньше об этом думал. А что в этом такого? Только не в квартире – в ней же еще другим людям жить, им будет неприятно. Просто в один прекрасный день сказать соседке, что еду отдыхать, – и исчезнуть. Удерживала только мысль, что дочке нужно что-то сказать. А что ей скажешь?»

Он держался за меня, а я с ним месяцами даже по телефону разговаривать не хотела.

После инсульта он меня попросил:

– Сашка, если мне совсем будет плохо, дай слово, что введешь мне что-нибудь? Ты ведь знаешь, чего там нужно.

– Ты в своем уме?

Он опять стал пить, сознательно приближая свой конец, я уже не могла ничего сделать. Напивался, пока меня не было, потом мучился, говорил, что от изжоги, и глотал стаканами воду с содой. Попыталась несколько раз вразумить его, но он только смахнул с тумбочки все пузырьки и коробки с лекарствами.

В конце мая он перенес второй удар, от которого уже не оправился.

В тетрадке когда-то написал:

«Обидно только, что в день моей смерти ничего не изменится и не произойдет, на станции будут точно так же продавать жареные семечки, доставать из мешка маленький стаканчик с горкой и высыпать в оттопыренный карман. На углу будут так же пить пиво, обсасывая пену с усов. В окне будет стоять женщина и мыть раму. И самое интересное, что этот день уже есть, каждый год по календарю приходит, его можно отмечать. Он уже есть, только еще мне не открыт, как какой-нибудь закон или остров».

Сейчас прочитала это и подумала — папа умер в начале июня, пятого, теперь это день его смерти. Но это пятое и раньше, получается, было днем его смерти, всегда было.

День был, а смерти не было. Только не могу вспомнить, что было в этот день в прошлом году. Что и всегда — семечки, пиво, женщина в окне мыла раму.

Гладила его руки, желтые, уходящие, с потемневшими ногтями.

В последние дни мы почти не разговаривали, перекидывались незначащими словами, совсем, как это было с мамой.

Прихожу с кухни. Он шепчет:

— Ты пила кофе?

Почувствовал запах.

Теребллю ногтями заусенцы, он недоволен:

— Прекрати!

Захотел хурмы, съездила на рынок, разрезала пополам, кормлю его с ложки, а он не ест.

– Не хочу.

Жарко, окно откроешь, оттуда еще больше зноя. Просил положить холодные ладони ему на горячий лоб, на щеки. Держала руки под краном с ледяной водой, чтобы были похолоднее.

Накануне он все почувствовал. Я еле расслышала:

– Умираю, дочка.

– Умирает он! А мы не умираем? В трамвае едем?

Он скривился. Это была улыбка. Прошептал:

– Сашка, как я тебя люблю!

Мама умерла без меня, и мне было очень важно, не могу объяснить почему, чтобы в ту минуту, когда это произойдет, я держала папу за руку.

Попросила его:

– Папа, когда ты будешь умирать, я хочу держать тебя за руку. Обещаешь не умереть без меня?

Он прикрыл веки.

Потом наступили его последние минуты. Папа так дышал, что кровать под ним ходила ходуном. Говорить он уже не мог и не отрывал от меня просящих глаз. Я знала, о чем он просит.

Мне захотелось обнять его, я прилегла рядом на кровать, прижалась к нему, все время смотрела ему в глаза. Взгляд его изменился. Он глядел на меня, но глаза уже не просили. В них было какое-то удивление.

Он уходил. Он еще был со мной, но уже заглянул туда. Он остановился, помедлил на какое-то мгновение на черте. Увидел то, что мне из этой комнаты не было видно.

Папа силился мне что-то сказать.

– Что, папа, скажи! Что?

У него из гортани полилось клокотание.

И вдруг я поняла, что он мне хотел, заглянув туда, сказать. Он хотел мне сказать, что там действительно живут нетленные люди и немые цикады.

Папа несколько раз говорил мне, что уже знает, какая у него в записках будет последняя фраза. Он нашел где-то концовку, которой раньше писцы заканчивали свои книги – про корабль и морскую пучину. Но последняя запись в его брошюрке бытия совсем про другое.

«Оказывается, по последним данным, покойный может слышать и после смерти – из всех функций слух уходит последним. Саша, дочка, скажи мне что-нибудь!»

Я все это пишу для того, чтобы объяснить удивительное ощущение: я держала его за руку в ту минуту, наверно, самую важную в жизни человека, и чувствовала себя счастливой.

* * *

Сашенька!

Родная моя!

Скажи, а ведь может такое быть, что все кругом на самом деле не существует?

Дождь опять. Весь день идет.

Разве может все это быть реальностью, да еще моей? Конечно, не может.

Ну, хорошо, дождь, но ведь это может быть совсем другой дождь. Мало ли дождей. Ведь не каждый из них настоящий.

Может, это тот, дачный дождь. Зарядил с утра. И вот там все настоящее. Зудение комаров на веранде. Крыша протекает – капе́ль в тазу. Стекла в накрапах. В приоткрытом окне сад шуршит. Промокшая сирень пахнет особенно, по-дождливому. На дорожке перед крыльцом лужи живьем.

Валяюсь на диване с томом Шекспира на коленях и пишу вот в эту тетрадку. Сочиняю. Как хорошо сочинять! Про любовь, смерть и все на свете. Ведь потом можно все написанное взять и сжечь. Как это чудесно!

Только прилег с тетрадкой, задумался, погрыз карандаш, взглянул на часы, а уже без десяти два! Ты же меня ждешь! Сейчас влезу в резиновые сапоги, наброшу старый дождевик и пойду – нашей дорожкой. Сначала до угла, там, где за забором сосед разводит чайные розы, потом лесом к мосту через овраг, а оттуда уже видна крыша вашей дачи. Особенно люблю ту тропинку через наш лес. Мне так нравится, как ты всякий раз удивляешься, что я знаю названия растений. А что тут такого? Это каждый может.

Любимая моя! Подожди еще немного!

Я иду!

* * *

Любимый мой, родной, единственный!

Проснулась рано, лежала и думала о тебе.

Милый, это будет очень радостное письмо.

Но сначала нужно все рассказать по порядку — прежде всего про то, что, наконец, весь город завалило снегом.

Среди ночи проснулась и вспомнила, что сегодня на работу идти не надо и можно спокойно еще валяться в постели. И вот тут только почувствовала, как я устала за эти дни и недели. И годы. А за окном какое-то свечение. Выглянула — все в снегу. Легла опять, завернулась, как ты любишь, куколкой, и смотрела в дырочку на снегопад за окном. И так сладко потом снова заснула!

Рано утром проснулась по привычке — затемно, и слышу, как скребут лопаты за окном, вспомнила, что выпал снег, и опять такое счастье навалило! Снова заснула и спала уже до полудня, отсыпалась всласть.

Завтракать села перед снегопадом.

Потом просто так сидела у окна, словно перед сценой, и смотрела, как мокрые хлопья ударяются в стекло и медленно сползают.

Заварила себе крепкий чай. Никуда бежать не надо. Так хорошо!

Чай в стакане от заоконной зимы как-то особенно рдеет.

Не вытерпела, пошла погулять. Ввалилась в снегопад.

Иду и шалею от свежего чистого запаха.

День от этого запаха тоже ошалел, будто забыл роль и несет отсебятину.

И весь город какой-то одуревший.

У перекрестка во рту снежная каша, бормочет что-то.

Памятник был брюнет, а теперь альбинос.

Гадали, где живет снежный человек, а он тут, в скверике.

Ветки тяжелые, прогнулись, норовят схватить за загривок, каждой приходится кланяться.

Так здорово, что зима и снег! Особенно снег! Пришел все пересотворить.

Парк стоял ползимы пустотелый, сквозной, а теперь стал снежной дворцовой архитектурой — арки, башни, купола. Деревья так нависают над дорогой, что машины будто въезжают в снежные подворотни.

И вообще снегопад превращает все в одно целое.

То каждый на свете жил сам по себе, а теперь всякая скамейка и тумба, не говоря уже о почтовом ящике, понимает полноту и единство существования, не имеющего швов.

Прохожий прячется под зонтом от снега. Один такой умный. Остальные просто отряхиваются, охлопывают себя варежками, а на плечах и шапках лепешки растут как на дрожжах.

В каждом дворе дети катают комки, лепят снежных баб.

Снег мокрый, липкий. Взяла в кулак, не удержалась, отгрызла кусочек.

Снегопад прыток, легконог, буен. Заражает собой весь город, но особенно мальчишек и собак. В школьном дворе старшеклассники сражаются в снежки, суют горстями снег друг другу в лицо, за шиворот. Шарфы валяются, шапки. Дворняга бросается с лаем за снежками, фыркает, кусает снег.

Стояла и смотрела, как собака радостно носится взад-вперед, разбрасывая слюни. Пес вдруг остановился прямо передо мной, взглянул удивленно, мол, чего ты тут стоишь, давай с нами! — потом зевнул, звонко щелкнув челюстями, и понесся дальше, сбивая снежинки хвостом и звонко лая от счастья.

Дальше шагаю, сама не понимая куда. Какая разница, если валит взахлеб?

На тротуаре оттиски подошв — елочкой.

Черные прогалины вокруг люков.

Залепило таблички с названиями улиц.

Снег летит неровно, с наклоном, и на подоконниках скапливается не равномерно, а косым углом.

И на деревья мокрый снег налипает только с одной стороны, стоят как с белыми лампасами.

Мне навстречу лезет из снеговерти какой-то куст со свекольными прутьями. Ты знаешь, как он называется.

А вот велосипедист – перечит зиме. На колеса наматывается липкий снег. Соскочил и повел за руль.

Иду мимо стройки – под навесом деревянные мостки, грязные, мокрые, приятно пружинят при ходьбе, подкидывают вверх на каждом шагу.

Парикмахерша выскочила покурить, ловит снежинки огоньком сигареты, а хлопья у нее уже в волосах. Кто-то вышел, и из двери пахнуло приторной парикмахерской смесью. Как можно целый день этим дышать?

Потом шла мимо детского сада и заглянула в окно.

Стою и смотрю, как мамы и бабушки разворачивают костюмы и одевают детей – зайчики, снежинки, лисы, медведи. Один надел маску волка и пугает всех. Девочка натягивает белый гольф и скачет на одной ножке.

В другом окне огромная нарядная елка – то вспыхнет, то погаснет. В углу засовывают подарки в мешок.

А в последнем окне Дед Мороз застегивает Снегурочке сзади застежку на платье. Она глядится в зеркальце и красит губы. Живая, хоть и слепили из снега. И никто не удивляется.

Пошла домой.

Перебирала бумаги, задумалась. Похлопывала стопкой по губам. И так глупо получилось – порезала губу о край листа. Такой неприятный порез, очень больно.

Вечером решила пойти на концерт. Не очень люблю скандинавов, но все равно.

Не могу жить без музыки. Все наносное, ненужное слетает, как шелуха, остается только настоящее.

Но в этот раз почему-то не могла сосредоточиться, все кругом отвлекало, мешало.

В гардеробе топали ногами, отряхивались от снега, протирали залепленные очки.

Зашла в дамскую комнату, там пудрятся, мажутся, и банный шум в ушах. Так с ним и пришла в зал.

Пытаюсь войти в музыку, остаться наедине с собой, а не получается. Будто у музыки заусенцы.

Сижу и вижу облезлую позолоту ярусов, потертый бархат.

Кто-то шуршит конфетной оберткой, упал номерок. С улицы доносятся то сигналы пожарной машины, то сирена скорой помощи.

Все время кончиком языка дотрагиваюсь до пореза.

Думаю о музыке, но мысль вся в прорехах.

Почему-то вспомнилось, как на даче ты чинил велосипед и поставил его вверх колесами посреди веранды. Инструменты лежали на газете. Я случайно задела бедром педаль, и колесо стало вращаться с легким шуршанием.

Женщина впереди все первое отделение перебирала коралловые бусы на шее, а когда она в антракте встала, сиденье не удержалось и попыталось задрать ей юбку.

Я ушла со второго отделения.

Снега еще больше навалило. Прет, какой-то ненасытный.

Машины скользят сквозь снегопад бесшумно, а на площади едут по кругу – устроили себе тихую карусель.

Под каждым фонарем – роится. И видны тени от хлопьев.

И без фонарей везде светло от снега.

И улицу на перекрестке можно переходить на снежный свет.

Остановилась у витрины – детские теплые тапочки-слоники. Смотрю на них, а они уставились на меня.

Поехала домой.

Легла уже, а потом снова встала, оделась и вышла во двор.

Тихо, пусто, только снег. Дышать от него легко, вкусно.

Решила – слеплю себе девочку.

Будет у меня дочка.

Беру снег, а он ловкий, лепкий. Все получается – ручки, ножки.

Пальцы замерзнут, погрею их в карманах и снова леплю.

Щечки, носик. Ушки. Пальчики. Попка гладенькая, крепенькая. Пупок.

Чудесная получилась девочка!

Взяла ее осторожно и понесла домой.

Уложила в кровать, закутала.

Потрогала ей ноги – ледышки, стала отогревать, дышать на них, тереть, целовать.

Поставила чайник, чтобы малиной отпаивать.

Грею ей ножки и рассказываю, что есть такая страна, в которой живут люди с одной ногой, на которой они скачут быстрее двуногих, и у них настолько большая ступня, что прикрываются ею в зной от солнца, а еще там есть люди, которые живут только запахами плодов, и если отправляются в дальний путь, то берут с собой эти плоды и нюхают.

Рассказываю, тру ей пяточки и смотрю в зеркало, а в нем отражается окно, и видно, как падает снег.

Ножки согрелись, и мне показалось, что она уже заснула.

Наклонилась к ней поцеловать на ночь, а она:

– Мама, что это?

– Порезала о бумагу, ничего страшного, спи!

Укутала ее, подоткнула одеяло со всех сторон, хотела уже идти, а она опять:

– Мама!

– Ну что еще?

– А ты купишь мне те тапочки, которые слонята?

– Да, да, куплю! Спи!

* * *

Сашенька!

Любимая моя!

Здесь же ничего нет.

Где дремлик? Где кислица?

Нет куролепа, нет горечавки, нет осота. Ни любистика, ни канупера.

Где крушина? А ятрышник? Где короставник? Почему нет иван-чая?

Где толокнянка? Дрок?

А птицы? Где птицы?

Где овсянка? Где желна? Где олуша?

А пеночка? Пеночка где?

* * *

Любимый!

Володенька мой!

С каждым днем ты мне все ближе и ближе.

День как день.

Бужу, а она брыкается. Прячется с головой под одеяло.

– Зайка, пора!

А она бурчит:

– Ничего не пора! Еще ночь. Ты мне снишься.

Ну что ты с ней будешь делать! И так во всем.

Я ложусь очень поздно, засыпаю, как только голова касается подушки, хотя мне иногда кажется, что засыпаю уже на лету. Поэтому вставать невыносимо. Но все равно ставлю себе будильник пораньше. Мне очень важно вставать так, чтобы было несколько минут для себя.

За окном – тьма. Бесконечная зима. Морозно.

Варю себе кофе и думаю про день, который только начинается. И про тебя. И про все на свете.

Бегу в душ, а по дороге бужу мою зайку. Целая церемония. Начинаю играть с ней в спящую красавицу, где она, закутанная в одеяло, – это леса и горы, по которым скачет принц в поисках своей любимой, и вот я, то есть он – прискакал и начинает целовать ее. Она довольно посапывает, явно просыпаясь, но не хочет признаваться в этом. И такая у нее душистая макушка, пока не пристали к ней другие дневные запахи!

А когда и принц не помогает, к ней под одеяло забирается ежик. Зайка моя вскакивает с радостным визгом и бросается мне на шею. День начался.

Выхожу из душа, а она все еще не оделась. Натягивает колготки пяткой кверху – не натягиваются. Замерзла, дрожит, но ничего не делает, чтобы одеться быстрее, – лучше сидеть и капризничать.

А еще у нее зуб шатается – все время трогает пальцем. Хлопнула ей по руке – насупилась.

Варю на кухне кашу – мы обе любим смотреть, как овсянка в кастрюльке чмокает губами. Зову:

– Ну где ты там?

Приходит, натягивая кофту, машет пустым рукавом в воздухе, изображая безрукого, хихикает.

– Перестань баловаться! Садись ешь!

Начинается новая игра – размазывает кашу по тарелке, рисует там что-то.

– Зайка, времени уже много!

Заявляет рассудительно:

– Как может быть много времени, когда только утро.

Пыхтит над своей кашей, но стоит мне только задуматься, посмотреть в заросшее инеем окно, как тут же сама получаю по рукам.

– Мама! Не грызи пальцы! Сколько раз можно повторять!

Иду в комнату, напяливаю впопыхах платье, возвращаюсь – она выщипала из горбушки мякоть и радостно сообщает:

– Мама, смотри, горбушка зевает!

И восторг телячий.

Уже опаздываем, одеваемся бегом, а вещи, приготовленные и сложенные с вечера, играют в прятки. Все куда-то пропадает – варежки, шапка, шарф, сменка. Закутываю ее, а сама застегиваюсь на лестнице. Уже в подъезде от холода перехватило дыхание. Вываливаемся в морозную темноту.

Торопимся на остановку. Густая мгла. Гулкие звонкие шаги по вымороженным тротуарам. Везде лед – только бы не шлепнуться!

Идем мимо помойки, обычно тут стараешься бегом, но сейчас запахи и те замерзли.

Зайка все хочет на ходу решить какие-то важные вопросы, но не слышу ничего, что она бормочет, вижу только, как с губ срывается белое облачко.

На небе еще полно звезд, но от мороза на глаза навернулись слезы, и звезды – пушисты.

Еле успеваем на трамвай. Повезло, даже два места свободных рядом. Пока добежали, успели отморозить щеки – онемели.

Зайка сразу принимается дышать на заиндевевшее окно, протирать в нем глазок.

Трамвай как трамвай. Дребезжит, сыплет искрами. Пассажиры досыпают, кутаются в шарфы, хохлятся.

Кондукторша разговорчивая попалась:

– Ну что, теплокровные, намерзлись? Ничего, сейчас надышите!

Над головой кто-то развернул газету. На первой странице война, на последней кроссворд.

– Мама, мама, слон!

– Какой слон?

– Там слон! Мы обогнали слона!

– Зимой слонов не бывает.

Надулась, отвернулась. Снова прильнула к глазку.

– Но там был слон! Я сама видела!

Не может успокоиться:

– Правда! Его куда-то вели, и мы его обогнали!

Сняла с нее капюшон, поцеловала в затылок.

Подумала, нужно будет ее сегодня помыть. Для меня это всегда радость. И она тоже любит ванную, может играть там часами. Придумывает что-то бесконечно – начнет рисовать, например, на запотевшей кафельной стене. Или пускать мыльницы-кораблики. Или играть в необитаемые острова – коленки над водой.

Люблю прийти к ней в распаренную душную ванную, тороплюсь поскорее закрыть дверь, чтобы не напустить холодного воздуха. Колонка гудит, горячий душ колет ее тонкими иголочками, она визжит, брызгается.

Мою ей волосы до скрипа.

Она всегда сама тянет за цепочку и открывает сток, а потом помогает пальцем воронке водоворота.

Снимаю теплое полотенце с батареи, укутываю, сажусь на унитаз, ее сажаю на колени. Растираю спинку, животик, ножки. Нам обеим нравится, как остатки воды с урчанием и клекотом уходят из ванны в слив, – ждем этого рокочущего момента.

Она рассматривает свои сморщенные кончики пальцев – пытается увидеть их превращение обратно в ее, гладенькие. Помню, как она испугалась когда-то, когда обратила на это внимание в первый раз, ныла, что она сама маленькая, а руки как у старушки. Не могла успокоиться до тех пор, пока не увидела свои пальцы через пять минут.

Смотрю на нее иногда и узнаю себя в детстве. Ведь я точно так же когда-то грызла яблоко и ходила туда-сюда по полоске света на паркете от щели между шторами. Точно так же любила тюрю, которую мне делала мама: теперь я режу хлеб кубиками и бросаю в миску с теплым молоком, потом посыпаю сахарным песком из чайной ложки. Еще мама меня научила стелить постель – я показала один раз зайке, как можно сделать так, чтобы у подушки из-под одеяла торчали ушки, и теперь постель всегда застелена.

А что-то только ее, собственное. Например, она играет в какого-то зверька-невидимку, которого никто, кроме нее, увидеть не может. Живет он у нее в стромбусе. Тот самый наш стромбус стромбидас, который теперь снова стал чьим-то домом.

Так люблю смотреть, как она играет с этим невидимым существом, кормит его, поит чаем. Так и не знаю, что это за зверек. Зайка заботливо дует ему на блюдечко, чтобы не обжегся. Пилит его, чтобы он не полоскал во рту чай, перед тем как проглотить. Смочив слюной платок, оттирает ему грязь на лице и ругает с моей интонацией. А когда он заболеет, лечит его особым лекарством – запахом шоколада, который у нее хранится в большой коробке из-под новогодних конфет.

Иногда не могу сдержаться, схвачу ее в охапку и целую куда попало – в шейку, в щеки, в макушку, а она вырывается, мол, хватит, мама, пусти!

Однажды вдруг спросила, когда я укладывала ее спать:

– Мама, а откуда я взялась?

– Я тебя из снега слепила.

– Неправда! Я знаю, откуда дети берутся!

Смешная.

У вокзала в вагон влезает отец, народа уже много, мы сидим сзади, а он входит в переднюю дверь, я ему машу рукой, но он не видит. Только слышу, что он громко, будто со сцены, – уже выпил с утра – на весь вагон рассказывает, как в детстве ему купили новые галоши:

– Не галоши, а праздник! Внутри малиновая нежная байка! И так вкусно пахнет резиной! И так не терпится в них скорее на улицу, где выпал свежий снежок, потому что следы от новых галош совершенно особенные – как шоколадные плитки! Мы играли, что это наш шоколад. Снимешь варежку, пальцами аккуратно берешь такую плитку и грызешь. И вот мы этим снежным шоколадом объедались!

– Мама, нам еще долго?

– Нет, уже скоро.

У кондукторши очки запотели, она подняла их на лоб и пересчитывает в сумке мелочь, рассматривает монеты утрехтской безглавой чеканки.

– Мама, нам еще долго?

Прижала ее к себе. Шепчу на ухо:

– Послушай, я должна тебе что-то сказать. Там будет один человек, не удивляйся, он положит мне голову на колени.

– Почему? Он тебя любит?

– Да.

– Я тоже тебя люблю. Очень-очень!

И положила мне голову на колени.

* * *

Сашенька!

Любимая! Родная моя!

Я иду к тебе. Осталось совсем немного.

Со мной случилось удивительное.

Вдруг слышу:

– А ну, покажи-ка мне твои мускулы!

Я ничего не понимаю и спрашиваю:

– Кто ты?

А он:

– Кто я? Разве не видишь? Я – поп Иван, а это кругом мое царство, горластое, благоухающее, нетленное. Я – господин господствующих и повелитель всех повелителей. В царстве моем каждый знает свое будущее и все равно живет свою жизнь, любящие любят еще прежде того, как узнают друг о друге, познакомятся и разговорятся, и реки текут днем в одну сторону, а ночью в другую. Устал?

Я:

– Да.

– Присядь. Я сейчас чайник поставлю.

Я:

– Не могу. Мне надо идти.

Он:

– Я знаю.

Я:

– Я должен спешить. Дело в том, что...

Он:

– Я знаю, я все знаю. Она тебя очень ждет.

Я:

– У меня нет времени. Я должен идти к ней. Я пойду.

Он:

– Подожди, ты без меня не найдешь. Я тебя провожу. Посиди пока, передохни. Я должен доделать одно дело и – в путь. Я скоро.

Я:

– Скажи, а вот эта картинка на стене...

Он:

– Ну, говори, говори! Не обращай внимания, что я пишу. Я должен это дописать, совсем немного осталось. Я тебя слушаю.

Я:

– Откуда у тебя это?

Он:

– Что?

Я:

– Этот план парохода в разрезе. Тот самый, с пририсованным матросом на якоре, вот же он, с ведром и кистью.

– Это нужно взять с собой. Вынь кнопки и сверни в трубочку. Кстати, ты что, не знаешь, что якорь – единственное на корабле, что не красят?

Ладно, пустяки. Нужно взять с собой все важное, ничего не забыть. Подумай, соберись!

Я:

– А у меня ничего нет. Мне ничего не нужно.

Он:

– Ты забыл, что ли? Сам же говорил, что понял: ненужное – самое необходимое. Вот, слышишь?

Я:

– Прутиком по решетке?

Он:

– Да. Идут и трещат все кому не лень, кто палкой, кто зонтиком. А теперь, слышишь, кузнечики – будто кто-то заводит часики. А это прогремел на стрелках далекий трамвай.

Я:

– А это что?

Он:

– Как что? Колючки репейника. Ты же бросал ей в волосы. Потом сам их вытягивал, а они цеплялись. Все это тоже нужно взять. А запахи! Разве можно забыть запахи! Помнишь, сладкий дух из кондитерской? Ваниль, корица, шоколад, твои любимые пирожные-картошки.

Я:

– Смотри, а вот тот лист из гербария, на котором написано старательным детским почерком: «Подорожник, Plantago». Тоже возьмем?

– Разумеется. И поленницу книг на полу в твоей комнате. И мамино кольцо, которое еще только кружится по подоконнику, подпрыгивая прозрачным золотым шариком, тренькая. И то, как один человек когда-то протирал очки галстуком.

Я:

– И обрывок газеты, приставший к порезу от бритья?

Он:

– Да, конечно, ведь у каждого такого обрывка есть свой, не похожий ни на кого человек, и он щупает пальцами стрелки на своих часах без стекла на циферблате.

Я:

– Нам пора!

Он:

– Да, да. Сейчас пойдем. Подожди еще немного!

Я:

– А где та круглая галька, которая вечность?

Он:

– А я ее выбросил. Сунул в карман и пошел погулять. Там был пруд. Вечность подпрыгнула на воде пару раз и булькнула, только круги остались, да и те ненадолго.

Я:

– Идем же!

Он:

– Сейчас! Сейчас. Что-то хотел тебе сказать, а теперь не вспомню. А, вот – не слушай Демокрита! И тела могут соприкасаться, и нет никакого зазора между душами. А люди становятся тем, чем они всегда были, – теплом и светом. Сейчас пойдем. Пора. Посмотри, ничего не забыли? Я заканчиваю. Все. Перо поскрипывает по бумаге, как чисто промытые волосы под пальцами. Уставшая рука спешит и медлит, выводя напоследок: счастлив бысть корабль, переплывши пучину морскую, так и писец книгу свою.

Литературно-художественное издание

Шишкин Михаил Павлович

ПИСЬМОВНИК

Роман

Заведующая редакцией *Елена Шубина*
Ответственный редактор *Алла Шлыкова*
Младший редактор *Вероника Дмитриева*
Художественный редактор *Константин Парсаданян*
Технический редактор *Надежда Духанина*
Компьютерная верстка *Елены Кумшаевой*
Корректор *Елена Сербина*

ООО «Издательство АСТ»
129085, г. Москва, Звездный бульвар, д. 21, строение 3, комната 5
Наш электронный адрес: www.ast.ru
E-mail: astpub@aha.ru
[ссылки на страницы редакции Вконтакте и Facebook]

«Баспа Аста» деген ООО
129085, г. Мәскеу, жұлдызды гүлзар, д. 21, 3 құрылым, 5 бөлме
Біздің электрондық мекенжайымыз: www.ast.ru
E-mail: astpub@aha.ru

Қазақстан Республикасында дистрибьютор және өнім
бойынша арыз-талаптарды қабылдаушының өкілі
«РДЦ-Алматы» ЖШС, Алматы қ., Домбровский көш., 3«а», литер Б, офис 1.
Тел.: 8(727) 2 51 59 89,90,91,92, факс: 8 (727) 251 58 12 вн. 107;
E-mail: RDC-Almaty@eksmo.kz
Өнімнің жарамдылық мерзімі шектелмеген.

Өндірген мемлекет: Ресей
Сертификация қарастырылмаған

Подписано в печать 04.02.2016. Формат 84x108 1/32.
Гарнитура «NewBaskerville». Печать офсетная. Усл. печ. л. 18,33.
Тираж 3000 экз. Заказ 3005.

Отпечатано с электронных носителей издательства.
ОАО "Тверской полиграфический комбинат". 170024, г. Тверь, пр-т Ленина, 5.
Телефон: (4822) 44-52-03, 44-50-34, Телефон/факс: (4822)44-42-15
Home page - www.tverpk.ru Электронная почта (E-mail) - sales@tverpk.ru

ISBN 978-5-17-095364-6